Novela

Biografía

David Safier nació en Bremen en 1966. *Maldito karma* (Seix Barral, 2009), su primera novela, ha sido un éxito internacional en todo el mundo y lleva más de cincuenta ediciones en español. *Jesús me quiere* (Seix Barral, 2010), *Yo, mi, me... contigo* (Seix Barral, 2011), *Una familia feliz* (Seix Barral, 2012) y *¡Muuu!* (Seix Barral, 2013) lo han confirmado como uno de los autores más divertidos y alentadores del panorama literario actual. Con *28 días* (Seix Barral, 2014), convertida ya en un *best seller* en Alemania, David Safier nos sorprende con una novela sobre el levantamiento del gueto de Varsovia protagonizada por una carismática adolescente. Sus novelas han vendido cuatro millones de ejemplares en Alemania y están en vías de publicación en treinta y un países. En reconocimiento a su éxito en España, ha recibido la Pluma de Plata de la Feria del Libro de Bilbao.

David Safier
¡Muuu!

Traducción de María José Díez Pérez

Seix Barral

El papel utilizado para la impresión de este libro es cien por cien libre de cloro y está calificado como **papel ecológico**.

Título original: *Muh!*

© Rowohlt Verlag GmbH, Reinbek bei Hamburg, 2012
© por la traducción, María José Díez Pérez, 2013
© Editorial Planeta, S. A., 2013, 2015
    Seix Barral, un sello editorial de Editorial Planeta, S. A.
    Avda. Diagonal, 662-664. 08034 Barcelona (España)
    www.seix-barral.es
    www.planetadelibros.com

Diseño de la cubierta: Departamento de Arte y Diseño, Área Editorial Grupo Planeta
Ilustración de la cubierta: Shutterstock
Fotografía de autor: © Hergen Schimpf
Primera edición en Colección Booket: febrero de 2015

Depósito legal: B. 742-2015
ISBN: 978-84-322-2427-0
Impresión y encuadernación: CPI (Barcelona)
Printed in Spain - Impreso en España

Para Marion, Ben y Daniel: ¡muuu!
Y también para Max: ¡guau!

CAPÍTULO 1

«¡MUUU!» puede querer decir muchas cosas. Cuando una vaca de lo más normal como yo, por ejemplo, muge atemorizada puede significar: «El ganadero tiene otra vez las manos frías», o: «Socorro, el ganadero conduce la cosechadora borracho» o, incluso: «¡Oh, no, nos quieren castrar al toro!»

Las vacas podemos mugir cabreadas: «¡Maldita cerca electrificada!»; o regañonas: «Niños, dejad de reíros de los bueyes»; o simplemente de pura, absoluta felicidad: «Tenemos hierba y sol y el cuerpo sin una sola lombriz. ¿Qué más queremos?»

Naturalmente también podemos mugir por tristeza: «Mi madre ha muerto»; inquisitivas: «¿Qué harán los hombres con el cuerpo de mamá?»; y con absoluto escepticismo: «Me da que el Big Mac ese del que hablaba el ganadero no es nada bueno.»

Cuando estamos rumiando en los pastos somos capaces incluso de mugir filosóficamente: «¿En qué estaría pensando nuestra hacedora, la diosa Naia, cuando creó a las personas? ¿O a las puñeteras moscas? Sería mucho mejor que a nuestro alrededor volaran mariposas de colores en lugar de moscas. O que al menos las moscas supieran bien. Desde luego lo mejor sería mariposas que además supieran bien.»

Y a veces, sí, a veces, las vacas mugimos profundamente conmocionadas.

Como lo hice yo cuando lancé el mugido más horrendo de mi vida hasta entonces. Fue una tarde de primavera: estaba en los pastos, vi los nubarrones cargados de lluvia que se acercaban y no quise esperar a que el ganadero llevase a la vacada al establo, ya que de un tiempo a esa parte el tontaina se olvidaba de nosotras a menudo. Ya no era el de siempre: cada vez bebía más de un líquido que su mujer —a la que hacía mucho que no veíamos— llamaba aguardiente de mierda, y cuando lo hacía no paraba de echar pestes de cosas con nombres curiosos como cuotas lácteas, subvenciones agrícolas y prostatitis.

Sea como fuere, no me apetecía lo más mínimo volver a mojarme, así que eché a trotar hacia el establo, donde descubrí, para mi sorpresa, que el gran amor de mi vida, el gallardo toro negro Champion, ya estaba en su cubículo. Al verlo mugí la frase que probablemente a ninguna vaca le guste mugir a su amado:

—Dime, ¿estás montando a Susi?

Champion volvió deprisa la cabeza hacia mí, puso cara de susto un instante y balbució:

—Esto..., esto no es lo que parece, Lolle.

Sí, las vacas también podemos soltar pretextos absurdos.

—Estás sobre las patas traseras y tienes las pezuñas delanteras apoyadas en su lomo —repuse con voz temblorosa—. ¿Qué otra cosa podría ser?

Al encontrarme con semejante espectáculo tuve la sensación de que el corazón me estallaría en mil pedazos.

Al mismo tiempo se me encogieron los cuatro estómagos, por no hablar de la panza.

—Lolle, te lo puedo explicar —prometió Champion con su preciosa voz grave, mientras me miraba con sus todavía más preciosos y graves ojos negros.

Estoy segura de que me habría quedado embobada con esos ojazos, como de costumbre, de no haberlo pillado así con Susi. Esa vaca asquerosa tenía muchas cosas malas: era taimada, vanidosa y —lo peor de todo— increíblemente atractiva. Mucho más que yo. Susi tenía muy buena planta, la piel brillante, y más de un toro se había dado sin querer con la cerca electrificada por mirarle las ubres. En cambio, mi piel blanquinegra era mate, nada en mí me incitaba a mirarme encantada en un charco durante horas. Y ningún toro se había salido jamás del buen camino por mis ubres.

Susi le había echado el ojo a Champion hacía tiempo, pero yo confiaba en que su amor por mí fuese más fuerte que las artes de seducción de ella. Está claro que en el fondo yo sabía que estaba siendo una ingenua, y decir ingenua es quedarse muy corta, ni siquiera pavitonta es la palabra exacta. (Y eso que los pavos son tontos de capirote, están convencidos de que el mundo se reduce únicamente a nuestra finca, mientras que nosotras, las vacas, alcanzamos a ver desde nuestra dehesa los árboles del fin del mundo, esos árboles cuyo límite no se puede rebasar, puesto que uno se precipitaría a un abismo y estaría cayendo días y días hasta aterrizar en la leche infinita de la perdición.)

Aunque las ubres de Susi eran mucho más tentadoras que las mías y la escena que se desarrollaba ante mis ojos no parecía dejar lugar a dudas, yo esperaba con toda mi alma que Champion dijera la verdad. Que, en efecto, no fuera lo que parecía y que podía darme una explicación plausible. Si no podía hacerlo, el sueño de mi vida se haría añicos. El sueño con el que soñaba desde el último verano: por aquel entonces aún era una vaca joven (tenía dos veranos) y en mi corazón reinaba una gran inquietud. Me moría de ganas de averiguar cuál era el sentido de la vida, pero cuando se lo preguntaba a las vacas viejas de la dehesa lo único que escuchaba era: «Bueno, pastar está pero que muy bien.»

Una respuesta que desde luego no me bastaba. La vida, pensaba yo, tenía que ser algo más que pastar, rumiar y contarles a las demás vacas la boñiga colosal que una había expulsado.

Un día especialmente caluroso, dos moscas efímeras me enseñaron lo que podía ser ese «algo más». A primera hora de la mañana fui testigo de cómo salían de un charquito que se había formado tras una tormenta. Las dos criaturitas parecían sumamente frágiles en los primeros minutos que pasaban en este mundo. Ya a tan temprana edad se sentían atraídas la una hacia la otra. Decidí observarlas, y las llamé Zumbi y Pumbi. Las dos monadas se pasaron volando y dando vueltas juntas toda la infancia, es decir, una media hora.

A mediodía se convirtieron en marido y mujer. Zumbi fecundó a su Pumbi, un proceso durante el cual, como es lógico, aparté la vista discretamente. Tuvieron hijos. Un millar. Opté por no darles nombre a los pequeños.

Las dos efímeras educaron con amor a su prole, lo que resultó bastante agotador, sobre todo a primera hora de la tarde cuando los mil retoños se volvieron adolescentes desbocados: al parecer ésa era una etapa de la vida en la que uno sólo era responsable de sus actos hasta cierto punto.

A media tarde, los hijos finalmente alcanzaron la

edad adulta. A partir de ese momento Zumbi y Pumbi disfrutaron de la vida en pareja, y no pararon de hacer excursiones a otros charcos. Hacia la puesta de sol su vida se tornó nuevamente agotadora, pero de una manera hermosa, satisfactoria, pues ayudaron a sus hijos a cuidar del millón de nietos. Cuando la luna ya había salido, los enamorados comenzaron a volar de acá para allá por última vez, rendidos debido a la edad pero felices, ala con ala, hasta que cayeron al suelo. Allí se quedaron dormidos apaciblemente, bañados por la luz de las estrellas, las alas amorosamente entrelazadas.

Después de ver eso lo supe: ésa era la vida que yo quería tener.

Algo más larga, claro.

Y con algunos hijos menos.

Y también podía pasar perfectamente sin que en mi cuerpo muerto aterrizara una boñiga de vaca, como les pasó a ellas dos. Pero por lo demás quería que mi vida fuera igual que la suya. Y siempre pensé que Champion sería mi Zumbi.

Pero ahora mi sueño estaba a punto de hacerse pedazos, a no ser que Champion tuviese una explicación plausible de por qué estaba en esa postura con Susi.

—Lolle, la cosa fue que a Susi le picaba el lomo —empezó diciendo—, y me preguntó si se lo podía rascar.

Ésa no era lo que se dice la explicación plausible que yo esperaba.

—¿Tan tonta crees que soy? —pregunté mientras se me saltaban las primeras lágrimas.

Champion no supo qué decir, en cambio Susi repuso risueña:

—Bueno, está claro que lista, lo que se dice lista, no cree que seas.

13

Era evidente que le divertía provocarme, pero no quería darle la satisfacción de perder los estribos delante de ella o —peor aún— echarme a llorar. De manera que respiré hondo, contuve las lágrimas haciendo gala de una fuerza sobrevacuna y repuse toda serena:

—En cambio, está claro que a ti Champion te aprecia por tu ingenio.

—Exactamente.

—Y por tu gran personalidad.

—Eso es.

—Por eso lo tienes subido a las nalgas.

Susi, picada, cogió aire. Champion se volvió hacia mí y aclaró compungido:

—Lolle, esto no significa nada para mí...

—Vaya, muchas gracias —rezongó Susi, ofendida.

Por desgracia, en ese momento para mí sólo era un pobre consuelo que su infidelidad no significara nada para él. Champion siguió intentando apaciguarme:

—Sabes de sobra que los hombres no nos tomamos tan en serio hacer el amor con una mujer...

Esta vez fui yo quien dijo, molesta:

—Vaya, muchas gracias.

—Uy. —Champion se dio cuenta de su error y trató de enmendarlo acto seguido—: Contigo es distinto, Lolle. Ya sabes lo que siento por ti.

Su voz vibró al decirlo. A lo mejor sentía de verdad algo por mí. Seguro, incluso. Desgraciadamente no tanto como para poder resistirse a las nalgas de Susi.

—Lolle, ¿qué puedo hacer para subsanar mi error? —preguntó contrito.

—Dos cosas —repliqué yo.

—¿Cuáles? —se interesó Champion.

—Para empezar una cosita de nada.

14

—¿Cuál?

—¡HAZ EL FAVOR DE BAJARTE DE SUSI CUANDO HABLES CONMIGO!

—Eso mismo opino yo —apuntó Susi, que estaba visiblemente enervada al ver que Champion se desvivía por mí.

Champion se separó en el acto de Susi, que se fue trotando a su cubículo ofendidísima. Mientras se alejaba le gritó:

—Montármelo contigo es tan divertido como una indigestión en la panza.

Él la siguió con la mirada un instante, pero por lo visto no le importaba tanto como para responder a su insulto. En lugar de eso, se dirigió de nuevo a mí e inquirió:

—Y ¿qué es lo segundo que tengo que hacer?

—¡No volver a acercarte a mí en la vida!

Cuando pronuncié esas duras palabras me temblaba todo el cuerpo. A continuación di media vuelta y salí del establo, bajo la lluvia que caía a base de bien. Las demás vacas del grupo vinieron a mi encuentro, pero no les hice el menor caso. Mi sueño se había hecho añicos. Champion no era mi mosca efímera. Nunca viviría con él una vida tan feliz como la de Zumbi y Pumbi.

Apenas fui consciente de ello, no pude contenerme más: rompí a llorar y salí a galope, lo más deprisa posible, hacia la dehesa, con la esperanza de que nadie me viera. Las lágrimas se me mezclaban en el morro con las gotas de lluvia, y supe que me moriría de pena a menos que encontrara pronto otro sueño con el que ser feliz.

CAPÍTULO 2

Las vacas tenemos unas glándulas lacrimales tremendamente grandes: no sabía cuánto tiempo estuve tumbada a la orilla del arroyuelo que discurría junto a la linde de nuestra dehesa, sollozando. Los nubarrones se habían disipado casi por completo y solamente chispeaba, pero yo seguía llorando. Entonces se acercó Hilde, una de mis dos mejores amigas, y me preguntó:

—¿Hay algún motivo especial por el que quieras pillarte aquí un resfriado, Lolle?

—Ssssammmpionnn —berreé.

—¿Te importaría berrear vocalizando un poco más?

—Sssampion... Sssusi... Montánnndoselo.

Ahora Hilde sí lo entendió, y suspiró:

—Hombres, con ellos sólo hay dos alternativas: odiarlos u odiarlos.

Mi amiga tenía una piel áspera bajo la cual se escondía un..., bueno..., un corazón duro. Pero en el interior de ese corazón duro había algo blando, un anhelo de amor y cercanía. Sin embargo, Hilde preferiría meter la lengua en una trituradora a confesar a los demás —y sobre todo a ella misma— ese anhelo.

Era la única vaca de nuestra dehesa que tenía manchas marrones, razón por la cual las demás la evitaban desde pequeña. Las únicas a las que nos daba lo mismo el color de esas manchas éramos mi otra mejor amiga, Rabanito, y yo. A mí el color me daba igual, ya que me fascinaba todo lo que era diferente, y a Rabanito no le importaba, porque era la vaca más encantadora y para ella cuanto más variopinto fuese el mundo, mejor.

Mientras mis glándulas lacrimales y la llovizna se

iban calmando poco a poco, llegó Rabanito y comentó agitada:

—¿Os habéis enterado? Antes el ganadero no ha venido porque se ha quedado dormido en casa. Otra vez delante de esa caja tonta brillante en la que viven las personas pequeñas que siempre hablan con él sin que les responda, algo que, dicho sea de paso, es de muy mala educación y... Pero Lolle, ¿qué pasa? Estás llorando...

—Sssampion... Sssusii... —le expliqué.

—No me digas, ¿se lo han montado? —preguntó asombrada Rabanito.

—No —respondió, mordaz, Hilde—. Han estado jugando a «tú llevas la boñiga».

—¿En serio? —preguntó Rabanito—. Entonces, ¿por qué está Lolle tan triste?

Aunque Rabanito tenía muy pocas manchas en la piel, y por ello era prácticamente blanca, no era de las vacas con más luces de la dehesa.

Hilde torció los ojos:

—Pues claro que se lo han montado.

—¿Y por qué dices que han estado jugando al «tú llevas la boñiga»?

Rabanito estaba muy confusa.

Hilde soltó un resoplido por toda respuesta, ligeramente irritada.

Rabanito se volvió hacia mí y dijo con ternura:

—Lo siento mucho por ti.

Y me dio lametones por el morro para consolarme, lo cual me tranquilizó un poco.

Mientras tanto, Hilde intentaba consolarme a su manera:

—De todas formas siempre hemos sabido que Champion es un idiota.

—Sí, pero era mi idiota. —Me soné.

—Bah, Lolle —susurró con suavidad Rabanito—, seguro que hay muchos más idiotas.

Rabanito siempre era capaz de ver algo bueno en cualquier circunstancia. Siempre veía el comedero medio lleno, mientras que Hilde lo veía medio vacío. Y Champion se encargaba de vaciarlo del todo.

Pero yo no era como Rabanito. Para ser más exactos: nadie era como ella. Y Hilde tenía la firme convicción de que la actitud positiva de Rabanito guardaba una estrecha relación con el hecho de que al nacer se golpeó la cabeza contra el suelo del establo.

Sin embargo, ¿y si Rabanito tenía razón? Tal vez no tuviese por qué morir de pena. ¿Y si mi nuevo sueño de una vida feliz era ése: encontrar otro toro? ¿Y si me enamoraba otra vez? ¿Pero cómo, doliéndome como me dolía el corazón? ¿Y cuando en realidad sólo quería a Champion? Pero a él ya no podría volver a tocarlo con naturalidad, y menos aún podría dejar que él me tocara, después de haberlo visto así con Susi.

—Ningún toro da la felicidad —objetó Hilde—. Los toros son la prueba de que nuestra diosa Naia no existe. Pero en caso de que sí exista y de verdad creara a los toros, es muy rara. Y cuando digo rara quiero decir que está como una auténtica cabra.

Hilde tenía toda la razón, los demás toros de la finca daban la impresión de ser una creación menos divina aún que Champion. Los toros de nuestra edad eran de la opinión de que para hacer el amor no hacía falta tener sentimientos, lo que a mi juicio no los volvía muy atractivos. Aparte de ellos también estaba el viejo Kuno, al que el ganadero llamaba «la futura sopa de rabo de buey», sin que yo supiera a ciencia cierta a qué se refería.

Aunque sonaba más o menos igual de mal que «Big Mac», «chuletón» o «sandalias de piel». Y, por último, en la dehesa también teníamos al toro Tío, cuyas digestiones no eran lo que se dice las mejores. Siempre que Tío Pedo tenía flato, moría un enjambre de moscas. O una ardilla.

Para dar ánimos, Rabanito propuso:

—Bueno, siempre puedes esperar a que nazca otro toro, uno bueno de verdad.

—Claro —argumentó Hilde—, y cuando crezca se enamorará precisamente de una vaca vieja.

—Bueno, ¿y por qué no? —quiso saber Rabanito.

—Porque a los novillos no les pone naaaada una vaca con arrugas, que mastica con la boca llena y que tiene las ubres tan caídas que rozan el suelo al andar.

Ante esa idea de la vejez me entraron ganas de echarme a llorar de nuevo.

Y desde luego de no envejecer.

Rabanito se dio cuenta de que estaba al borde de las lágrimas y volvió a darme lametones en el morro.

—Ya verás como pronto te sientes mejor, te lo prometo, Lolle.

—Sí —confirmó Hilde—, cuando entienda de una vez por todas que no necesita un toro para ser feliz.

¿Era ésa la solución? ¿Vivir una vida feliz sola? ¿Sin ser amada por un hombre?

Rabanito le preguntó:

—¿Tú eres feliz sola?

—Claro —replicó Hilde en un tono demasiado decidido que revelaba que ese «claro» no correspondía del todo a la verdad.

Si ni siquiera la fuerte Hilde conseguía ser feliz sola, ¿cómo iba yo a encontrar la felicidad sin un toro? Antes de juntarme con Champion, la vida, que consistía sólo en pastar y digerir, ya me parecía demasiado poco.

Pedí mentalmente a Naia que me enviara una señal. Apenas empecé a rezar, alguien gritó:

—¡Attenzione!

Vi que un gato pardo venía corriendo hacia nosotras, no, más bien cojeando, tambaleándose. Le sangraba una pata y sus ojos eran la viva imagen del pánico. Era un animal perseguido. Que huía de algo. O de alguien. En cualquier caso de algo definitivamente pavoroso.

Si ésa era la señal, la diosa vacuna no sólo era rara o estaba como una cabra, sino que además era escasamente considerada.

CAPÍTULO 3

El gato cayó al arroyo ante nosotras. Salió a la superficie, emitió un sonido gutural e intentó mantenerse a flote, pero con la pata herida era absolutamente imposible.

Hilde fue la primera en recuperar el habla.

—Yo a ése no lo he visto en mi vida. ¿De dónde habrá salido?

—Quizá de los árboles del fin del mundo, donde vive la vaca loca —aventuró Rabanito.

—La vaca loca no existe —espetó Hilde—, eso sólo son cuentos que les cuentan las madres a los terneros.

—No son cuentos.

—Rabanito, eres más ingenua que las gallinas, que no entienden que los huevos que les quitan son sus hijos.

—Puede que sí lo entiendan —repuso Rabanito— y lo que pasa es que a las gallinas no les gustan mucho los niños.

—Ahora mismo las gallinas no son importantes —declaré—. ¡Tenemos que sacar al gato de ahí!

Entré con resolución en la fría agua del arroyo, que me llegaba por la rodilla. Pero antes de que pudiera agarrarlo con el morro, el gato volvió a hundirse haciendo ruiditos, con la angustia escrita en los ojos. Metí la cabeza deprisa en el agua y vi que el gato agitaba como un loco las tres patas sanas para salvarse, mientras de su boca salían burbujas de aire. Pero todo su pataleo fue en vano: se hundió hasta el fondo y se dio contra las piedras.

Hundí más el morro y me di cuenta de que el gato ya había cerrado los ojos y que de su boca salían las últimas burbujas de aire, minúsculas. Le mordí el mojado pelaje deprisa y lo saqué del agua. Mientras salía del arroyo, el gato se balanceaba en mi morro e iba escupiendo agua y jadeando. Cuando por fin fue capaz de respirar de nuevo, balbució:

—Signorina, io le doy las gracias de tutto corazone.

—Habla un poco raro —susurró Rabanito.

—Puede que no le llegue mucho aire al cerebro —especuló Hilde.

—Io sono de la bella Italia —explicó el gato.

—Y eso ¿qué significa? —inquirió Hilde.

—Mi tía abuela se llamaba Bella —contestó Rabanito—, pero desde luego de ella no es.

El gato hizo caso omiso de ambas y se centró nuevamente en mí:

—Por regla general non me atraen las mujeres voluminosas, pero usted... A usted podría besarla, signorina.

Iba a decirle al gato que, lo primero, no sabía lo que significaba «signorina» y, lo segundo, no quería ningún beso —no creo en las carantoñas entre animales distintos—, cuando Rabanito, al ver que aún tenía al gato en la boca, me advirtió:

—Si le respondes, irá directo al suelo.

Tenía razón, claro está, así que deposité con cuidado al herido en la hierba, donde miró a un lado y a otro apresuradamente y al final constató, aliviado:

—Le he dado esquinazo.

—¿A quién? —pregunté.

—Créame, è mejor que non lo sepa.

Le miré la pata destrozada y respondí con desazón:

—Sí, la verdad es que te creo.

Rabanito miró la herida con más detenimiento y observó preocupada:

—Tiene muy mala pinta.

El gato sonrió con amargura.

—Me alegro de que lo diga, signorina, de non ser por usted non me habría dado cuenta.

Intentó enderezarse, pero no lo consiguió. Soltó un suspiro dolorido:

—*Fuck!*

—*Fuck?* —repitió Rabanito—. Y esto otro ¿qué significa?

—Signorina —contestó el gato—, «fuck» è cuando un gato conoce a una gata bellísima y la desea tanto que la flauta mágica se le empina...

—¿La «flauta mágica»? —inquirió, desconcertada, Rabanito.

—El oboe de amore, sí.

—¿El oboe de amore?

—¿El acordeone della diversione?

—No sé de qué estás hablando.

—¡El rabo! —El animal torció los ojos.

—¿El rabo? —repitió Rabanito, confusa.

—Questo —espetó el gato, enervado, al tiempo que se señalaba el miembro.

Rabanito se quedó abochornada, y de ser capaces las vacas de taparnos los ojos, sin duda lo habría hecho.

El gato respiró hondo.

—Io non tengo tiempo para quedarme a dar clases de educacione sessuale a vacas. Debo seguir, de lo contrario io sono finito.

—Pero con la pata así no llegarás muy lejos —constató Hilde.

—Io non tengo eleccione —replicó el gato, y se enderezó y echó a andar cojeando, transido de dolor. Sin embargo, a los pocos pasos se mareó, empezó a dar traspiés y finalmente se desplomó. Cuando caía soltó—: *Fuck, fuck, fu...* —Y cayó de bruces contra el barro.

—Se lo he dicho —observó Hilde con sequedad—. Que no llegaría muy lejos.

—*Fuckedifuckediefucke* —balbució el gato por último en el barro, antes de perder el conocimiento.

—Este gato habla peor que los cerdos —comentó asombrada Rabanito.

(Se refería a que los cerdos tienen una forma de hablar entre sí que a las vacas nos abochorna y nos da rabia no poder meternos unas zanahorias en las orejas.)

—Me pregunto quién o qué le habrá hecho eso —tercié yo.

—Puede que haya sido yo —retumbó una voz grave a nuestras espaldas, una voz cuya frialdad nos recorrió el lomo y las cuatro patas.

Antes incluso de volverme, pensé: vaca tonta, ¿por qué hago siempre unas preguntas tan estúpidas?

CAPÍTULO 4

Me di la vuelta despacio y al otro lado del arroyo vi a un pastor alemán gris inmenso. Era viejo, pero no parecía nada débil, sino todo lo contrario, daba la impresión de tener una fuerza hercúlea. El hocico enorme, los dientes ferozmente afilados y allí donde debería estar el ojo izquierdo, una cicatriz. El ojo derecho lo tenía inyectado en sangre y con un brillo malicioso. Hasta entonces nunca había visto a un asesino, pero lo supe sin lugar a dudas: ése de ahí lo era.

Mi instinto me dijo: creo que éste es un gran momento para largarse.

Mis dos amigas ya se habían vuelto hacia el perro. Rabanito se quedó helada al ver a la inquietante criatura.

—Creo que me acabo de hacer pis en una pata.

Hilde balbució, como si reconociera al pastor alemán:

—Espero que no sea...

No pudo decir más, pues el perro dijo:

—Lo es; después de todos estos años he vuelto a casa.

—¡Oh, no, es él! —exclamó Hilde—. Es Old Dog.*

—Me alegro de que aún se me conozca aquí —repuso, la sonrisa aún más ancha.

Entonces todo empezó a darme vueltas literalmente de puro miedo. Old Dog era una leyenda en nuestra finca. Una leyenda inquietante. Aunque ninguna de nosotras tres lo había visto nunca, todos y cada uno de los terneros de la vacada había oído hablar de él: en su día, hacía muchos solsticios, Old Dog guardaba nuestra finca. Por aquel entonces, cuando era joven, también atendía al nombre de Rex. Era bueno con todos y nos protegía de los zorros, las

* Perro viejo. (*Todas las notas son de la traductora.*)

martas y otros animales salvajes. Rex amaba a Tinka, una encantadora perra de aguas, y eran una pareja feliz, como ninguna otra en la finca. Pero un día aciago Tinka comió la carne envenenada que el ganadero había puesto para las ratas y tuvo una muerte dolorosa. Rex sufrió lo indecible a lo largo de las semanas que siguieron, dejó de comer y de ocuparse de sus obligaciones en la finca. Finalmente el dolor se le hizo tan insoportable que no quiso seguir viviendo ni un solo día más, así que decidió comer la misma carne envenenada. Se la tragó, se desplomó, escupió espumarajos y, tras pasar unos minutos debatiéndose entre la vida y la muerte, el corazón se le paró, como le sucediera a su amada Tinka. Pero el ganadero no quiso enterrar a Rex de inmediato, primero pretendía dormir la borrachera, de modo que dejó el cadáver del perro tirado fuera. A medianoche Rex abrió de pronto los ojos: había resucitado de entre los muertos. Pero no era el mismo. Tenía los ojos rojos y el pelaje gris como el de un perro viejo; sin embargo, no era débil como un perro viejo, sino que a partir de ese momento pasó a tener una fuerza enorme, sobrenatural. Aunque, sobre todo, ya no era bueno, sino malo. Y no un poco malo, como Tío Pedo, al que de vez en cuando le divertía plantarse en medio de nosotras y tirarse un pedo... No, Rex, que a partir de ese momento pasó a llamarse únicamente Old Dog, era malo de verdad. Ya no vigilaba la finca y protegía a los animales, sino que los atormentaba a la menor ocasión. Ocurriera lo que ocurriese cuando su corazón dejó de latir, fuera a donde fuese su alma, había cambiado. Los animales de la finca supusieron que había ido en busca de su Tinka al reino de los muertos y no la había encontrado. Otros supusieron que el reino de los muertos no quería allí a nadie que se quitara la vida y que por eso él ahora era inmortal. En cualquier caso, un día especialmente aciago, Old Dog mató con brutalidad a una cerda. No para comérsela ni porque la cerda lo hubiese ofendido. Cuando el cerdo viudo le preguntó al pastor alemán con voz lacrimosa: «¿Por qué mataste a mi mujer?», él se limitó a responder con frialdad: «Porque era feliz.»

Pero cuando vio el cuerpo cruelmente desgarrado del animal, el ganadero le saltó un ojo al perro con una pala y lo echó de la finca. Desde entonces no se lo había vuelto a ver..., hasta ahora.

—Entonces... —balbució Rabanito—, entonces, ¿eres de verdad Old Dog?

—El mismo que viste y calza —contestó él sonriendo desde su orilla del arroyo, y el ojo inyectado en sangre despidió un destello perverso.

—Me acabo de hacer pis en la otra pata —susurró Rabanito.

—A mí la vejiga también me está dando algún que otro problemilla —coincidió Hilde.

—Vacas, no os pasará nada si me entregáis al gato —afirmó Old Dog con una fría sonrisa.

Mi instinto me dijo: eso suena pero que muy bien.

Miré el gato desmayado, que sangraba. No podía abandonar a su suerte a esa pobre criatura desvalida, razón por la cual mandé a la porra a mi instinto y le dije a Old Dog con toda la valentía de que fui capaz:

—Ni hablar.

Sorprendida, Hilde preguntó a Rabanito:

—¿Qué es lo que ha dicho?

—Creo que ha dicho que ni hablar —repuso la no menos sorprendida Rabanito.

—Mierda, con lo que me habría gustado haber oído mal. —Hilde suspiró.

Old Dog me sonrió.

—Vaya, vaya, pero ¿qué tenemos aquí? Una vaca valiente. ¿Sabes lo que les pasa a las vacas valientes?

Tal y como formuló la pregunta, seguro que no les pasaba nada bueno.

—Que acaban siendo un cadáver. Un cadáver sanguinolento, hecho pedazos —contestó el perro, lanzando una sonora carcajada.

—Creo que su humor no tiene nada que ver con el mío. —Oí decir en voz baja a Rabanito.

Y mi instinto preguntó: ¿no podríamos volver un momentito a lo que he dicho de largarnos?

A mí también me habría encantado volver. Mucho, muchísimo. Pero ¿cómo iba a vivir sabiendo que había abandonado a su suerte, a una muerte segura, a una criatura indefensa como ese gato? Si hacía algo así, mi conciencia me remordería de tal modo que ya no podría ser feliz nunca más.

Así que repuse osadamente:

—Si quieres el gato, tendrás que vértelas con las tres.

Hilde se quedó pasmada.

—Esta vez sí que me gustaría haber oído mal.

—Y a mí me gustaría ser un pájaro —empezó a decir Rabanito, atemorizada—, o un topo o una lombriz de tierra, a poder ser invisible, aunque las lombrices invisibles no existan, o puede que sí existan, sólo que no podemos verlas, como son invisibles...

Pero, por mucho miedo que tuvieran las dos, no salieron corriendo, permanecieron a mi lado. Porque eran mis amigas. O porque tenían las patas paralizadas por el miedo. Lo más probable es que fuese una mezcla de las dos cosas.

Old Dog no podía dejar de reír.

—Eres muy valiente, muchacha.

Mientras él lanzaba una risa tan fría que me hizo tiritar, mi instinto volvió a tomar la palabra: a ver, si tengo que elegir entre la vida de un gato y la mía, la decisión está más que clara...

Pero seguí desoyendo valerosamente a mi estúpido instinto y no me moví del sitio. Y las otras dos se quedaron conmigo.

De pronto, Old Dog dejó de reírse y se colocó a nuestro lado tras salvar de un salto el ancho arroyo con una facilidad con la que ni un perro joven habría podido hacerlo.

Rabanito nos dijo entre susurros:

—Ha sido un placer conoceros.

A lo que Hilde repuso:

—Igualmente, aunque no pueda decir lo mismo del resto del mundo.

Mi instinto me imploró: no me gusta nada ser un listillo, pero ¿quién acaba de decir exactamente eso?

Old Dog se me encaró. Aunque era más pequeño que yo, parecía poderoso. El pelo le olía a podrido; el aliento, a muerte. Me atacaría de un momento a otro, no cabía la menor duda. Y me mataría. ¿Cómo iba a defenderme de semejante monstruo? Yo sólo era una vaca y nunca me había peleado con ningún animal, sólo con las moscas, con el rabo, y ni siquiera les daba.

El pastor alemán se me quedó mirando unos segundos que me parecieron eternos, yo tenía el corazón desbocado, pero ya no podía escapar, las patas me temblaban demasiado. Mi vida terminaría y no había conocido la felicidad. ¿Se podía sufrir una muerte más triste?

Sin embargo, Old Dog dijo de pronto:

—No vale la pena que le quite tres vacas a mi antiguo amo.

Apenas daba crédito a mis oídos, no me atrevía ni a respirar.

El perro me lanzó una mirada penetrante con su ojo enrojecido y siseó en voz baja:

—Hoy es tu día de suerte, muchacha...

Si ése era mi día de suerte, no quería ni pensar cómo sería el aciago.

—Pero la próxima vez que nos veamos, morirás. Será una muerte lenta. Muy, muy lenta. Y muy, muy dolorosa.

Se volvió, salvó de nuevo el arroyo de un salto enorme y se alejó a una velocidad sobrenatural. Ni mi instinto ni yo teníamos la menor duda de que cumpliría su amenaza. Y la sola idea hizo que yo también me hiciera pis en la pata trasera.

CAPÍTULO 5

Nos quedamos paralizadas, mirando hacia el punto del horizonte por el que había desaparecido Old Dog. Durante un rato sólo se oyó el entrechocar de nuestras temblorosas patas. Rabanito fue la primera de las tres en recuperar el habla, y constató:

—Las patas me huelen a moho.

Por mi parte me estaba preguntando cuánto podría tardar en irse semejante miedo cerval cuando oímos decir a nuestra espalda:

—Mamma mia, qué oscuridade.

El gato seguía con la cara hundida en el barro.

—¿Será questa la oscuridade eterna? —se lamentó.

—No, es que estás mirando hacia donde no debes —le respondí, y me acerqué a él y le di la vuelta con el morro delicadamente. El pobre tenía muy mal aspecto, algo que no tenía que ver únicamente con que toda su cara estuviera llena de barro. Le toqué con cuidado la frente con el morro y comprobé que estaba más caliente que un pájaro que se hubiera enredado en la cerca electrificada.

—Ahora hay más claridade —aseguró—. Io veo la luz. Arrivederci, Francesca.

—Será su mujer —aventuró Hilde.

—Arrivederci, Alessandra.

—Su otra mujer —añadí yo, y no pude evitar pensar en Champion, lo cual desencadenó en mí un dolor que fue como si me atravesaran el corazón con algo ardiente y punzante. Por lo menos, gracias al encontronazo con Old Dog, había estado unos instantes sin pensar en Champion y Susi.

—Arrivederci, Karla... Véronique... Kathy... Gruscha... —continuó lamentándose el gato.

—Nuestro amigo no pierde el tiempo —aseveró Hilde.

—Luigi...

—Y se lo hace todo.

—En lugar de quedarnos aquí pasmadas deberíamos ayudarlo —opiné yo.

—Y ¿cómo? ¿Se te ocurre algo? —quiso saber Hilde.

—Eh... La verdad es que no... —contesté. No tenía la menor idea de cómo curar a una criatura tan gravemente herida, ni tan siquiera de cómo aliviarle el dolor.

—Pues yo sí tengo una idea —dijo Rabanito.

—¿TÚ? —preguntamos a coro Hilde y yo.

—¿Por qué piensa siempre todo el mundo que no tengo buenas ideas? —inquirió, ofendida, Rabanito.

Hilde fue a responder, pero antes de que pudiera decir: precisamente porque tú eres tú, cariño, el gato siguió gimoteando:

—Arrivederci, Bello, teckel precioso...

—Se lo hace todo mucho más de lo que pensábamos —opinó, asombrada, Hilde.

—Y está a punto de morir. Tenemos que hacer algo —insistí—. A ver, ¿qué idea es ésa, Rabanito?

—¿Sabéis lo que solía decir la abuelita Hamm-Hamm? —repuso Rabanito.

Abuelita Hamm-Hamm era el mote de su abuela, una mujer un tanto extravagante con la que creció Rabanito, ya que su propia madre no se interesaba mucho por ella.

—No, no lo sabemos. ¿Qué decía la abuelita Hamm-Hamm? —inquirí.

—Que si una herida está abierta, es bueno orinarle encima.

Al oír eso, el gato abrió los ojos horrorizado y gritó:

—¡Non lo dirás en serio!

Lo que proponía Rabanito ciertamente sonaba algo disparatado, pero al menos era una idea. Y una idea era mejor que dejar morir al gato sin más en el barro. Por eso le pregunté a éste:

—¿Se te ocurre algo mejor? Aparte de morir, vamos.

El gato se dio cuenta de que no tenía elección, de modo que musitó:

—A veces la vita non è sólo una merda, sino también una meada.

Rabanito hizo lo que tenía que hacer mientras el gato decía cosas raras entre dientes:

—Stronzo, Certino, Berlusconi...

Después Rabanito contó que su abuela aconsejaba

también untar las heridas graves con pasta de caléndula. Por consiguiente, las tres vacas nos pusimos en marcha, mascamos caléndulas, las trituramos en la boca y a continuación escupimos la pasta en la pata del gato. Luego se la extendí suavemente en la herida con el morro. El gato comentó entre suspiros:

—Questo puré sería la cosa más asquerosa que me habría pasado en la mía vita de non haberme meado ésa encima hace un minuto.

Rabanito observó la pata untada de amarillo y dijo:

—O esto sirve de algo...

—¿O? —quise saber yo.

—Es otra muestra del humor absurdo de mi abuela.

El gato no lo oyó, ahora gemía de un modo desgarrador.

—Io siento molto haberte dejado en la estacada...

Después perdió el sentido.

—¿A quién habrá dejado en la estacada? —Rabanito sentía curiosidad.

—Ni idea —repliqué—. Y ahora tampoco tiene importancia. No lo podemos dejar aquí fuera toda la noche.

Tomé nuevamente al gato con el morro por el pescuezo y me lo llevé hacia el establo mientras el sol se ponía tras las nubes. Con cada paso que daba, no podía evitar pensar más en Champion y Susi, y el dolor caliente y punzante que sentía en el corazón aumentó. Me habría gustado dar media vuelta y no volver jamás al establo, pero el que nos ocupaba era un caso de vida o muerte. En su estado, el gato no podía pasar de ninguna manera la noche en la hierba mojada. Cuando llegamos a la puerta, me sentía tan mal que casi deseé que volviera Old Dog para poder aplacar el dolor.

Del establo salió a nuestro encuentro el ganadero, que apenas reparó en nosotros, a todas luces había vuelto a beber el aguardiente ese de mierda, y se limitó a farfullar: «Ya falta poco, ya falta poco.»

Naturalmente no supe para qué faltaba poco, y en ese momento tampoco es que me importara, ya que nada más entrar vi a Champion. A punto estuve de dejar caer de la boca al gato, porque me puse malísima. Pero Champion se quitó de en medio, no preguntó por el animal que llevaba colgando, sino que respetó mi deseo de no volver a acercárseme nunca. Hilde, por supuesto, se dio cuenta de lo que me pasaba y me dijo al oído:

—Si quieres, lo convierto en buey de una patada.

Pero no quería eso. No quería nada. Sólo irme a mi rincón del establo y llorar tranquilamente. En el cubículo dejé al gato en la paja, delante de mí, y lo envidié: en ese momento a mí también me habría gustado estar inconsciente.

Cuando oscureció por completo, las demás vacas se quedaron dormidas apaciblemente, sus ronquidos interrumpidos sólo de vez en cuando por las ventosidades de Tío Pedo. Sin embargo, a mí me resultó absolutamente imposible pegar ojo. Por un lado, no se me había olvidado el encuentro con Old Dog; por otro, las imágenes de Champion montando a Susi daban vueltas en mi cabeza. Por la ventana del establo contemplé la Luna llena, que brillaba en lo alto del cielo y a la que en su día diera forma la diosa vaca Naia a partir del queso que ella misma hizo, tal y como se celebraba en nuestros cantos sagrados:

De cómo Naia creó la Luna

Naia miró todo cuanto había creado y vio que podría estar mucho mejor. Cierto, había creado muchas cosas hermo-

sas: las mariposas, las flores y la hierba. Pero había otras que no le habían salido tan logradas: las malas hierbas, los cerdos, las garrapatas. No obstante, dado que no era demasiado propensa a la tristeza, a la diosa vaca le satisfizo su creación. ¿Qué otra cosa se podía esperar después de tan sólo seis días de trabajo?

De repente se hizo la noche. La diosa miró la negrura del cielo y advirtió que no veía nada. Todavía no había creado las estrellas y la Luna. Las criaturas que poblaban la nueva tierra de Naia se quejaban amargamente de la oscuridad. Las mariposas tanto como los cerdos, las aves cantoras tanto como las nutrias. Los únicos que se alegraban eran los murciélagos, ya que en la oscuridad podían tomarles el pelo alegremente a los otros animales.

Para desterrar la oscuridad, Naia se ordeñó a sí misma y con su leche hizo un queso enorme que lanzó con todas sus fuerzas al cielo. Y a partir de ese instante la Luna brilló en el firmamento y bañó la tierra con su luz. Todas las criaturas celebraron que ahora pudiera verse por la noche, salvo los murciélagos.

Con el objeto de deparar más alegría aún a sus criaturas, la diosa vaca lanzó unas gotitas de su pipí al cielo, y a partir de ese instante junto a la Luna también relucieron las estrellas más bellas.

Naia miró expectante a sus criaturas, a las que sin duda satisfarían las estrellas tanto como la Luna. Sin embargo, sus criaturas se limitaron a mirar con fijeza a la diosa. Finalmente una lombriz de tierra se aclaró la garganta y dijo: «Lo del pipí ha sido un poco asqueroso.» Y los demás animales se apresuraron a darle la razón. Ésa fue la primera vez que Naia barruntó que no lo tendría tan fácil con sus criaturas.

Sí, pensé yo, si uno no estaba solo en el mundo, podían herirle otros. Como Champion a mí. Puestos a elegir, habría preferido bañarme a solas en la leche infinita a exponerme a este dolor.

Seguí contemplando la Luna y me pregunté por qué no enmohecía, si era de queso. De repente oí que el gato se reía con suavidad. Dejé que la luna de queso fuera de queso y lo miré: deliraba. Y empezó a hablar dormido de cosas extrañas de las que yo no había oído hablar nunca: «Calamari... Sushi... Ménage à trois...»

¿Qué sería todo eso?

Siguió hablando, con una sonrisa beatífica: «Ménage à quatre... Ménage à neuf...»

Sonaba raro. ¿De qué hablaría el gato? Algo había dicho de la bella Italia. Y por su forma de sonreír debía de ser un lugar muy, muy bonito. Deseé conocer un lugar bonito. Un lugar donde pudiera ser feliz, sin Champion, sin Susi, sin el corazón roto.

Mucho tiempo después —ya amanecía—, el gato dejó de parlotear y se quedó dormido apaciblemente. Volví a tocarle con cuidado la frente con el morro: la fiebre parecía remitir. ¡Gracias a Naia!

Cuando nuestro viejo gallo cantó al alba, el gato abrió mucho sus ojos gatunos:

—He tenido un sueño horribile: io soñé que una vaca me orinaba.

Preferí no desvelarle que no había sido un sueño. Me presenté:

—Me llamo Lolle.

—È un nombre bellísimo...

Pensé lo que siempre había pensado de mi nombre: no está mal.

—Io me llamo Giacomo —anunció él, radiante.

35

Hasta su nombre sonaba exótico, como si proviniera de un lugar emocionante, de un lugar donde quizá yo pudiera ser más feliz que aquí. Por eso no me pude contener: no quería saber cómo se encontraba el gato, si aún le dolía la pata o si necesitaba que le diera algo de beber. En lugar de eso pregunté lo que tanto me interesaba:

—¿Por qué no me hablas de la bella Italia, Giacomo?

CAPÍTULO 6

Esperé la respuesta con el corazón acelerado, pero antes de que el gato pudiera decirme algo, el ganadero entró en el establo y gruñó: «Vamos, bichos idiotas, es la hora del ordeño.»

Ése no era lo que se dice un procedimiento que formara parte de los momentos culminantes del día.

Las vacas salieron al trote del establo hacia la sala de ordeño. Los toros también se pusieron en marcha, ya podían irse a pastar. Desde luego los hombres lo tenían mejor que nosotras en todo.

Champion pasó por delante de mi cubículo y me dirigió una mirada del tipo: ¿no-podríamos-hablar? Dolida, le respondí con una que quería decir: no-sin-que-me-eche-a-llorar-así-que-mejor-no. Una vez más, Champion respetó mi deseo (algo sensible era) y salió trotando abatido del establo.

—¿È el tuo marido? —preguntó Giacomo, interrumpiendo mis pensamientos.

Y respondí con su mismo acento:

—È el mío tonto.

—Los huomos solemos ser tontos —sonrió Giacomo.

—Anda. —Hilde se rió. Se había acercado al cubículo—. Un macho con conciencia de sí mismo. Creía que abundaban tanto como los cerdos voladores.

Le echó un vistazo a la herida de Giacomo, que tenía mucho mejor aspecto, y comentó asombrada:

—Alucino, así que Rabanito tenía razón.

—Pues claro que la tengo —convino, radiante, la aludida, que asimismo se aproximó—, ¿qué te esperabas?

—Sinceramente, un cadáver —contestó Hilde.

Rabanito mugió:

—¡Eres una asquerosa!

Y se fue enfadada.

Hilde salió tras ella y le dijo:

—Vamos, cariño, no te pongas así. Al fin y al cabo no he dicho lo que de verdad pensaba.

—¿Y qué es lo que de verdad pensabas?

—¡Un cadáver meado!

—¡Eres más asquerosa que asquerosa! —espetó Rabanito, y salió del establo, seguida de Hilde y sus risas.

La última en pasar por delante de mí fue Susi, que me dirigió una sonrisa triunfal.

—Por cierto, he quedado con Champion justo después de que me ordeñen.

Si había alguien capaz de hurgar en una herida, ésa era Susi.

—Questa vaca è una puttana, non? —preguntó Giacomo cuando Susi hubo abandonado el establo.

—È una grandísima puttana —asentí.

—Las puttane son una mala creacione.

Cómo no estar de acuerdo con eso.

—Italia è el lugar más bello del mondo —dijo Giacomo, respondiendo ahora a mi pregunta—. Allí tenemos sole, amore y canzone...

—¿«Canzone»?

—Canciones —tradujo Giacomo.

Y muy a mi pesar me ofreció un ejemplo en el acto, aunque de aquella manera:

—«Azzurro, il pomeriggio è troppo azzurro e lungo per me...»

Al oír aquellos aullidos gatunos, la leche estuvo a punto de hacérseme queso en las ubres.

Lo interrumpí a toda prisa.

—¿Y también es bonito para las vacas?

Quizá, eso esperaba, fuera un sitio en el que ser feliz. A favor estaba el hecho de que allí no había ningún Champion y, sobre todo, ninguna Susi.

—Italia è bella para tutto il mondo... —aseguró, radiante, el gato.

Mis ojos se iluminaron.

—Menos para las vacas.

—¿Y por qué no?

—Perque allí acaban convertidas en boloñese.

—¿En qué?

—En carne picada.

—¿Qué es carne picada? —quise saber.

—Algo que las personas hacen con vosotras, las vacas.

—No entiendo ni papa.

Giacomo me miró con cara de profundo asombro y a continuación dijo, pasmado:

—Dio mío, así que non tienes ni idea.

—¿Ni idea de qué?

Su comportamiento no sólo me desconcertaba, también me inquietaba.

—È mejor que non tengas ni idea de lo que non tienes ni idea —repuso el gato, y propuso, un tanto exaltado—: Allora, cambiemos de tema. ¿Y si te canto otra vez?

—No, mejor no.

—Pero io me sé bonitas canciones para animarte —replicó, y se puso a cantar en el acto—: Y del queso volaron los agujeros...

—¡Giacomo! —lo corté.

—Io me sé otra canción para animarte: tutto tiene un finale, sólo las salchichas tienen due...

Esta vez fue él mismo quien paró y dijo:

—Huy, è possibile que questa non sea una cancione adecuada...

—¡Dímelo de una vez! —espeté, e incluso le di un ligero golpecito con el morro para que se decidiera.

El gato callaba, sopesaba si debía decírmelo, sea lo que fuere lo que debiera decirme. Sin embargo, yo lo presentía: se trataba de algo importante. Algo que afectaba a mi vida y que tenía que saber. Por eso lo amenacé:

—O me lo dices o te planto una boñiga en la cabeza.

—Tú non harías eso. —Se asustó.

—La cuestión es —me tiré un farol—: ¿estarías dispuesto a correr el riesgo?

Giacomo se lo pensó y finalmente dijo:

—Tú lo has querido. Bene, pues eso de lo que non tienes ni idea è questo... Las personas se comen a las vacas.

—¿Que las personas hacen qué? —pregunté, completamente atónita.

—Se comen a las vacas.

—¿¿¿Que las personas hacen qué???

—Se comen a las vacas.

—¿¿¿QUE LAS PERSONAS HACEN QUEÉ???

—Tengo la sensacione de que la nostra conversacione è un poco repetitiva...

Me mareé, casi me fallaron las patas. No quería creer a Giacomo, era demasiado espantoso. Pero de repente todo tenía sentido, de una manera perversa: por qué había tan pocas vacas viejas en la finca y también por qué nunca, en toda mi vida, había visto una vaca muerta. ¡Oh, no! ¡Éramos igual de ingenuas que las gallinas, a las que les quitaban los huevos!

Reaccioné como probablemente habría reaccionado cualquier vaca normal.

—¡No! —exclamó, horrorizado, Giacomo—. ¡Casi me vomitas encima!

En el último instante había conseguido hacerse a un lado.

Cuando hube terminado de escupir, ya no era la misma vaca: no hacía nada soñaba con un lugar en la tierra en el que poder vivir feliz, lejos de Champion y Susi. Ahora sabía que vivía en una finca que se hallaba en un lugar donde mi mal de amores, por malo que me pareciera, no era lo peor. En el sitio donde estaba podían matarme y a continuación sería devorada por las espantosas personas. Por tanto tenía que irme. Lo supe en el acto. Pero ¿adónde? Desesperada, pregunté:

—Dime, ¿existe algún lugar donde no se coman a las vacas?

—En los míos viajes por il mondo he visto muchos lugares donde non se comen a los cerdos, pero sólo uno en el que las vacas pueden vivir..., y questo lugar se llama la India.

CAPÍTULO 7

—¡Gracias a Naia! —mugí rebosante de alegría, y acto seguido deseé saber más cosas de ese lejano país—: Cuéntame todo lo que sepas.

—En la India las personas les dan a las vacas la mejor comida...

Eso sonaba de maravilla.

—Adoran a las vacas...

Eso sonaba increíble.

—Incluso las veneran.

Eso sonaba demasiado increíble, razón por la cual repliqué:

—Te lo estás inventando.

—Non, signorina. Y è aún mejor.

—¿Aún mejor?

—Adoran a las vacas, a las hembras, allí los toros non tienen valore...

—Ahora sí que estoy segura de que te lo estás inventando —afirmé.

—¡Lo juro por la mía madre! ¡Por il mío padre! ¡Io lo juro incluso por il mío rabo!

Si lo juraba por eso (a esas alturas ya tenía calado a Giacomo), debía decirlo en serio. Por increíble que sonara: no sólo podían salvarse de las personas, sino que además existía un paraíso para las vacas. Mugí nuevamente de alegría, con más fuerza que antes. Después pregunté:

—¿Cómo puedo ir a la India?

—Allora, è un viaje molto largo... —respondió, vacilante, el gato.

—¿Y?

Me daba absolutamente igual lo que tuviera que hacer para llegar a ese paraíso. Caminaría un día entero, dos y, si no había más remedio, incluso tres, tres días.

—Signorina, las vacas non están hechas para un viaje tan largo.

—Tampoco estamos hechas para que nos coman las personas.

—Eh... Sinceramente..., sí.

Ésa no era una idea con la que pudiera conformarme.

41

Ni tampoco una suerte a la que quisiera resignarme dócilmente.

—El viaje non è sólo largo para las vacas —me insistió el gato—, sino también peligroso. Hay moltos peligros, molto más grandes que Old Dog... È possibile que non sobrevivas a ellos.

¿Había peligros aún mayores que Old Dog? Eso era algo difícil de imaginar. A decir verdad, imposible. Pero si era cierto tal vez no fuese tan buena idea marcharse.

Estaba hecha un tremendo lío, y poco después me sentí más confundida aún, ya que de pronto entró en el establo Champion. Vino hacia mí con aire decidido y dijo agitado:

—Sé que tengo que mantenerme apartado de ti, pero no puedo evitarlo, he de hablar contigo. Lo siento, siento mucho lo que pasó...

Oyendo sus palabras y viendo su cara de desesperación se podía incluso creerlo.

—Lolle, te prometo que lo de Susi no volverá a pasar. Acabo de decírselo... Te quiero sólo a ti, y me gustaría envejecer contigo. Tuyos son mi corazón, mi alma, mi vigor.

Entre nuestras patas, Giacomo comentó desde abajo:

—Con tantas zalamerías me dan ganas de vomitar.

Por mi parte me había quedado sin habla. Por un lado, ésas eran exactamente las palabras que quería oír de Champion —dejando aparte lo del vigor—; por otro, no sabía si sería capaz de quitarme de la cabeza la imagen de él con Susi. Y además estaba el hecho, que no era precisamente una tontería, de que en la finca en la que estábamos ni siquiera tendríamos la oportunidad de envejecer juntos como Zumbi y Pumbi, las dos moscas efímeras.

Sin embargo, ¿no era mejor una vida corta con Champion que una muerte probablemente segura fuera? Sobre todo teniendo en cuenta que ni siquiera se sabía cuándo nos mataría el ganadero para comernos. Quizá pudiésemos vivir los dos una vida larga en la finca, y durante ese tiempo yo pudiera ser feliz con Champion y tener terneros con él. De manera que balbucí:

—No suena mal...

Pero antes de que Champion pudiera responderme, el ganadero bramó en el establo:

—¡Al campo, fuera, bichos! —Y añadió—: Dios mío, cuánto me alegro de que mañana se venda la finca y os hagan filetes a todos.

CAPÍTULO 8

Champion hizo lo que le ordenaban y salió al trote: los toros de nuestra finca siempre obedecían al ganadero. Además mi amor no hizo el menor caso de lo que acababa de decir ese hombre tambaleante, al fin y al cabo estábamos acostumbrados a que dijera cosas raras. Sin embargo, yo había oído perfectamente sus palabras y me quedé completamente helada. Pregunté al gato en voz baja:

—¿Los filetes son algo parecido a la carne picada esa?

Giacomo me miró entristecido.

Eso también era una respuesta.

Vomité de nuevo.

Y Giacomo gimoteó:

—Mamma mia, questa vez me has dado.

Mientras el gato, pese a la pata herida, se metía en el pilón para lavarse, yo me enderecé, me acerqué y le pregunté:

43

—¿Tú podrías llevarme a la India?

Él titubeó.

—È peligroso.

—¿Más peligroso que esto? ¿Donde mañana me harán filetes? Sea lo que sea eso.

—Eso è...

—¡NO QUIERO SABERLO!

Giacomo se paró a pensar un instante y contestó:

—Io sono en deuda contigo, y è una deuda grande. Me salvaste la mía vita. Y los gatos indios dicen: «Si tú salvas la mía vita, la mía vita è tuya hasta que la deuda esté saldada.»

—¿Los gatos indios? ¿Son los que viven en la India?

Giacomo suspiró.

—Te lo contaré tutto durante el viaje.

Un viaje. Así que me iría de viaje. Un viaje sin retorno.

Eché un vistazo al establo, y al ver lós cubículos vacíos lo tuve claro: no debía salvarme sólo yo, sino también Hilde y Rabanito. No podía abandonar a su suerte a mis mejores amigas.

Bueno, a decir verdad, había que salvar a todas las vacas de una muerte tan horrible y llevarlas a la India. Incluso a Champion. Y a Tío Pedo. Y hasta a Susi, tanto si me hacía gracia como si no.

Aunque con lo de la salvación también se podía exagerar.

CAPÍTULO 9

—Lolle, nadie irá contigo, porque nadie te creerá —explicó Hilde después de que por la tarde las vacas volvieran finalmente de los pastos al establo y yo informara a

44

mis dos mejores amigas delante de mi cubículo de que las personas nos comían.

—Y tú, ¿me crees? —le pregunté a Hilde mientras Rabanito vomitaba diligentemente a nuestro lado.

—Lo que yo piense da lo mismo. —Fue la evasiva respuesta de Hilde—. Nadie renunciará a la vida que lleva aquí y abandonará la finca sólo porque le cuentes semejante historia.

—¡Pero tienen que hacerlo! —insistí. Dejé de discutir y me planté en mitad del establo, donde todas las vacas podían verme desde sus cubículos.

—¡Escuchadme todas! —les dije.

Pero nadie escuchó, todas siguieron comiendo paja como si tal cosa.

—¡Tengo algo importante que deciros!

Siguieron comiendo, sin levantar tan siquiera la vista.

—¡ESCUCHADME DE UNA COCHINA Y PUÑETERA VEZ TODAS, VACAS ESTÚPIDAS!

Las vacas dejaron de masticar, alzaron la cabeza y me miraron con cara de fastidio.

Hilde sonrió y dijo:

—Madre mía, tú sí que sabes ganarte a la gente con elegancia.

Las miradas enojadas del resto me intimidaron un tanto, pero hice un esfuerzo y me dominé. Ésa no era una cuestión de popularidad, era una cuestión de vida o muerte. Revelé con valentía la verdad, que era ésta:

—He oído que mañana moriremos todas. El ganadero nos matará y nos comerá a todas.

La vacada me miró como si me hubiera dado demasiadas veces contra la cerca.

—Pero hay salvación —continué—. Ahí fuera existe un país al que podemos huir. Un país donde podemos vivir felices. Ese país se llama India, y allí las personas adoran a las vacas como si fueran una deidad.

Que los toros no contaran tanto como en el lugar donde estábamos es algo que preferí callarme, para que los machos no se sintieran frustrados cuando las hembras lanzaran gritos de júbilo al oír la noticia.

—Será un viaje duro, pesado...

También preferí callarme que posiblemente durara tres días y que el país llamado India tal vez se encontrara incluso cerca de los árboles del fin del mundo. Y también, desde luego, que era posible que no sobreviviéramos al viaje, pues eran muchos los peligros.

—... Pero cualquier sitio es mejor que la muerte.

Cuando llegué al final de mi pequeño discurso, todo el mundo se me quedó mirando, sin más. De pronto sentí que recaía sobre mí una gran responsabilidad: sacaría a toda la vacada de esa finca y la llevaría a una vida mejor. O a la perdición. Una de las dos cosas. Me quedé sin aliento, y noté una presión inmensa en el pecho, como si tuviese encima algo pesado: ¿sería una buena líder para las vacas?

En ese preciso momento todas las vacas prorrumpieron en risotadas..., y ya no hubo necesidad de plantear la cuestión de mi capacidad de liderazgo.

Hasta Champion esbozó una sonrisilla, que me dolió más que cualquier otra cosa. Fui directa a su cubículo:

—¡Tienes que creerme!

—Lolle, no habrás probado las setas del otro lado de la dehesa, ¿no?

—¡Pues claro que no!

—Entonces, ¿de qué dehesa las has comido?

—¡No he comido ninguna seta!

—¡Oh, no! —exclamó él entonces, horrorizado—, no habrás metido la nariz en el depósito del tractor, ¿no?

—¡No me pasa absolutamente nada!

—Pues no lo parece.

Me planté delante de él, morro contra morro, lo miré a los ojos y le supliqué:

—Champion, estamos hablando de nuestra vida.

—Me... Me das miedo... —balbució.

Y se dio media vuelta en el cubículo, desconcertado, y yo me quedé mirándole las nalgas.

—Champion —le dije, dirigiéndome a sus nalgas—. Por favor... Querías pasar la vida conmigo...

No me respondió, siguió mordisqueando la paja, atemorizado.

En lugar de él, Tío Pedo, que se hallaba en el cubículo contiguo, observó:

—Muchacha, da gracias a que no estás hablándole a mi trasero.

No le contesté, estaba demasiado desesperada. Champion no me creía. Y ¿ahora qué hacía yo? ¿Quedarme con él? ¿Seguirlo hasta la muerte por amor? Unos días antes lo habría hecho, habría dicho sin vacilar: prefiero pasar un día con mi Champion, una hora incluso, aunque sea sólo un minuto, a vivir toda una vida larga y miserable sin él. Pero, con lo que había pasado con Susi, algo en mi interior se había hecho pedazos.

Con lágrimas en los ojos me alejé de él y le dije al resto:

—¡Por favor, por favor, tenéis que creerme!

De un rincón escuché:

—Deja de decir tonterías, quiero dormir de una vez.

De otro:

—A ti te falta una mama en las ubres.

Y de un tercero:

—Mierda, Tío Pedo ha vuelto a tirarse un cuesco.

En el cuarto estaban mis amigas. Hilde me miraba

con compasión, y Rabanito no podía sostener mi mirada, tenía la vista fija en el suelo y cambiaba el peso de una pata a otra, indecisa.

Todo era en vano, pero no quería, no podía rendirme, sobre todo no debía, de manera que mugí a voz en grito:

—¡Quien no quiera morir, que me siga!

Dicho esto, abandoné el establo en el que había nacido. Para siempre.

Giacomo me siguió, cojeando, y al salir miró por última vez a las vacas.

—Mamma mia, la de filetes que van a salir.

CAPÍTULO 10

Delante del establo miré la luna de queso, que acababa de asomar en el cielo, y pedí:

—Por favor, querida Naia, no permitas que me vaya sola. Las llevaré a todas a ese país, a la India. Te lo prometo solemnemente. Si es preciso, estoy dispuesta incluso a morir por ello. ¡En serio! Bueno, desde luego estaría bien que no tuviese que morir necesariamente...

En ese instante la puerta del establo se abrió de sopetón y salió Rabanito.

—¡Me crees! —exclamé con alegría.

—Pues claro, es imposible inventarse algo tan demencial —respondió mi amiga—. A menos que hayas...

—¡Que no, que no he comido setas! —la interrumpí—. Y tampoco he metido la nariz en el depósito del tractor.

—Vale, vale... —repuso ella en tono apaciguador, y dio un paso adelante; mi comportamiento no le parecía sospechoso.

Esperamos juntas, en silencio, a que salieran más vacas. Una eternidad. Pero no salió nadie.

—Muy a mi pesar he de decir que cuantas menos seáis, tanto más fácil será el viaje —afirmó Giacomo, rompiendo el silencio.

Nada más decirlo, la puerta se abrió de nuevo. El corazón se me subió a la garganta: ¿sería Hilde? ¿O Champion? ¿O incluso los dos? ¿Podía atreverme a esperar algo tan estupendo?

Salió una vaca, y era... ¿¿¿Susi???

—La puttana —confirmó Giacomo.

—Mmmierda —susurré decepcionada.

—Champion no me quiere... —se explicó Susi—, me lo ha dicho esta mañana, por eso quedó conmigo. No puedo soportar estar a su lado. Tanto si tienes razón como si no, debo alejarme de aquí, de él.

Lo entendía perfectamente. Y, por mucho que odiara a Susi, cualquier vida vacuna merecía ser salvada. Incluso la suya. Más o menos.

Nos dispusimos a esperar las tres.

Al cabo de un rato, Susi comentó impaciente:

—Bueno, qué, ¿nos movemos?

No me decidía, no había perdido por completo la esperanza de que salieran más vacas de ese puñetero establo y se unieran a nosotros. Rabanito dijo en voz baja:

—No vendrá nadie más, Lolle.

—Champion... Hilde... —repuse, desesperada.

Rabanito me dio un lametón en el morro a modo de consuelo, cosa que habría estado bien de no haber vomitado hacía un momento.

—Debemos ponernos en camino, la noche è buona para huir —apremió Giacomo, y se me subió de un salto al lomo.

A punto estuvo de ir a parar al suelo, ya que aún tenía la pata herida y, por lo tanto, no podía hacer muchos esfuerzos. En el último instante se me agarró con fuerza a la piel y se aupó. Pero apenas sentí el dolor que me produjeron sus garras pues era mucho mayor el dolor que sentía por dentro.

—Sólo somos tres vacas..., todas las demás morirán...

La idea casi me partía el alma.

—Cuatro. —Oí de pronto una voz a mis espaldas—. Somos cuatro vacas.

—¡Hilde! —exclamamos con alegría Rabanito y yo cuando nuestra amiga salió del establo.

Por su parte, Susi refunfuñó:

—Vaya, Hilde..., menudo alegrón.

Añadí:

—¡Tú también me crees!

—No —contestó Hilde—. Sinceramente, no me creo nada.

Me quedé de una pieza.

—Pero sin ti y sin Rabanito no quiero seguir aquí, en la finca.

—Oh, qué bonito —aplaudió Rabanito, y fue hacia ella.

—Si me das un lametón con esa lengua llena de vomitona me vuelvo dentro ahora mismo —advirtió Hilde.

Fue en vano: la advertencia no hizo desistir a Rabanito, que comenzó a darle lametones mientras musitaba:

—Hilde, eres taaan, taaan maja.

Está claro que Hilde no volvió a entrar y aguantó resignada las muestras de cariño. Cuando por fin Rabanito hubo terminado, Hilde se dirigió nuevamente a mí:

—Espero que tengas un buen plan para salir de aquí.

—¿Un... plan? —pregunté desconcertada.

—Claro. Necesitamos un plan. Sólo te diré una palabra: cerca.

¡Oh, no! La cerca electrificada, en eso no había pensado, vaca tonta de mí.

Y Rabanito suspiró y dijo:

—Vaya, Hilde, ¿no podías haber dicho otra palabra?

CAPÍTULO 11

—Se me ocurren muchas otras —aseguró Hilde.

—Pero no es preciso que nos las digas —argüí yo, lo que, sin embargo, no impidió en modo alguno que mi amiga continuara.

—Una es, por ejemplo, ganadero.

Esa palabra no me daba tanto miedo, al fin y al cabo, en caso de que nos persiguiera, el hombre no haría sino tropezarse con sus propios pies, gracias a ese mejunje que bebía.

—Y también se me ocurre escopeta —añadió Hilde.

Esa palabra me resultó más desagradable, más incluso que cerca. Una vez fui testigo de cómo la utilizaba el ganadero, cuando nuestro gallo Koko pensó que sería divertido cantar dos horas antes de que saliera el sol. El ganadero se despertó, agarró la escopeta y apuntó con ella al gallo. El disparo fue ensordecedor. Koko cayó al suelo de súbito y empezó a sangrar por la cabeza. El gallo sobrevivió por los pelos, pero se quedó ciego. La mujer del ganadero, que era algo más compasiva con los animales que su marido, riñó de lo lindo al ganadero, pero éste se limitó a soltar una risotada desagradable y dijo: «Cálmate, tampoco es que haya matado la gallina de los huevos de oro.»

—Se me ocurre otra palabra —continuó Hilde, y Susi dijo entre dientes:

—La amiga empieza a sacarme de quicio.

Aunque yo no lo habría dicho con las palabras de Susi y odiaba darle la razón, no pude por menos de coincidir con ella. Dado que no tenía ningún plan para la cerca electrificada, el ganadero y la escopeta, lo último que me faltaba era otro problema.

—Los bulldogs —soltó Hilde.

¡Atiza! Tampoco había pensado en ellos. Después de que el ganadero echara de la finca a Old Dog, se hizo con tres bulldogs como perros guardianes. Los animalitos no eran precisamente listos y, en consecuencia, por separado no eran tan peligrosos como el pastor alemán que había regresado del reino de los muertos, pero eran tres. El ganadero llamó a los perros, que eran iguales, Pincho, Moruno y Espetón. (Al tipo le gustaba poner nombres raros a los animales de la finca. Así se llamaban tres vacas de aspecto especialmente tristón: Tristeza, Suicida y Desgracia.)

Los bulldogs nos dejaban en paz la mayor parte del tiempo, y únicamente babeaban al sol de tal modo que a nosotras, las vacas, sólo de verlo se nos quitaban las ganas de pacer. Sin embargo, cuando una de nosotras se acercaba a los límites de la dehesa, los animalejos gruñían con tanta fiereza que una prefería volver voluntariamente con la vacada.

—Los bulldogs —repitió, cáustica, Susi—. Eso son dos palabras.

Hilde le lanzó una mirada asesina.

—Es increíble, pero ¡si sabes contar hasta dos!

Susi la miró no menos enfadada.

—Y también te puedo dar un buen patadón.

—En ese caso espero que también puedas pastar bien sin dientes.

Giacomo suspiró.

—Me temo que para estas dos queste non è el principio de una grande amistade.

Por desgracia tenía razón, a las dos liantas les habría encantado engrescarse. ¿Cómo íbamos a sobrevivir juntas si lo que queríamos era darnos cornadas? Si pretendía que nuestro pequeño grupo llegara a la India, tenía que lograr una unión sin fisuras entre nosotras, estaba más que claro. Sin embargo, probablemente eso resultase considerablemente más complicado incluso que salvar escopetas, cercas electrificadas y bulldogs.

De repente oí de nuevo la puerta del establo a mis espaldas.

Dios mío, ¿sería Champion?

¡Estupendo! Mi amado toro sobreviviría, tendríamos un futuro juntos y —algo que tampoco estaría nada mal— podría dejar en sus manos el liderazgo de nuestro grupo de fugitivas.

Me volví. La puerta se abrió nuevamente. El corazón se me paró y..., quien salió fue Tío Pedo.

El corazón volvió a latirme con regularidad.

Tío Pedo nos regañó:

—¿No podríais meter menos ruido? ¡Aquí hay vacas que quieren dormir!

Regresó dentro para dormir por última vez, antes de dejar escapar su último pedo.

En nuestros cantos sagrados se dice que nosotras, las vacas, después de morir despertaremos en los verdes pastos de Naia, donde nos reuniremos con nuestros seres queridos y podremos comer con ellos la hierba más verde que uno pueda imaginar. De manera que tras mi muerte podría volver a restregarme el hocico con mi madre y con mi padre. Con suerte, en los pastos de Naia mis padres no discutirían tanto como antes porque mi padre se montase a todo lo que se moviera... Y dado que las vacas se movían, eso era lo mismo que decir prácticamente a todas las vacas.

Pero, por desgracia, yo albergaba mis dudas con respecto a los cantos sagrados. Si decían la verdad, ¿por qué en los versículos nunca aparecía lo de la carne picada? Algo así como: «Quien se vuelva carne picada, entrará en el reino de Naia...»

¡Ay, cuánto más fácil sería la vida si pudiera creer a pie juntillas en los cantos sagrados! ¿Acaso no sería más fácil la muerte?

Intenté apartar de mi cabeza esos pensamientos sombríos y también los cantos sobre la carne picada. Después me sacudí dos veces y afirmé con resolución:

—Bueno, ahora iremos hacia la cerca.

—¿Ya tienes un plan? —quiso saber Hilde.

—Pues claro —respondí.

Aunque era mentira, eché a andar decidida, con Giacomo en el lomo. Al hacerlo me recorrió una oleada de energía. Aun cuando no tuviera ni idea de lo que había que hacer, sentaba de maravilla ponerse por fin en marcha.

CAPÍTULO 12

Bien, ¿qué sabía yo de la cerca electrificada? Cuando alguna de las vacas se daba contra ella se oía un chisporroteo, y después el aire olía a carne chamuscada y los ojos de la vaca en cuestión tardaban unas horas en dejar de revolverse. De modo que no había que tocar la cerca,

54

sobre todo no con la lengua, eso era algo que se inculcaba a los terneros desde pequeños.

Sin embargo, de todos nosotros, por debajo de la cerca sólo podía deslizarse Giacomo, y saltarla no podía hacerlo ni siquiera él, debido a la pata mala. Así que había que encargarse de que la cerca se pegara al suelo para que pudiéramos pasar por encima sin problemas. Pero ¿cómo lograrlo?

—Hala, pues explícanos qué te propones —me exhortó Susi cuando todos estuvimos delante de la cerca.

—¡Chsss! —susurré, en parte porque seguía sin tener ni idea de lo que había que hacer y no quería admitirlo, pero sobre todo porque no debíamos llamar la atención. No queríamos que nos oyeran los bulldogs, nos devolverían al establo y muy probablemente antes aprovecharan la ocasión para mordernos.

—¿Qué? —preguntó Susi, indignada porque le hubiese cortado así la palabra.

—Lo que quiere decir Lolle es que cierres el pico —aclaró Hilde, visiblemente encantada de ocuparse de la traducción.

—¡A mí ésa no me manda callar la boca!

—Si seguimos armando tanto lío aquí —advertí—, vendrán los bulldogs. Y te cerrarán la boca de una manera muy distinta.

—No —apuntó Rabanito—, los bulldogs no vendrán...

—¿Y por qué no? —pregunté yo, desconcertada.

—¡Porque ya están aquí!

Nos dimos la vuelta y, en efecto, allí estaban Pincho, Moruno y Espetón, babeando con aire amenazador.

—Questa huida non está yendo demasiado bene —susurró Giacomo.

Pincho rechinó los dientes:

—Eh, vacas, ¿qué estáis haciendo aquí?

—Hemos... Hemos salido a dar un paseo —mentí.

—¿En plena noche? —preguntó Moruno.

Los bulldogs eran tontos, pero por desgracia no tanto como para tragarse eso.

—Tenemos insomnio —me disculpé.

—¿Insomnio? —preguntó, asombrado, Espetón.

—Tenemos... Tenemos... El mes.

—¿Todas a la vez? —gruñó con escepticismo Pincho.

Asentimos todos.

Incluido Giacomo.

Esto último no hizo que mi excusa resultara más verosímil.

—Para tomarnos el pelo nos bastamos nosotros solos —refunfuñó Moruno.

Giacomo sonrió y dijo.

—Questo me lo creo: non tenéis más que miraros en el espejo.

Le dije en voz baja al gato, que a todas luces tenía sus problemillas con los perros:

—Eso no es de mucha ayuda.

—¡Cierra el pico, gato asqueroso! —soltó Moruno.

Pero Giacomo no estaba nada dispuesto a cerrar el pico, y replicó:

—Vosotros sí que sois asquerosos, apestáis como letrinas llenas.

—No es de ninguna ayuda —corroboré.

Pero Giacomo siguió:

—Y parecéis letrinas llenas.

—Sí. —Hilde suspiró—. Ayudar es otra cosa.

—Non te apurare, signorina —me susurró Giacomo—, non me pasará niente. Si esa mala bestia me ataca, io me subo a un árbol.

—¡Pero a nosotras nos harán pedazos! —exclamé.

—Huy —repuso él—. Questo è possibile que debiera haberlo pensado bien.

—È possibile, sí —le contesté irritada.

Pincho espetó, furibundo:

—¡Te voy a matar, gato!

—¡No! —exclamó Moruno—. ¡De eso me encargo yo!

Y su hermano Espetón objetó:

—¡Me ocupo yo, inútiles!

Los tres se enzarzaron en una pelea, como suele suceder entre hermanos. Y mientras observaba, pensé de pronto: tal vez las provocaciones de Giacomo sí fueran de ayuda. En mi cabeza tomó forma un plan, el primero de esa noche: tenía que conseguir enfrentar entre sí a los tres bulldogs, de ese modo se olvidarían de nosotros. Aunque era muy arriesgado, y había muchas probabilidades de que también fuera el último plan de mi vida, tenía que intentarlo.

—Es todo un detalle que Espetón sólo os llame inútiles —dije sonriendo—. Cuando no estáis delante, os llama de otra manera.

—¿Ah, sí? —inquirió, sorprendido, Pincho.

—¿Y cómo nos llama? —quiso saber Moruno.

—Juladog.

—¡¡¡QUÉ!!! —exclamaron los dos a la vez.

Mientras, mis vacas, a pesar del peligro, no pudieron evitar soltar unas risitas.

Los perros se volvieron despacio, pero furiosos, hacia su hermano, que preguntó acobardado:

—No iréis a creer a esa vaca, ¿no?

Pero antes de que pudiera convencer a sus hermanos de que yo mentía, eché más leña al fuego:

—También dice que no sabe qué le da más asco: que seáis tan julandrones o que os vaya el incesto.

Espetón me miró horrorizado y sus dos hermanos se abalanzaron sobre él, ciegos de ira. Giacomo sonrió.

—Perros, se apartaron del camino de la evoluzione.

Aunque no entendí muy bien a qué se refería exactamente el gato, sí tuve mucho más claro lo que quiso decir Hilde cuando me susurró:

—No es que quiera ser una aguafiestas, pero cuando hayan terminado seguirá habiendo dos bulldogs.

En efecto, apenas hubieron dejado k. o. a Espetón, los dos hermanos nos miraron, y la saliva de su boca ahora era espumarajos. Pincho ordenó, furioso:

—¡Andando, al establo!

Aunque todas mis compañeras de fuga temblaban, ninguna de nosotras quería volver a una muerte segura.

—De lo contrario —agregó Moruno—, os rajamos el culo.

—¿Sabes cómo te llama tu hermano? —le pregunté.

Moruno se quedó perplejo.

—Moruno con te al principio.

—¿Té moruno?

—No exactamente.

Tardó algo en averiguar a qué me refería, pero entonces se lanzó con tanta más furia sobre su hermano.

—Engañar a un perro è molto más fácil que quitarle comida a un topo con alzhéimer —comentó Giacomo.

—Qué cosas más raras dice este gato —observó Susi mientras los perros seguían a la greña—. En comparación con él, Lolle hasta parece de lo más normal.

—Dime, Susi. —Hilde me defendió—. ¿No tenías una cerca electrificada contra la que debías lanzarte?

—¿Y tú no tenías un tractor delante del que tenías que lanzarte? —Fue la respuesta.

—¿No tenías tú una lengua que deberías meter en la ordeñadora?

—Mamma mia —dijo Giacomo suspirando desde mi lomo—, io non capisco por qué è que se dice «son unas zorras»; debería decirse «son unas vacas».

A decir verdad tendría que haberlas parado, pero había un problema más urgente: Moruno había dejado inconsciente a su segundo hermano y venía hacia nosotros. ¿Cómo iba a librarme de él? Difícilmente podía azuzarlo contra sí mismo, diciéndole algo del tipo: ¿sabes cómo te llamas a ti mismo? Jano sin jota.

Sólo había una posibilidad. Aunque era una auténtica locura: tenía que echarme encima al bulldog que quedaba.

—Si yo fuera tú, ¿sabes lo que me cabrearía, Moruno?

—¿Qué? —gruñó él de manera ininteligible, ya que la espuma que le salía de la boca le cubría media cara.

—Que te lo hayas tragado todo y les hayas dado una buena tunda a tus hermanos.

El rostro de Moruno perdió todo el color.

—Retiro lo dicho —afirmó Susi—: Lolle está más loca que el gato.

Hilde le respondió:

—Mierda, cómo me gustaría llevarte la contraria en esto.

Pero no podía. No era de extrañar, pues lo que yo estaba haciendo era absolutamente demencial. Moruno estaba a punto de montar en cólera y despedazarme. Con todo, seguí instigándolo contra mí:

—Yo en tu lugar pensaría que soy completamente idiota.

Giacomo consideró que había llegado el momento de bajárseme del lomo para ponerse a salvo, y se subió a una de las estacas a las que estaban afianzados los cables de la cerca electrificada.

Rabanito se lamentó:

—Lolle, ése no te perdonará la vida como hizo ayer Old Dog.

En eso tenía razón: Moruno, al que los espumarajos le caían de la boca y le goteaban desde el mentón y le subían hasta la nariz, ya no tenía ningún control sobre su persona.

Me planté justo delante de la cerca electrificada, recé un instante para ser lo bastante rápida para lo que me proponía hacer y seguí pinchándolo:

—Cuando naciste, seguro que tu madre dijo: anda, aquí vienen las secundinas.

—¡¡¡Grrrrrr!!! —gritó Moruno, y se dispuso a saltar.

Había llegado el momento: mientras volaba hacia mí, yo debía apartarme deprisa. (Si es necesario, nosotras, las vacas, podemos correr a una velocidad asombrosa, en cualquier caso cuando nos entra el pánico en masa. En una ocasión se produjo una impresionante estampida en nuestra finca cuando a la mujer del ganadero se le ocurrió meternos ruido con algo que llamó *Grandes éxitos de Wolfgang Petry*.)

Moruno salió volando hacia mí. En un santiamén me cogería y hundiría sus enormes dientes en mi carne. Pero a diferencia de lo que sucedió en el encontronazo con Old Dog, esta vez mis patas no manifestaron parálisis alguna. Por una parte, porque ese bulldog no inspiraba tanto temor como el perro del infierno; y por otra, porque esta vez no estaba en juego únicamente mi vida. También estaba en juego la vida de mis amigas y la de la puta de Susi.

Esta circunstancia me dio la fuerza que necesitaba: me hice a un lado a velocidad de estampida, y Moruno voló y voló y voló... Directo a la cerca electrificada.

Se oyó un chisporroteo. Saltaron chispas en todas direcciones, notamos un desagradable olor a carne chamuscada, Moruno fue a parar al suelo, el cuerpo entero temblándole, y perdió el sentido. Los tres bulldogs estaban fuera de combate, y Rabanito me dedicó el mayor elogio que una vaca le puede dedicar a otra:

—¡Eres la leche!

Hilde le dio un empujoncito a Susi con el morro.

—Tienes que admitirlo hasta tú, ¿no crees?

Susi vaciló un tanto, pero finalmente asintió:

—Por lo visto a veces sirve de ayuda estar un poco loco.

El único que no quiso felicitarme fue Giacomo, que me advirtió:

—Y tú non te vuelvas arrogante, non tutto lo que nos encontraremos por el camino será tan estúpido como esos perros.

No hacía falta que me lo dijera. Sabía que jamás en la vida saldría airosa frente a alguien como Old Dog, en caso de que volviera a toparme con él.

Pero no tenía sentido pensar en ello: disponíamos de poco tiempo antes de que los bulldogs volvieran en sí. ¡Teníamos que salvar la cerca!

Es realmente asombroso cómo puede funcionar de repente un cerebro cuando el cuerpo acaba de vivir una experiencia cercana a la muerte y fluye por él una energía asombrosa. Veía el mundo más claro, más pintoresco —y eso que había oscurecido y sólo nos iluminaban la Luna y las estrellas—, y me di cuenta de que todos los alambres se hallaban sujetos a las estacas. De modo que podíamos echar la cerca abajo con sólo derribar esas estacas.

—¡Haced lo que yo haga! —exclamé, y empecé a co-
cear con las pezuñas traseras la estaca en la que estaba
Giacomo, sin tocar el alambre.

El gato volvió a subírseme al lomo de un salto y se
agarró con fuerza. Por lo demás, fue Hilde la que reaccionó con mayor rapidez: comenzó a patear otra estaca, y
cuantas más coces dábamos, tanto más se inclinaban los
maderos, hasta que finalmente cayeron al suelo junto con
la cerca. Ya no suponía ningún problema dar el salto a la
libertad por encima de los alambres derribados.

En ese momento oímos chillar al ganadero:

—¡Mierda de vacas! ¡Voy a hacer con vosotras un
gran pincho moruno!

Rabanito preguntó, confusa:

—¿Nos va a convertir en dos de los bulldogs? ¿Cómo
piensa hacerlo?

Pero Hilde le contestó:

—Me da completamente igual, ¡ese tío tiene la escopeta en la mano!

CAPÍTULO 13

—¡Saltad! —grité—. ¡Saltad!

—È una idea veramente excelente —aprobó Giacomo, que saltó desde mi lomo la cerca derribada y se adentró en la noche cojeando, a toda la velocidad que le per-
mitían sus tres patas.

Hilde fue tras él, y asimismo echó a correr, al igual
que Rabanito. Sin embargo, Susi vaciló un segundo:

—Puede que no sea mala idea esperar al ganadero.

—¡Os voy a hacer picadillo, vacas! —chilló éste.

Y Susi razonó:

—O puede que sí lo sea.

Finalmente también ella saltó la cerca, y ahora que ya no tenía que dejar a nadie más atrás, también yo podía escapar. Pero entonces oí un fuerte estallido. Miré al ganadero: sostenía la escopeta en alto, de su extremo salía humo.

A mi lado cayó al suelo una corneja.

El pájaro negro, gravemente herido, se lamentó:

—¿Por qué yo? Pero si no le he hecho nada a nadie... Vale, cuando volaba les cagué a muchos animales en la cabeza adrede... Pero ¿a qué corneja no le gusta hacer eso? Y no debí sacarle el ojo a esa corneja llamada Jakob, está claro que va en contra de nuestras leyes cornejiles...

La voz del pobre pájaro se debilitó, los graznidos eran más flojos con cada palabra. Suplicaba:

—Por favor, Gran Corneja, a pesar de todo, déjame entrar en el cielo eterno de las cornejas...

Eso era nuevo para mí: ¿las cornejas tenían su propia diosa vaca, mejor dicho, su propia diosa corneja? Pero, en lugar de unos pastos eternos para vivir después de la muerte, ¿un cielo? En cierto modo era lógico, porque ¿qué iban a pacer los pájaros? Además también resultaba de lo más práctico que los animales estuviésemos separados, pues de esa forma en los pastos eternos de Naia no habría cornejas que nos fastidiaran acertándonos en la cabeza.

—Y no me dejes caer en la eterna ventisca por lo que he hecho...

Al parecer, las cornejas también tenían un sitio al que iban a parar cuando eran malas, y ese lugar sonaba terriblemente frío. En ese sentido, las vacas lo teníamos mejor, pues las vacas que no eran buenas iban a un cercado propio dentro de los pastos de Naia y así podían fastidiarse mutuamente. Menos mal que había nacido vaca. Pero ¿quién decidía tales cosas? ¿Hablarían Naia y esa Gran Corneja tal vez con otras divinidades animales, a lo mejor incluso con la divinidad de las personas?

La corneja que tenía delante cerró los ojos, y antes de que dejara de respirar, musitó:

—Por lo menos ya no tendré miedo de envejecer.

Mi instinto se dejó oír de nuevo: Eh..., me gustaría volver a hablar contigo de lo de echar a correr.

Esta vez compartía su opinión. Mis pezuñas se disponían a saltar la cerca cuando el ganadero me apuntó con la escopeta y amenazó:

—¡No te muevas!

Vino hacia mí y me hundió el extremo del arma en la testuz. El metal aún estaba caliente y olía mucho a humo, posiblemente tuviera algo que ver con el fuerte estallido.

—Lo mejor sería que te pegara un tiro aquí mismo.

A mí no me parecía lo mejor, pero...

El hombre me miró a los ojos y de pronto se ablandó.

—Yo no tenía pensado sacrificaros a todas, ¿sabes? Pero no tengo elección. Es lo que quiere el administrador y... Pero ¿qué estoy haciendo? Si ni siquiera me entiendes.

Su mujer y él pensaban que no entendíamos la lengua de las personas sólo porque ellos no nos entendían a nosotras cuando mugíamos cosas como: «Oye, que la ordeñadora está demasiado apretada» o «Mis mamas no son de goma» o «¿Cuándo entenderéis que a las vacas no nos gusta que nos miréis cuando hacemos el amor? Y que encima animéis al toro».

El ganadero me clavó la escopeta con más fuerza aunque parecía inseguro. No quería apretar el gatillo, eso estaba claro. Y yo debía aprovechar esa inseguridad para convencerlo como fuera de que no me matara, aunque no me entendiese. De manera que mugí:

—¡Alto!

Por un instante se sintió desconcertado.

—¡No lo hagas! —mugí de nuevo.

—Mierda, es como si entendieras lo que voy a hacer.

Los dedos le empezaron a temblar, y temí que con el tembleque se disparase la escopeta.

—Me quieres matar —mugí—, ¿qué es lo que hay que entender?

—Lo siento mucho —se disculpó. Y acto seguido bajó la escopeta, lo cual me deparó un profundo alivio, y añadió atropelladamente—: Hace diez años el del banco dijo: Klaasen, dedíquese a la cría de ganado, es su única oportunidad... Pero yo no quería maltratar a los animales, y no lo hice... Y ahora... —Sus palabras eran sólo un murmullo—. Debo mataros a todos.

—Debo, deber no se debe hacer nada salvo deber —mugí.

—Sí —respondió, como si de pronto me entendiese.

Apoyó la cara en mi morro y se echó a llorar, porque no quería matarnos. Así que tenía sentimientos. Como nosotras.

Pues sí, tal vez las personas sólo fuesen vacas.

Me habría gustado pasarle la lengua por la cara para consolarlo, pero no sé por qué me olía que no lo consideraría un consuelo.

El ganadero recuperó la compostura y se sonó los mocos en la manga, cosa que tampoco se notó mucho, pues tenía la camisa mugrienta. Después me dirigió una mirada vacía y supe que, por mucho que le doliera, no cambiaría de opinión: nos mataría a todas. Dejé de sentir pena por él de inmediato. Levantó de nuevo la escopeta para apuntarme con ella y, al verlo, me volví a toda velocidad, pero no para obedecer a mi instinto y salir corriendo sino para arrearle una coz. Con todas mis fuerzas le estampé las patas traseras en el bajo vientre. Dejó caer la escopeta, se dobló por la mitad y exclamó:

—¡Ayyyyy! ¡Qué dolor de huevos!

Se me pasaron muchas preguntas por la cabeza: ¿dónde llevaba los huevos el ganadero? Al fin y al cabo no era una gallina. Y ¿cómo era posible que los huevos sintieran dolor? Y, sobre todo, ¿no sería mejor que dejase de hacerme preguntas —teniendo en cuenta que podía coger la escopeta en cualquier momento— y echara a correr sin más?

Esta última pregunta la respondí yo misma:

—¡A qué estás esperando!

Y salté y salí a la carrera.

—¡Lolle! ¡Estamos aquí! —me gritó Rabanito.

Se había escondido con los demás en un campo de plantas enormes de las que colgaban mazorcas. Hasta ese momento nunca me había planteado de dónde salía el maíz que a veces nos daban de comer. Y sin duda habría observado con sumo interés esas plantas de no tener problemas más urgentes.

Susi regañó a Rabanito:

—¿Es que te has vuelto loca? Si Lolle viene con nosotros, nos pondrá en peligro.

Susi, en fin... ¿Cómo no iba uno a quererla?

Salí al galope hacia el resto mientras esa vaca tonta gritaba:

—¡Vete a otra parte! ¡Vete a otra parte!

Por un instante incluso pensé hacerlo para proteger a mis amigas, pero entonces la escopeta se dejó oír y un viento de lo más cortante me pasó rozando y, presa del pánico, fui corriendo al campo con los demás.

—Hala, estupendo —se quejó Susi.

Y dio media vuelta y enfiló a toda prisa un sendero que se abría entre las plantas. Hilde y Rabanito siguieron su ejemplo, y yo detrás. A nuestras espaldas oímos decir al ganadero con voz de pito:

—¡No escaparéis!

—¿Por qué el ganadero tiene esa voz tan aflautada? —preguntó Rabanito.

—Le duelen los huevos —expliqué jadeante.

Rabanito me miró un instante, perpleja, y dijo entre suspiros:

—Hay cosas que sencillamente no entiendo.

Las cuatro vacas echamos a correr a la desesperada. Entre nuestras patas volaba, todo lo que podía con la pata herida, Giacomo, que además farfullaba:

—A mí me parece que questo huomo non está bene de la cabeza.

—¡Alto! —exclamó el ganadero con su voz de pito.

—¡Ni de coña! —resolló Hilde, y siguió corriendo más deprisa aún.

Escuchamos otro estallido, está vez más lejano. Por lo visto habíamos puesto algo de distancia entre él y nosotros.

—¡Os cogeré! —exclamó el hombre, soltando un gallo.

Pero yo empecé a tener mis dudas de que fuera a hacerlo, pues daba la impresión de que lo dejábamos atrás, de forma lenta pero segura.

—¡Os cogeré...! Os cogeré... Os cogeré... ¡No...!

Después oímos su llanto desesperado:

—Menuda mierda de vida.

—A mí me lo vas a decir —refunfuñó Susi.

Aflojamos un poco el ritmo, los lamentos del ganadero se oían cada vez más débiles, y finalmente fuimos al paso por el maizal. Sorprendentemente ahora volvía a darme pena ese hombre y deseé que también para las personas existiera un lugar como la India.

Cuando dejamos de oír a nuestro perseguidor, respiramos aliviadas. Todas salvo Susi, que en lugar de respirar aliviada, dio media vuelta.

CAPÍTULO 14

—¡Quiero irme a casa! —gritó histérica Susi—. Quiero irme a casa, quiero irme a ca...

—No podemos ir a casa —expliqué con toda la tranquilidad de la que fui capaz, que no fue mucha, ya que a mí también me habría gustado volver a esconderme en mi cómodo cubículo.

—Pero yo quiero irme a casa.

—No puede ser.

—Me quiero ir, me quiero ir, me quiero ir.

No fui capaz de calmar a Susi con mis palabras, así que me vi obligada a usar las pezuñas de grado o por fuerza: le aticé con ganas en la espinilla. Algo que, como no pude por menos de constatar, aun cuando me avergonzara, incluso me deparó placer.

Susi chilló:

—¡¡¡Ayyyy!!!

En ese momento deseé fervientemente que siguiera gritando, puesto que así tendría una excusa para volver a darle. Pero Susi no me hizo ese favor, se limitó a tumbarse en el maizal, se hizo un ovillo y comenzó a gimotear como un ternero perdido.

Rabanito me lanzó una mirada severa.

—¿Era necesario?

—La verdad es que sí —respondí, pues no quería acabar teniendo remordimientos de conciencia.

—No, no lo era —objetó Rabanito, con una dureza inusitada para lo que era ella. Y se puso a lamerle tiernamente el hocico, de modo que el lloriqueo de Susi disminuyó.

Al verlo, Hilde comentó:

—Madre mía, a Rabanito no le da asco nada.

El comentario era malintencionado, pero no pude evitar sonreír. Después miré con más atención a Hilde: también ella estaba agotada. Todos estábamos hechos polvo. Por eso propuse:

—Hagamos un descanso aquí. Deberíamos cerrar un poco los ojos antes de continuar.

—Io necesito un sueñecito reparador.

Hilde esbozó una sonrisilla.

—Con todo lo que tienes que reparar, no creo que lo soluciones con un sueñecito.

—Signorina, usted non tiene pelos en la sua lengua, sino alambre de púas.

—Forma parte de mi encanto —replicó ella.

—Interesante definizione de encanto.

—Eso dicen los hombres —dijo Hilde sonriendo.

Y yo me pregunté si con su rudeza llegaría a encontrar a un toro o si estaría toda la vida sin que nadie le hiciera mimos.

También Hilde se tumbó en el maizal, y yo me uní a ellas. Como había llovido el día anterior, la tierra aún estaba un poco mojada, pero estábamos demasiado cansadas para que eso nos importase. El único que no quiso tumbarse en el suelo mojado fue Giacomo, que prefirió dormirse en mi lomo:

—Disculpe usted, signorina, pero io non tengo ganas de coger una infezione di orina.

—Bueno, vamos a echar de una vez un sueñecito —pedí.

Todos asintieron y cerraron los ojos, pero a los pocos segundos Giacomo roncaba de tal modo que ninguna de nosotras pudo dormir. Escuchando sus ronquidos nos quedamos sumidas en nuestros pensamientos. Los míos giraron en torno a las vacas que habíamos dejado atrás. No las volvería a ver y ya las echaba de menos: Kuno, Tristeza, Suicida, Desgracia, Tío Pedo... Bueno, tenía que admitir que a este último no tanto.

Y Champion... A Champion ya lo echaba de menos. Mucho, muchísimo.

La sola idea de que moriría hizo que me entraran ganas de romper a llorar en el acto, pero ¿cómo iba a infundirle valor al resto si yo lloraba? Si lo hacía, Susi perdería los nervios definitivamente, y lo más probable era que mis amigas también fuesen presa de la desesperación. Para no llorar, propuse, alzando la voz para que se me oyera con los ronquidos de Giacomo:

—Estaría bien que charlásemos un poco.

—¿De qué? —inquirió Susi.

—Por ejemplo —sugirió Hilde— de cómo llenarle la boca al gato de mazorcas hasta que deje de roncar.

—De eso me apetece hablar —repuso Susi, y por primera vez esa noche sonrió.

De manera que había algo en lo que coincidían esas dos gallinas de pelea. Estaba bien. Lo que ya no lo estaba tanto era que para ello había que hacer cierto uso de la fuerza.

—Ya sé de qué quiero hablar —apuntó Rabanito.

—¿De qué? —me interesé.

—¿Qué clase de vida queréis llevar en la India? —quería saber mi amiga.

—Allí la gente no nos mata, sino que nos adora —conté.

—Ya. Pero sobrevivir no basta. Aparte de eso ¿qué queréis?

Ahí estaba otra vez la cuestión de la felicidad. La que ya se planteara Naia en su día.

Por qué Naia puso a las vacas en el mundo

Naia miró todo cuanto había creado y vio que estaba sola. Las aves cantoras trinaban juntas, los cerdos gruñían a coro y las mofetas se lanzaban mutuamente su hediondo líquido. Hasta la lombriz de tierra, si no quería seguir sola, podía dejarse trocear en varias partes por una corneja y ya tenía compañeros. La única que carecía de compañía era Naia. No había nadie como ella.

Sí, los animales hablaban con ella, pero a menudo sólo para quejarse: «¿Por qué creaste a las mofetas?», «¿Se puede saber para qué sirven las ortigas?», «¿En qué estabas pensando cuando inventaste la digestión?».

Un día de verano especialmente bonito, la diosa vaca observó a la lombriz de tierra, que se arrastraba por el suelo feliz y contenta con sus compañeros, y se le ocurrió imitar a la lombriz: se dividió, y de sus partes nacieron las vacas. Desde el instante en que la primera vacada pisó la hierba, Naia ya no estuvo sola. Día sí, día no, jugaba con las vacas, pacía y se hacían mimos. Y era feliz. Pero no duró mucho. Y es que al cabo de unas lunas empezó a echar de menos algo que tenían los demás animales —hasta la lombriz—, a alguien al que unirse carnalmente. De manera que Naia decidió forjar su creación más notable: el macho.

Junto con el toro trajo a la vacada cosas aún más desagradables que las ortigas o los parásitos: los deseos, los celos, la involuntariamente cómica cópula. Y, naturalmente, también eso que todas las vacas ansían, eso que da tanta alegría y también tanto dolor y que, por tanto, es lo más absurdo de todo: el amor.

—En la India quiero muchos toros. —Ésa era la idea que Susi tenía de la felicidad—. Igual que los toros siempre tienen varias vacas, yo también quiero varios toros.

Eso no era soñar con ser feliz, era soñar con vengarse del otro sexo y, de paso, con la esperanza de que un toro no volviera a hacerle daño. Si Susi estaba tan amargada, lo de Champion le había tenido que fastidiar de lo lindo. Quizá más que a mí. Aunque eso era difícil de imaginar.

—Yo también tengo un sueño —confesó Hilde.

Me esperaba que soltase alguna fresca. Lo cierto es que Hilde no era de las que creían en sueños ni en una diosa vacuna ni en la bondad de los toros. Sin embargo, en ese momento habló con gran seriedad. Y en efecto, allí, en el húmedo maizal, bajo el cielo estrellado, mi amiga nos reveló su deseo más íntimo:

—Me gustaría conocer vacas que tengan la piel como la mía.

¡Naia mía, con sus manchas marrones Hilde se sentía más sola de lo que yo pensaba!

Después de que nos hiciera esta confesión, nos quedamos calladas, y yo esperé que en la India conociéramos muchísimas vacas con manchas marrones. Y, con suerte, también un toro con manchas marrones.

Al cabo de un rato, Rabanito rompió el silencio y comenzó a desvelar su mayor deseo...

—Yo querría...

Pero no se atrevió a seguir.

—¿Qué es lo que querrías? —pregunté, picada por la curiosidad.

Se debatía consigo misma, a todas luces quería decir algo importante, sí, parecía una mujer que quisiera confesar algo, pero no acabara de decidirse a hacerlo. Tras una lucha interior interminable, musitó:

—Bah, da lo mismo.

Y Susi espetó:

—Eso mismo me parece a mí.

A Rabanito ese desinterés despectivo la hirió visiblemente, pero no era de las que daban malas contestaciones. De modo que resopló entristecida y cerró los ojos. Pero una cosa estaba clara, fuera lo que fuese lo que había intentado decirnos, había algo que ansiaba en lo más profundo de su ser. Un sueño de felicidad. Y había intentado confiárnoslo, de lo contrario no habría sacado el tema.

También yo cerré los ojos con tristeza. Cuando me quedé dormida envidié un tanto a Rabanito, Hilde y Susi: ellas al menos tenían sueños. Yo sólo un objetivo: la India.

CAPÍTULO 15

«Te voy a matar», dijo Old Dog.

Estábamos hundidas en la nieve en una senda estrecha y sinuosa que parecía conducir al cielo. La senda era de cantos rodados y en la nieve distinguí una única flor helada. A mi derecha se alzaba una pared rocosa que ascendía hacia las oscuras nubes; a mi izquierda se abría un

abismo. No veía si era muy profundo, ya que una ventis-
ca formaba vertiginosos remolinos justo delante de mis
narices.

No sabía dónde nos encontrábamos, pero el aire —¿cómo
describirlo?— estaba como enrarecido. Me costaba respirar
y el frío me hacía daño. Pero peor que el frío de fuera era el
entumecimiento interior que me producía Old Dog.

¿Dónde estaban Rabanito, Hilde, Giacomo... o incluso
Susi? ¿Por qué no estaban a mi lado con aquel frío?

Sólo sabía una cosa a ciencia cierta y se lo dije a Old Dog:

—No sabes lo que me gustaría despertar de este sueño.

—Adelante, no te prives —dijo sonriendo el pastor
alemán enseñando los colmillos—. Nos volveremos a ver
muy pronto.

A continuación soltó otra risotada, maliciosa, desga-
rradora. Y yo...

Abrí de golpe los ojos, aterrorizada. Estaba junto al
resto, en el maizal. El sol ya había salido. Me empapé con
avidez de cada rayo de sol, ya que la pesadilla me había
dejado helada.

Me levanté con las patas inseguras, pero al hacerlo no
recordé que Giacomo dormía en mi lomo. El gato cayó al
suelo, primero gimió y después profirió una imprecación
nuevamente en una lengua extranjera:

—Mafia, Cosa Nostra, spaghetti que non están al
dente...

La parrafada hizo que las demás se despertaran.

Susi espetó:

—¿Es que una vaca no puede dormir su depresión
en paz?

Por su parte, Rabanito se desperezó:

—Mirad, hace sol.

Comentario este que Hilde se tomó con escaso entusiasmo:

—Mira tú qué bien, con este calor llegaremos a la India a rastras.

Y tras sacar fuerzas de flaqueza me preguntó:

—Y bien, gran líder, ¿hacia dónde?

Lo dijo con cierta ironía pero estaba definitivamente claro: yo era la líder de nuestro pequeño grupo, para bien o para mal, tanto si estaba capacitada para ello como si no. Y aunque confiaba en que estuviese capacitada para ello, temí que más bien fuera que no.

Antes de que pudiera decir nada, oímos un traqueteo: el de un tractor.

—Mierda, ¡el ganadero! —exclamó Hilde.

Susi se levantó de un salto y gritó:

—¡No debí escuchar vuestras bobadas, vacas locas!

—Ése no es el tractor del ganadero. —Rabanito interrumpió sus gritos al tiempo que se levantaba sin inmutarse.

La miramos todos con cara de asombro.

—El tractor del ganadero hace brumm bram brum —explicó—, y la melodía de este que viene es bram brum brumm.

Hilde preguntó atónita:

—¿Percibes una melodía en el ruido que hace el tractor?

—Todo tiene una melodía. Hasta la trilladora y la trituradora. Si supieras lo bien que cantan los hilos de los postes de la luz cuando hay tormenta...

—Lo que yo decía —se lamentó Susi—, bobadas de vacas locas.

Yo no sabía si confiar en el oído de Rabanito. Alguien tenía que averiguar si el ganadero aún nos perseguía con la escopeta. Y, al ser la líder, no podía poner en peligro mortal al resto, de manera que ese «alguien» debía ser yo.

¡Mierda, ser líder es una auténtica mierda!

Dije en voz baja:

—Iré a echar un vistazo sin que me vean.

—Eres una vaca —observó Giacomo—, è impossibile que non te vean.

Lancé un suspiro, porque el gato tenía razón, pero aun así me puse en marcha y enfilé el camino del maizal hacia el lugar del que procedía el sonido del tractor. Intenté avanzar sin hacer ruido, lo cual, dado lo que pesaba, no se vio precisamente coronado por el éxito. Pero al menos lo hice con suficiente sigilo para no llamar la atención. Cuando llegué al final del maizal, vi a través de las plantas un sembrado por el que iba un tractor. Y lo conducía... ¿otro ganadero? Increíble, ¡¡había más ganaderos?!

Bueno, nosotras, las vacas, sabíamos que en el mundo había algunas personas más, como por ejemplo el hombre que iba siempre a recoger nuestra leche en un vehículo enorme. Ese tío siempre se estaba escarbando la nariz y después se comía lo que encontraba dentro, operación esta de la que Tío Pedo un día comentó: «¡Hala, cómo me gustaría poder hacer eso con las pezuñas!»

Este ganadero parecía más joven, más alegre y, sobre todo, más simpático que el nuestro, cosa que tampoco era tan difícil, puesto que cada una de las pocas personas que habíamos visto hasta el momento en nuestra vida parecía más agradable que él. Y eso que no siempre hacían cosas buenas cuando estaban de buen humor, en particular uno al que llamaban veterinario, que siempre nos clavaba agujas en la panza mientras se reía y decía cosas como: «Os duele más a vosotras que a mí.»

El ganadero apagó el tractor y a mí me entró el pánico: ¿me habría descubierto? ¿Tendría que salir pitando? Pero si no me había visto, ciertamente me vería si salía corriendo ruidosamente. De modo que me quedé quieta y vi que cogía una cajita en la mano y, curiosamente, le hablaba: «¿Te has enterado? A Klaasen se le han perdido unas vacas, pero tiene una idea muy buena para atraparlas...»

¡¿Que el ganadero aún nos seguía buscando?!

«Y más le vale a Klaasen que las encuentre, porque el administrador le liará una buena si se sacrifican menos animales de los previstos.»

Al oírlo hablar del sacrificio, se me revolvió el estómago, pero seguí escuchando sin moverme del sitio, ya que quería averiguar cómo pretendía atraparnos exactamente.

«Klaasen no me quiso contar lo que piensa hacer...»

¡Mecachis!

«Pero está seguro de que las vacas problemáticas caerán en la trampa.»

Y yo estaba segura de que si ese hombre me descubría, me entregaría a nuestro ganadero, a mí y al resto.

Volví con los demás haciendo el menor ruido posible. No podíamos perder tiempo, teníamos que salir deprisa de ese campo, alejarnos de todos los ganaderos de este mundo y dirigirnos hacia la India.

Les hice una señal a mis vacas para que me siguieran. No tenía sentido explicarles que nuestro ganadero aún nos perseguía: Susi perdería los estribos y entonces sí que nos encontrarían.

Tomé un camino que no llevaba ni al ganadero que acababa de ver ni a nuestros antiguos campos. Las demás echaron a andar detrás de mí sin hacer preguntas, presentían la gravedad de la situación. Tras una breve caminata salimos del maizal y nos vimos justo delante de unos árboles.

—No, mierda... —susurró Susi.

Y Hilde terminó la frase:

—Éstos son los árboles del fin del mundo.

CAPÍTULO 16

Era increíble, los árboles no se hallaban ni a cinco vacas de distancia. Sin embargo, desde nuestra dehesa siempre daba la impresión de que estaban muy lejos. Y ahora ahí los teníamos, tras un trayecto tan corto.

—Entonces, ¿dónde está la India? —le pregunté al gato, espantada.

—Molto, molto lejos —repuso.

—Pero... Pero... Detrás de los árboles sólo está la leche infinita de la perdición —objeté.

—Signorina, eres como las personas.

—¿Como las personas?

Ésa era una comparación nada agradable.

—Ellas tampoco conocen il mondo. Porque sólo ven lo que ven y non tutto lo que hay. Lo maravilloso que puede ser il mondo, lo mágico.

¿De verdad éramos tan ignorantes como las personas, que ni siquiera sabían que las vacas sabíamos hablar?

—Créeme —sonrió el gato—, en il nostro viaje il tuo horizonte se ampliará molto, molto. —Se puso a cantar con su mala voz—: Detrás del horizonte, il camino continúa, juntos somos más fortes...

—Oyendo cómo canta es más que comprensible que los perros les tengan tanta tirria a los gatos —se quejó Hilde.

—La gente sólo sabe criticar —espetó Giacomo, y echó a andar ofendido hacia los árboles. Cuando se dio cuenta de que nadie lo seguía, se volvió y preguntó—: ¡Vamos, signorinas! ¿A qué están esperando?

—Yo ahí no entro. —A Rabanito le temblaba el cuerpo entero—. Ahí vive la vaca loca.

—Es sólo el personaje de un cuento de ancianos. —Probé para tranquilizarla—. Igual que la llamativa criatura con el cabello rojo y la nariz roja que echa vacas al fuego y después las mete entre dos rebanadas de pan.

—Ah. —Giacomo sonrió—. Tú te refieres a Ronaldo McDonaldo.

Rabanito se volvió hacia mí:

—Si crees en la leche infinita de la perdición, ¿por qué no crees en la vaca loca?

—Posiblemente porque es imposible que haya una vaca que esté aún más loca que Lolle —pinchó Susi.

Sin hacerle el menor caso, le respondí a mi amiga:

—La leche se menciona en nuestros cantos sagrados, no en un cuento absurdo. Ésa es la diferencia.

Durante un instante me paré a pensar en lo que significaría, como insinuaba Giacomo, que la leche infinita no existiera. En ese caso los cantos sagrados no serían más que cuentos absurdos. Y eso sería..., ¿qué sería eso? ¿Espeluznante? ¿Tranquilizador? ¿Emocionante?

—Créeme, Rabanito —continué diciéndole—, la vaca loca no existe. Y si vemos que detrás de los árboles el mundo acaba, no daremos un paso más y nos volveremos. ¿Qué te parece?

—No lo sé —contestó ella.

—La verdad es que suena muy sensato —opinó Hilde, sólo convencida a medias. Aunque era la más escéptica de todas, estaba claro que también ella se sentía incómoda.

—Entonces —pregunté al resto—, ¿vamos o nos quedamos aquí tontamente?

—Nos quedamos aquí tontamente —respondió Rabanito.

—A mí me parece genial que nos quedemos aquí tontamente —convino Susi.

—Podría hacerlo todo el día —añadió Rabanito.

—Cuando se sabe hacer algo bien, hay que hacerlo —aseveró Susi.

—Mucho tiempo y muchas veces —puntualizó mi amiga.

Miré a Hilde, que volvió la cabeza, insegura, y se pronunció:

—Yo estoy en contra de que nos quedemos aquí tontamente.

Al menos una tenía agallas.

—Pero no me importaría que nos quedáramos aquí inteligentemente —precisó.

—Mamma mia, menudo grupo —dijo Giacomo riendo.

No podíamos quedarnos allí. El ganadero nos encontraría, sin lugar a dudas. Así que una de nosotras debía ir de avanzadilla. Y nuevamente estaba claro quién iba a ser. Respiré hondo y me puse en marcha sin volverme.

Cuando entré en el bosque, me dio miedo mi propio valor. Bajo los árboles hacía más fresco. Estaba oscuro. Ése no era el entorno natural para una vaca. De haber tenido que atravesarlo de noche me habría muerto de miedo.

—Si dejamos que Lolle vaya sola, seguiremos aquí más tontamente aún —dijo Hilde.

Miré atrás y vi que echaba a andar. Y en el caso de Rabanito, e incluso de Susi, el orgullo acabó venciendo al miedo. Menos mal, porque sola habría acabado dando media vuelta, habría regresado al campo y habría intentado pasar el resto de mi vida escondida entre las mazorcas.

Nos adentramos en el denso bosque las cuatro, una detrás de otra, intimidadas por los altos árboles, muy pegados entre sí, por la tierra húmeda, cubierta de musgo, a la que nuestras pezuñas no estaban acostumbradas, y el ruido que hacían las hojas cuando el frío viento soplaba entre ellas.

Giacomo, en cambio, iba de un lado a otro tan campante, la pata mala parecía mejorar por momentos. De vez en cuando veíamos ardillas que trepaban a los árboles, pero por lo demás la calma era absoluta, lo cual nos relajó un pequeñísimo tanto.

Finalmente llegamos a un arroyo serpenteante de aguas cristalinas. Nos vino a pedir de boca. Yo no había bebido nada desde el día anterior y tenía la garganta seca de la tensión.

Rabanito observó, asustada:

—En ese arroyo vivía el oso Praxx, el temible guardián del bosque. Y ése no es el personaje de un cuento, como la vaca loca, de él hablan los cantos sagrados.

Hilde contestó:

—Aunque los cantos sagrados sean veraces, cosa que no creo, el oso ya no está aquí. Según los cantos, abandonó el bosque.

—Pero la vaca loca sí —insistió Rabanito.

—Mira a tu alrededor: ¿ves alguna vaca loca? —inquirí, un tanto irritada por la sed que tenía, y bebí del agua clara. Sabía mucho mejor que todo lo que había bebido en mi vida en la finca. Fresca. Refrescante. ¿Sería el sabor de la libertad?

Las demás me imitaron, incluida Rabanito, cuya sed era algo mayor que su miedo, y todas bebieron con avidez y profusión, como si quisieran apurar el arroyo.

Con las energías renovadas pregunté:

—¿No es lo mejor que habéis bebido nunca?

Giacomo se rió.

—Signorina, io credo que aún non conoce el Sexe on the Beach.

—No —respondí, en honor a la verdad.

—¡Pero yo sí! —Oímos decir de pronto a una voz ronca de mujer vieja—. Yo lo probé una vez.

Nos dimos la vuelta, asustadas: no se veía a nadie. Era como si nos hubiese hablado el viento. Las patas empezaron a temblarme y oí que a Rabanito, que estaba a mi lado, le castañeteaban los dientes.

—Aquí arriba —graznó la voz entre risas.

Alzamos la vista y en un roble, al lado mismo del arroyo, acurrucada en una rama extremadamente robusta, vimos una vaca vieja.

—¡Mierda! ¡La vaca está sentada en el árbol! —dijo Susi, y fue lo primero que pensé yo también.

—Oh, no, es la vaca loca —musitó Rabanito, y fue lo segundo que pensé yo.

—Madre mía, cómo huele —susurró Hilde, y fue lo tercero que pensé.

Cierto, la vaca apestaba incluso desde lejos, tenía la piel arrugada y las ubres eran unos colgajos: debía de ser viejísima. Seguro que ya tenía veinte veranos.

Se bajó ágilmente de la rama y preguntó:

—¿Qué hacéis aquí, en mi bosque?

—Vamos camino de la India —repuse yo tímidamente. Estar delante de la vaca loca me infundía auténtico pánico.

—¿Unas vacas que quieren ver mundo? —inquirió ella, asombrada, y después rompió a reír. Una risa escandalosa. Desagradable. Demencial. El tercer ruido más pavoroso que había oído en mi vida..., después de la escopeta del ganadero y la voz de Old Dog.

La vieja dejó de reír bruscamente y dijo:

—Hay una canción sobre una vaca que se fue a ver mundo. ¿Queréis oírla?

Nadie se atrevió a contestar.

—La canción trata de una vaca de un circo...

¿Un circo? Y eso ¿qué se suponía que era?

—Y la suerte que corrió debería serviros de advertencia.

Nos asustamos. Sonaba de lo más inquietante. Tal y como lo dijo, sonaba más inquietante incluso que la mismísima vaca loca.

—La canción se llama *Cop-vaca bana* —informó la vieja. Y después gritó a los árboles—: ¡Eh, músicos!

De las copas salieron ardillas, gorriones y picos. La vieja nos aclaró risueña:

—Les he enseñado a hacer música aquí, en el bosque. —A continuación pidió a los animales—: Necesito ritmos latinoamericanos.

Los gorriones empezaron a silbar de inmediato, los pájaros carpinteros a golpear alegremente el tronco de los árboles con el pico, y las ardillas a entrechocar nueces con brío. La vaca vieja se puso a cantar y, sorprendentemente, su voz sonaba muy bien:

Se llamaba Lola,
era una vaca del espectáculo,
con plumas amarillas en el pelo
y unas ubres capaces de poner a cualquiera en celo.
Bailaba merengue
y también chachachá...

Mientras cantaba, la vieja bailaba de tal modo que pensé que a su edad otras se habrían dislocado la cadera hace tiempo.

Quería ser una estrella
y en Bruno se fijó ella.
Era un pedazo de toro,
y por ella perdía el decoro.
Eran jóvenes y se querían,
¿qué más falta les hacía?

En Cop-vaca, Copvaca bana,
la vida era una gincana,
en Cop-vaca, Copvaca bana.
La música y el amor
eran el gran motor.
En Cop-vaca...
perdió ella el corazón...

Ahora la vaca bailaba con frenesí al compás de los «ritmos latinoamericanos» que gorjeaban los gorriones, marcaban las ardillas con las nueces y martilleaban los picos en los árboles.

—Hasta ahora no suena a advertencia para nada —opinó Susi.

—A mí me encanta. —Rabanito aplaudió, balanceándose torpemente. Con cada compás su miedo se iba desvaneciendo poco a poco.

—Io querría cantare con ella —afirmó Giacomo.

Todas le lanzamos una mirada de aviso que decía: ah, no, ni se te ocurra.

Él la captó en el acto, y farfulló:

—O quizá sea mejore que non.

84

—Buena idea —aprobó Hilde, y el resto asentimos.

Entretanto la vieja giró elegantemente sobre sí misma —un movimiento con el que yo sin duda alguna habría acabado sentada de culo— y siguió cantando:

> Se llamaba Nico,
> tenía un par de huevos
> y dos cuernos, blanco marfil.
> Poco a poco se fue poniendo a mil,
> cuando la vio bailar,
> los ojos le empezaron a brillar.
> Se acercó a ella despacito
> y la cautivó pasito a pasito.

—Creo que aquí es donde la historia empieza a tomar mal cariz —aventuró Hilde.

—¿Con una música tan alegre? —Rabanito se negaba a creerlo.

—Bueno, Lola está con Bruno. Y si ahora aparece Nico...

—Habláis como si la tal Lola existiera de verdad —apuntó Susi.

Una sensación, pensé yo, que era normal tener: la actuación era tan vehemente que me tenía completamente embelesada.

> Nico se propasó,
> y a Bruno le molestó,
> las pezuñas salieron disparadas,
> fue una auténtica salvajada.
> Y el pobre Bruno murió.

> En Cop-vaca, Copvaca bana,
> la vida era dura como una gincana,

85

en Cop-vaca, Copvaca bana.
La música y el amor
fue algo demoledor.
En Cop-vaca...
perdió ella a su toro, a su amor...

—Eso sí es triste —se lamentó Rabanito.

—Sí —convino Susi—. Y tampoco me gustaría que me colgaran las ubres como a esa vieja.

—Eres tan sensible. —Hilde sonrió, irónica.

—Es mi punto fuerte.

—Pues no me gustaría saber cuál es el débil.

Los gorriones y los picos alzaron el vuelo de los árboles y dieron vueltas trinando alegremente alrededor de la vaca vieja. Las ardillas, por su parte, saltaron al suelo y dieron los mismos pasos de baile frenéticos que la anciana dama mientras entrechocaban las nueces.

Se llamaba Lola,
era una vaca del espectáculo.
Pero eso hace mucho que pasó,
y su circo desapareció.
Se fue al bosque a vivir
y muy vieja se empezó a sentir.
Perdió a su Bruno, perdió su corazón,
y perdió también la razón.

—Naia mía... —dijo Rabanito.

—Así que ella es Lola. —Lo sentí por la vieja—. Y su Bruno murió.

—Es increíble que por ésa se pegaran así los toros —opinó Susi, de nuevo poco compasiva.

86

En Cop-vaca, Copvaca bana,
Lola perdió esa gincana,
en Cop-vaca, Copvaca bana.
La música y el amor
resultó ser algo devastador.
En Cop-vaca...
No te enamores...

Lola repitió unas cuantas veces «no te enamores», pero su voz era más baja con cada nota. Gorriones, picos y ardillas dejaron de hacer música y de bailar. Todos salieron volando, o saltando, alegremente, y se adentraron en el bosque. Por muy triste que estuviera Lola, a sus vecinos del bosque les deparaba una gran alegría con su música.

—Bueno, ahora sí que está claro —constató Susi—: es la vaca loca.

—Pero ya no me da miedo —afirmó Rabanito, compadeciéndose profundamente.

—Pues a mí sí —se quejó Susi—. Seguro que puede lanzar esos colgajos que tiene por ubres muy lejos, y eso es un peligro.

Yo no dije nada, me acerqué a Lola y la consolé lamiéndole el morro. Y no me importó que oliera tan mal.

Aunque con la canción me quedó más claro si cabía que el mundo era un lugar peligroso para nosotras, las vacas, también averigüé algo estupendo: Lola había visto mundo, lo que significaba que más allá de los árboles no estaba la leche infinita de la perdición.

—Es muy amable por tu parte que hayas querido advertirnos —le dije a Lola, que se debatía visiblemente con sus sentimientos—. Pero no tiene por qué pasarnos lo mismo que a ti.

—No, podría ser aún peor —se entrometió Giacomo.

Lola preguntó al gato, entristecida:

—¿De verdad crees que a alguien le puede pasar algo peor?

Él la miró a los vacunos ojos, que dejaban ver su corazón destrozado, y después sacudió la cabeza con suavidad:

—Perdóname.

—Lola —le pregunté—, ¿podrías decirnos cómo se sale del bosque?

—Entonces, ¿estás segura de que quieres ir a la India? —Fue su respuesta.

Asentí.

—¿Cómo te llamas? —quiso saber.

—Me llamo Lolle, Lola.

No pudimos evitar echarnos a reír las dos. La anciana dama frotó delicadamente su morro con el mío, un gesto que yo repetí.

A continuación nos guió por el bosque, que ya no nos inspiraba ningún temor, pues era un lugar lleno de música y baile. Con cada paso que daba me sentía más nerviosa: ¿qué habría al otro lado?

Cuando llegamos a los últimos árboles, vimos vastos campos. No la leche infinita de la perdición.

Así que los cantos sagrados mentían.

Lo que significaba que ya no había por qué creer en ellos.

Ahora sabía qué se sentía cuando no se creía en los sabios ancianos. Era inquietante, tranquilizador y emocionante al mismo tiempo. Y es que de ese modo nuestra antigua vida había terminado definitivamente. ¡Y empezaba una nueva!

CAPÍTULO 17

Lola se despidió rozándome con el morro una vez más y me susurró:

—Una vez estuve en la India. Y es muy bonito. Espero que lo consigas.

—¿Por qué no te quedaste? —pregunté. No me cabía en la cabeza que alguien pudiera abandonar semejante paraíso.

—Ningún lugar es bello cuando dentro de uno mismo no hay belleza —respondió Lola. A sus ojos asomaron las lágrimas, pero antes de echarse a llorar dio media vuelta, se adentró en el bosque y les dijo a los demás animales—. Ahora vamos a cantar *No Milk Today.**

Escuchamos los gritos de júbilo de los habitantes del bosque y nos pusimos en marcha por los sembrados. Estábamos tan sobrecogidas por el hecho de no haber caído en la leche infinita que ni siquiera sabíamos qué decir.

Al cabo de unos minutos de marcha en silencio enfilamos un camino transversal cuyo piso era de un gris y una firmeza antinaturales. El sol estaba alto en el cielo y, gracias a sus rayos, el suelo desprendía un calor agradable bajo mis pezuñas. Seguramente no me hubiera sentido tan bien de haber sabido que lo que pisaba era un invento al que las personas habían dado el no muy poético nombre de carretera.

—¿Y por dónde se va a la India? —se interesó Susi—. ¿Por la izquierda o por la derecha?

Miré a Giacomo para que me ayudara, y el gato se bajó al suelo gris y se dirigió hacia un letrero amarillo que

* Hoy no hay leche.

se hallaba a unas vacas de distancia y en el que había pintados unos signos humanos que a nosotras nos resultaban incomprensibles. El gato lo observó un instante, daba la impresión de ser capaz de descifrar los curiosos signos, volvió con nosotras y nos explicó:

—Bene, tenemos que andar quince kilómetros, hasta llegar a un sitio llamado Cuxhave. Luego buscamos un barco que vaya a la India. Luego io os meto en el barco de tapadillo... Y cuanto más me oigo, más me parece que questo plan è una completa locura...

Antes de que pudiéramos hacerle preguntas sobre esa locura de plan tales como: ¿qué es un barco?, ¿qué es de tapadillo? o ¿qué es Cuxhave?, oímos un traqueteo.

—La melodía es distinta de la de un tractor —aseveró Rabanito—. Ésta es más bien un brumm brumm brrrrrr-rrrum. Mucho más enérgica. Mucho más rápida.

—Attenzione! —exclamó Giacomo.

No reaccionamos.

El traqueteo se volvió más intenso.

—Attenzione!!! —repitió el gato.

Seguimos sin reaccionar.

—¡He dicho attenzione! ¿Es que non habéis oído, vacas bobas?

—Claro que sí... —repuso Rabanito.

—Pero no tenemos ni idea de lo que significa «attenzione» —terminó de aclarar Hilde.

—Además —chilló Susi ofendida, el ruido cada vez mayor—, no somos vacas bobas..., por lo menos yo no..., las otras puede que un poco... Y Lolle bastante...

—¡Il cochie! —gritó Giacomo.

Delante vimos algo que se parecía a un tractor y avanzaba hacia nosotras a una velocidad de vértigo. En ese vehículo iba una mujer que al vernos se asustó por lo menos tanto como nosotras.

—Venite! —exclamó Giacomo al tiempo que saltaba a una zanja que se abría junto a la carretera.

A la vista del robusto aspecto del cochie, lo de saltar me pareció una idea excelente.

Hilde fue más rápida que yo tanto de pensamiento como de patas y saltó a la zanja.

Giacomo gritó:

—Te has caído encima di me... Tengo il tuo pompis en la mía cara.

Antes de que Hilde pudiera reaccionar, saltó Rabanito, y ahora fue Hilde la que dijo:

—¡Au! ¡Que ésa soy yo!

Giacomo gimoteó.

—E io sigo debajo di te. Una vaca más y me quedo plano como un pez gato.

Lo cierto es que estaba a punto de saltar sobre las otras vacas, pero Susi no se movía, seguía plantada en mitad de la carretera, mirando atemorizada al cochie, que cada vez estaba más cerca.

—¡Susi! —le chillé.

La vaca tonta no reaccionó, de puro miedo se había quedado clavada en el suelo. La cosa esa le pasaría por encima de un momento a otro, y estaba claro que Susi no sobreviviría.

De manera que bajé la cabeza, salí corriendo y le clavé los cuernos con toda mi mala leche en el trasero.

—¡Ayyy! —aulló, y fue directa a la zanja, donde cayó sobre Rabanito, que seguía encima de Hilde, que a su vez estaba aplastando al gato, que se lamentó:

—Hala, perfetto.

Por último salté yo y fui a parar encima de Susi, que

soltó un gemido. Debajo lanzó un ay Rabanito, y bajo ésta, Hilde, y debajo del todo Giacomo espetó:

—La próxima vez io viajo con conejos.

El cochie pasó por delante a toda velocidad y nuestra pequeña pirámide se desplomó. Me levanté y asomé la cabeza con cuidado por la zanja. Los demás me imitaron. Por la carretera pasaban muchos de esos cochies. Parte de ellos eran más grandes que el primero, y algunos incluso llevaban incorporada una casita.

—Questos son los holandeses —aclaró Giacomo.

Pero eso no hizo que nada de todo aquello nos resultara más claro.

Era evidente que a Rabanito y a Susi los cochies les daban miedo, pues cada vez que pasaba uno por delante se estremecían. Por el contrario, Hilde, más valiente, observaba asqueada esas cosas veloces:

—En comparación con la peste que echan, Tío Pedo huele a rosas silvestres.

Como yo también estaba un poco intimidada pregunté:

—¿Quién está a favor de que busquemos otro camino?

Por primera vez en el viaje todas las vacas se mostraron conformes.

Sin embargo, Giacomo objetó:

—Non hay alternativa. Sólo podemos ir por la civilizacione. Io lo siento.

—Io también lo siento. —Rabanito suspiró.

—Io también. —Susi se sumó.

—Sea lo que fuere la civilizacione, ¡la odio! —aseguró Hilde.

Era la segunda vez en el viaje que las vacas estábamos de acuerdo.

Gruñendo de mala gana echamos a andar por la puñetera civilizacione, pero no por lo que Giacomo llamó carretera, sino por la hierba que crecía al lado. Y dado que esa franja que discurría entre la carretera a la izquierda y los campos a la derecha era muy angosta, no tuvimos más remedio que ir de una en una, cosa que no gustó demasiado a Susi.

—Genial, ahora tengo que ver todo el tiempo el culo gordo de Lolle.

Nunca en mi vida deseé más unas buenas ventosidades que en ese momento.

Sin embargo, para que el humor de nuestro grupo no empeorara más aún, decidí pasar por alto la impertinencia de Susi. No así Hilde, que iba la última, detrás de Rabanito:

—A mí me encantaría verte el culo, Susi.

—¿Ah, sí? —preguntó ésta, sorprendida.

—En una mata de ortigas —dijo Hilde sonriendo.

—Y a mí el tuyo en un avispero —replicó la aludida.

—Y a mí el tuyo embadurnado en miel...

—Pero eso no es nada malo —dijo Susi, confusa.

—Encima de un hormiguero —completó la frase Hilde.

Mientras las dos se encabritaban (las cabras son muy desagradables entre ellas, una vaca apenas podía creer las barbaridades que se pasaban el día entero balando), yo observaba a las personas que iban en los cochies, que a su vez nos miraban boquiabiertas. Los únicos que se alegraban de vernos eran los terneritos humanos, que agitaban los bracitos, nos apuntaban con el dedo y reían encantados. Viendo a los pequeños costaba creer que nos comieran. Desde luego no daban ninguna muestra de ir a hacer eso. Esas pequeñas criaturas no podían ser monstruos comedores de vacas, ¿no?

—Ésos no nos quieren comer —le comenté a Giacomo, que iba acomodado en mi cabeza, entre los cuernos. Tenía la pata prácticamente curada, pero no quería andar. Me daba la impresión de que le gustaba más que lo llevara yo.

—La mayoría de las personas non mata a las vacas con las suas manos. Nunca ha visto una vaca morta. Sólo come partes de vosotras, y así non ricorda que lo que se está comiendo antes era un ser vivo.

Esa conducta parecía no sólo absurda sino también perversa.

—Io creo que la mayoría de las personas non os comería si viera cómo os matan.

¿Hacía eso que el comportamiento de las personas fuera mejor? Difícilmente. Y el hecho de que las personas enseñaran a sus hijos a comerse a otros seres vivos era directamente inconcebible. Si yo tuviera un ternero, le enseñaría a respetar a todos los seres vivos. Hasta a Susi.

—Las vacas sólo debéis tener miedo de unas pocas personas —añadió Giacomo—: de los ganaderos, de los carniceros, de los sodomisti...

—¿Los sodomisti?

—Allora, questos son personas que hacen il amore con los animales...

—¡No te he preguntado! —lo corté.

Las personas cada vez me resultaban más inquietantes. ¿Qué más debía saber de ellas que no supiera, pero que fuese importante para sobrevivir? Y ¿cuántas eran? Porque las que iban en esos cochies ya eran un montón.

Mientras iba sumida en estas cavilaciones, detrás de mí Susi preguntó:

—¿Falta mucho?

—Sí —contestó Giacomo.

Al cabo de un rato Susi volvió a preguntar:

—¿Falta mucho?

—Sí —repitió el gato, esta vez irritado.

Ni un minuto después Susi preguntó de nuevo:

—¿Y ahora?

—¡sí!

—Pero llegaremos dentro de poco, ¿no?

—Si sigues preguntando, io me ocuparé de que non llegues.

—¿Y cómo piensas cargarte a una vaca, minino? —lo provocó ella.

Giacomo pasó de mi cabeza al trasero —yo me volví para poder ver— y le puso las garras a Susi delante mismo del morro.

—Con questo.

Susi se estremeció y se quedó de una pieza.

—Desde luego no me gustaría que me clavaras eso en los ojos.

Giacomo esbozó una fría sonrisa.

—Non, signorina, non le gustaría.

Y dio media vuelta y, risueño, volvió por el lomo hasta mi cabeza, donde se sentó entre mis cuernos. Su sonrisa me provocó un escalofrío. Hasta ese momento creía que era un gato encantador, pero ahora me daba cuenta de que también podía ser peligroso, un animal peleón. Que no vacilaría en lastimar a otros. Nada más pensarlo, no pude evitar acordarme de Old Dog y del sueño que había tenido: si el pastor alemán estuvo a punto de matar a un gato con esas garras, ¿cómo iba yo a salir airosa frente a él? Aunque sólo había sido un sueño en el que Old Dog había intentado matarme, ¿y si el sueño ocultaba una verdad premonitoria? ¿Y si me las volvía a ver con ese perro monstruoso? La sola idea me hizo sentir algo raro en la pelvis. Un poco como cuando a una le baja la regla, pero distinto.

Susi me distrajo de mis pensamientos.

—Gato, tengo otra pregunta.

—Cuidadito con preguntar si falta poco —amenazó Giacomo.

—No.

—Bene, ¿qué quieres saber?

—¿Falta mucho?

Giacomo prorrumpió en un sonoro suspiro, y a continuación se hizo un ovillo entre mis cuernos y repuso:

—Antes de que llegue a la India io seré alcohólico.

De un cochie, un ternero humano me lanzó al lomo con todas sus fuerzas lo que quedaba de una manzana: después de todo, por lo visto los pequeños no eran tan encantadores. Me quedé mirando el cochie y me pregunte cómo sería de grande el mundo si las personas tenían que utilizar esos cochies en lugar de las piernas para cruzarlo. Posiblemente la Tierra fuera mayor aún de lo que yo me figuraba. Mucho mayor. Pero ¿cuánto exactamente? Concebí una sospecha espantosa: que podíamos tardar un montón en llegar a nuestro destino.

—Dime, ¿por casualidad la India está a más de tres días de distancia? —le pregunté al gato en voz baja para que no me oyera el resto.

—¿È il Papa católico?

—No tengo ni idea de lo que significa esta respuesta.

—Naturalmente, la India está molto más lejos.

—¿Cuatro días? —probé, con la esperanza de que «molto más lejos» no fuera demasiado.

—Más.

Me asusté: ¿cuántos días aguantaríamos nosotras, las vacas, un viaje así? ¿Ocho? ¿Nueve? A lo sumo diez.

—¿Más de diez? —pregunté con cautela.

—Io diría que algo más.

—¿Cuánto es algo? —pregunté con más cautela.

—Huy, quizá tres lunas llenas.

—¡¿TRES LUNAS LLENAS?! —exclamé horrorizada.

Las demás me miraron sorprendidas.

—¿Qué pasa con tres lunas llenas? —quiso saber Hilde.

—Esto... —Me apresuré a mentir—: Giacomo me ha dicho que en la India se pueden ver tres lunas llenas.

Aunque la excusa era bastante absurda, con las prisas no se me ocurrió nada mejor. No podía decirles a las demás que eso sería lo que tardaríamos en llegar a la India. De hacerlo, perderían la esperanza, como me acababa de pasar a mí.

—¿Tres lunas? —me preguntó Hilde—. ¿Cómo puede ser?

—Allí Naia lanzó más queso al cielo. —Continué mintiendo, y metí en el berenjenal a la diosa vacuna, de cuya existencia ya ni siquiera yo estaba segura.

Rabanito observó con aire de aprobación:

—Sus ubres eran muy productivas.

Así que se habían tragado mi excusa. Sin embargo, mientras que Susi no hacía más que preguntar a cada poco: «¿Cuánto falta?» y «¿Cuándo vamos a llegar exactamente?» y «¿Qué se hace cuando a una le echan humo las pezuñas?», yo me preguntaba cómo aguantaríamos juntas tres lunas llenas, por no hablar de sobrevivir tanto tiempo en el mundo de las personas. Mientras mis esperanzas se desvanecían definitivamente, volví a sentir algo raro en la zona de la pelvis. Y no sería la última sensación ese día. Ni en mi vida.

CAPÍTULO 18

Con cada paso que daba, Susi se volvía más taciturna y más lenta. Hilde refunfuñaba porque por su culpa no íbamos lo bastante deprisa. La única que avanzaba como unas castañuelas en nuestra peregrinación era Rabanito. Los cochies ya no le daban nada de miedo, y le preguntaba a Giacomo por todas las cosas nuevas y fascinantes con las que nos topábamos. Él le explicó qué eran los molinos de viento (malos para los pájaros), los parabrisas (malos para los insectos) y las centrales nucleares (malas para todos). Le explicó lo que son los roqueros (debajo de los pelos está la persona) y las motos (cosas que no se deberían usar sin manos. Y no, una vaca tampoco debería ir en ellas). Luego el gato vio otro letrero amarillo y anunció:

—Sólo quedan cinco kilómetros para Cuxhave.

—Dime, ¿dónde aprendiste a descifrar los signos de las personas?

—Con la mía ama —respondió Giacomo apesadumbrado—. Sempre leía libros en voz alta, y mientras io me tumbaba en su hombro y miraba las letras...

—¿Qué es un ama? —lo interrumpí, agradeciendo que algo me distrajera del hecho de que la India parecía inalcanzable.

—La persona a la que pertenecía.

De manera que, al igual que nosotras, el gato también había estado en posesión de una persona. Si a todos los animales les sucedía lo mismo y ello constituía el orden natural del mundo, la naturaleza era algo de lo más antinatural.

—Y ¿tu ama también comía vacas? —pregunté.

—No, ella non comía carne.

lado. El dolor del pasado podía empañarlo. Al igual que la preocupación por el futuro.

Rabanito era capaz de obviar ambas cosas, pasado y futuro. Tal vez otras vacas poseyeran ese envidiable don, pero a mí no me había sido concedido. Tal vez debiera haberme criado la abuelita Hamm-Hamm en lugar de una vaca cuyo toro siempre la estaba engañando.

Sólo podía superar el pasado dando forma al futuro. Lo que significaba que tenía que llevar a nuestro grupo a la India, aunque tardáramos tres lunas llenas. No debía dejarme avasallar por eso. Y es que sólo dándole forma al futuro podría disfrutar el momento.

Así o dándome también a las setas.

CAPÍTULO 19

Al cabo de un rato llegamos a algo que Giacomo llamó área de descanso. Había un montón de basura por todas partes, que el gato llamó plásticos, envases y condones mientras se secaba las lágrimas de los ojos con las patas.

Nos detuvimos, miramos con más atención y Hilde observó:

—Creo que no hay un lugar más asqueroso.

—Signorina, questo è perque nunca ha estado in il cuarto de baño del estadio de futbolo.

Giacomo procuró sonreír, a todas luces intentaba apartar el recuerdo de su ama.

Nosotras, las vacas, cogimos aire y pastamos un poco en el campo que lindaba con el aparcamiento. Hilde y Susi mascaban la hierba sin ganas, Rabanito se llenó la panza feliz y contenta, pero yo apenas pude tragar un haz. Me paré a pensar si no debía decirles a las demás la verdad, que habíamos empezado un viaje que duraría mucho más de lo que creíamos. Sin embargo, llegué a la conclusión de que a veces era mejor que la líder mintiera a la vacada para no poner en peligro la meta. Resultaba feo y alevoso, pero necesario. El liderazgo era una mierda mucho mayor de lo que yo pensaba.

Rabanito dejó de mascar hierba, se dio cuenta de lo abatidos que estábamos todos e intentó animarnos. Le dijo a Hilde:

—Estoy segura de que en la India conoceremos a vacas con manchas marrones.

Los ojos de Hilde se iluminaron al oírlo, pero guardó silencio. No quería alimentar sus esperanzas, por si en el mundo no había ninguna vaca con manchas marrones y el sueño de su vida se frustraba definitivamente.

A Susi, Rabanito le dijo:

—Y a ti te deseo que allí conozcas a muchos toros.

—Pero para ti no quieres ninguno, ¿no? —ladró Susi, que estaba demasiado exhausta para aceptar gentilezas. O sencillamente tenía un carácter demasiado brusco para hacerlo.

Rabanito tardaba un poco en responder.

—¿Qué? —insistió Susi—. ¿Es que no quieres un toro?

Rabanito se apoyaba ya en una pata, ya en otra, de pronto luchaba consigo misma, y finalmente contestó:

—He de confesaros algo.

Todas dejamos de pastar, atónitas.

—Ayer por la noche no os desvelé cuál era mi sueño...

—Bah, eso no importa, de veras —la cortó Susi con desfachatez.

A Rabanito le afectó el comentario, pero a diferencia del día anterior, esta vez se mantuvo en sus trece y siguió hablando:

—Quiero contaros cuál es mi sueño, pero...

Dudó. Yo me interesé:

—¿Pero?

—No os lo puedo contar.

—Eso tampoco importa —aseguró Susi.

—Sin embargo puedo hacer otra cosa —afirmó mi amiga.

—¿Cerrar el pico? —preguntó Susi, esperanzada.

—Eso es algo que por desgracia tú no sabes hacer —intervino Hilde.

Susi torció el gesto.

—Puedo cantar lo que me preocupa.

—Las vacas sois veramente molto musicales. —El gato se rió.

Y Rabanito se puso a cantar:

> *I wanna be loved by Kuh,*
> *just Kuh, nobody else but Kuh.**

Mientras cantaba hacía unos movimientos muy coquetos. O todo lo coquetos que puede hacer una vaca dada su naturaleza:

> *I wanna be loved by Kuh, alone.***
> *Puh, puh, bi duh.*

—¡Madre mía! —Susi fue la primera en entender de qué iba la canción, y se separó de Rabanito—. ¡Te gustan las vacas!

---

* Quiero que me ame una vaca, sólo una vaca, nadie más que una vaca.

** Quiero que me ame únicamente una vaca.

—Questa sí que è una vera sorpresa —opinó Giacomo.

A mí también me sorprendió, me quedé atónita: ¿a mi Rabanito, a la que conocía desde la infancia, no le iban los toros sino las vacas?

Mientras los demás seguíamos estupefactos, ella bailaba dando delicados pasitos con las patas delanteras y continuaba cantando melodiosamente:

I wanna be loved by Kuh,
just Kuh, nobody else but Kuh.
I wanna be loved by Kuh, alone.
Paah didel-dideli-dideli-dam, puh, puh, bi duh!

Después del «puh, puh, bi duh» Rabanito incluso nos lanzó un coqueto beso con su gran morro negro. A continuación nos miró expectante: había desvelado su mayor secreto y estaba electrizada. Pero también temía un tanto nuestra reacción.

En un primer momento ni reaccionamos, no dijimos nada.

Cuanto más se prolongaba el silencio, tanto más nerviosa se ponía Rabanito. Estuvo rumiando hasta que no pudo más:

—¡Vamos, decid algo!

Hilde contestó, desconcertada:

—Paah didel-dideli-dideli-dam.

Y yo completé, no menos confusa:

—A mí me gustaría añadir un puh, puh, bi duh.

De repente Rabanito no pudo evitar reírse.

—No tengáis miedo, vosotras no me gustáis.

—¿Y se puede saber por qué no? —replicó Hilde, fingiendo indignación.

Tras la sorpresa inicial, yo también sonreí. La risa de Rabanito había relajado un tanto la tensión que flotaba en el aire. Y Hilde fue quien mejor supo entender la confidencia: al ser una marginada, no le suponía ningún problema que otro fuese distinto.

Muy al contrario que Susi, que bufó:

—Ahora sí que lo tengo claro: voy de viaje con un puñado de locos.

Acto seguido se alejó unos pasos de nosotros, quería distanciarse de Rabanito. Por lo visto, Susi era una de las muchas vacas que estaba en contra del amor entre vacas. Quien siendo hembra deseaba a una vaca lo tenía casi tan difícil en una vacada como los toros a los que les gustaban los toros o los toros a los que les gustaban las gallinas.

Por mi parte, me enfadé conmigo misma: lo cierto es que debería haber llevado los gustos de Rabanito con la misma naturalidad que Hilde, pues no tenía nada en contra del amor entre vacas. Nunca había creído lo que solían decir los ancianos: «Vaca con vaca, caca.»

Con todo, la confesión de mi amiga me había dejado sumamente perpleja, o mejor dicho: dolida. Me dolía que no me hubiera confesado sus anhelos hasta ahora, en plena huida, junto a un aparcamiento. Y eso que nos conocíamos desde que éramos terneras. ¿Cuánto habría esperado para soltarlo si nos hubiésemos quedado en la finca? ¿Habría llegado a contármelo? ¿Por qué Rabanito no había confiado en mí?

Volví a notar la misma sensación en la pelvis.

Rabanito se acercó a mí.

—Éste es el momento en el que tú, que eres mi amiga, deberías desearme que encuentre una vaca a la que amar.

—Pues claro que te lo deseo —repuse, más por obligación que por otra cosa.

—Vaya, ya veo que lo dices de corazón —constató ella, y se rió un tanto insegura—. ¿Tienes algo en contra del amor entre vacas?

—No, no... —le aseguré, e intenté excusarme, no quería decirle que estaba dolida—, es sólo que tengo una extraña sensación en el bajo vientre.

—¿Que tienes una sensación en el bajo vientre?

Era impresionante: hacía un instante hablábamos de su gran secreto, de algo que para ella era sumamente importante, pero cuando se preocupaba por otro se olvidaba de sí misma y se volcaba por completo en la otra persona.

De repente me avergonzó mi comportamiento y, sobre todo, no tener tanta grandeza vacuna como ella. Y como estaba muy avergonzada, repuse, en un tono mucho más irritado del que pretendía:

—Eso es lo que quería decir con «tengo una sensación en el bajo vientre».

—En serio, ¿de verdad tienes una sensación? —insistió ella.

—¡En serio!

De repente Rabanito esbozó una sonrisa amplia, segura.

—¿Qué? —espeté yo, pues quería saber a qué venía esa sonrisa.

La sonrisa se hizo aún más ancha. Más segura.

—¿Qué?

—¡Estás embarazada!

—¡¿QUEEÉ?!

CAPÍTULO 20

—A ver, Lolle —explicó pacientemente Rabanito—, embarazada es cuando una espera un ternero...

—¡Sé lo que es estar preñada! —exclamé.

—Entonces, ¿por qué lo preguntas?

Si alguien podía poner una mirada bovina de asombro ésa era Rabanito.

—¡¿Que estás embarazada?! —dijo Susi, y volvió a unirse a nosotros.

Parecía celosa y enfadada. Porque si yo estaba preñada, era de Champion.

—No estoy preñada —balbucí.

—Sí que lo estás —dijo Rabanito sonriendo.

—Sólo es una sensación en el bajo vientre. —Le quité importancia.

Ahora fue Hilde la que esbozó una ancha sonrisa.

—¿Qué? —pregunté irritada.

—Estás preñada —corroboró mi otra amiga.

—¡Bobadas! —objeté con vehemencia. Lo que no podía ser no podía ser.

—Pues el otoño pasado Desgracia tuvo una sensación así...

¡Naia mía, era verdad!

—Y después tuvo un ternero...

Desgraciadamente eso también era verdad.

—Y el ganadero lo llamó Psicofármaco.

—Pero la sensación que yo tengo es distinta —afirmé, aunque sumamente insegura, ya que no tenía ni idea de si de verdad era distinta de la de Desgracia, únicamente confiaba en que así fuera.

—Lolle —preguntó Hilde—, ¿cuándo fue la última vez que tuviste la regla?

—Eh... —balbucí.

—Es la respuesta que esperaba.

—Oh, no... —dije angustiada. En efecto, de eso hacía algún tiempo, para ser exactos hacía dos lunas de queso llenas.

Susi apuntó enfadada y profundamente dolida:

—Así que vas a tener un ternero de Champion.

Y Giacomo exclamó, jubiloso:

—¡Io seré il padrino!

Y se puso a bailotear en mi cabeza, cosa de la que sin embargo apenas me di cuenta, pues ya ni sabía dónde tenía la cabeza: ¡no podía estar embarazada! ¡No podía ser!

—Es muy fácil comprobar si una está preñada —aseguró Rabanito.

—Esperar a que nazca el ternero —bufó Susi.

—La abuelita Hamm-Hamm me enseñó un truco para averiguar si una está preñada.

—Ya estamos otra vez con la abuelita Ga-gá —espetó Susi, reprimiendo con su agresividad unas lágrimas que amenazaban con brotar.

—¿È questa la misma abuela que sugirió lo de orinar en la mía herida? —preguntó Giacomo con escepticismo.

—¿Y acaso fue un error? —dijo Rabanito, y sonrió.

—No —admitió el gato, cuya pata al fin y al cabo se había salvado gracias a los conocimientos de la vieja Hamm-Hamm—, la tua abuela era una mujer sabia. Rara, pero sabia.

—Bueno, ¿cómo se sabe entonces si una está o no preñada? —la apremió Susi.

Tenía muchas más ganas de saberlo que yo. Para ser sincera, yo ni siquiera sabía si lo quería saber.

—Necesitamos una rana —repuso Rabanito.

—¿Una rana...? —repetí yo, perpleja.

—¿Y el bicho le dice a una si está preñada? —inquirió, escéptica, Susi.

—Si el juego de palabras no fuera tan malo, diría: te saldrá rana —soltó Hilde.

—No lo dice la rana —precisó Rabanito—. Lo dice su color.

—¿Se pone roja cuando se le habla de la reproducción? —bromeó Hilde.

—No, se pone azul cuando una embarazada le orina encima, y se queda verde si no está preñada.

—A tu abuela le iba mucho lo de orinar —observó Hilde.

—Es que cuando una está preñada hay no sé qué en el pipí... —aclaró Rabanito.

—Las hormonas —apuntó Giacomo suspirando.

—A la rana le va a encantar que le haga pis encima —consideré yo—. Claro que primero tenemos que encontrar una.

Confié en que el tema quedara zanjado con estas objeciones. Al menos hasta que decidiera si quería saberlo o no.

—Ahí detrás hay una charca —observó Susi al tiempo que señalaba un pequeño depósito de agua que estaría a un centenar de vacas de distancia—. Seguro que allí hay ranas.

Fue directa del aparcamiento a la charca, atravesando un campo y dejando atrás unos arbustos. A diferencia de mí, ella estaba segura de que quería saberlo cuanto antes.

—¿A qué esperas, Lolle? —me preguntó Rabanito, al tiempo que me daba un cariñoso empujoncito con el morro.

A que terminara esa pesadilla. Ni siquiera quería pensar en lo que significaría que en mi vientre creciera un ternero. Un ternero cuyo padre era Champion. Prefería confiar en que Susi no encontrara una rana. Pero ella, que ya había llegado a la charca, exclamó:

—¡Esto está lleno de esos bichos!

Al parecer era esperar demasiado.

—Vamos —dijo Rabanito riendo, y me empujó hacia el agua dándome suave y cariñosamente con los cuernos en el trasero.

Eché a trotar de mala gana por la alta hierba, oyendo el croar de las ranas, cada vez más intenso. Con cada paso que daba me sentía más a disgusto.

Cuando llegamos a la charca, Susi, que estaba plantada delante de una rana especialmente fea, me preguntó impaciente:

—¿Qué te parece ésta?

¡Quería saberlo a toda costa!

—Disculpe —le dijo Rabanito a la rana, inclinándose—, ¿le importaría que mi amiga orinara encima de usted?

—¿Cómo dices? —preguntó la rana, y me miró ofendida.

Me habría gustado que me tragara la tierra, de pura vergüenza.

—No tardará mucho —susurró amablemente Rabanito.

—¿Tú estás loca o qué? —respondió la rana.

—¡Es que es importante!

—Por favor —contestó, enfadada, la rana—. Veréis, llevo trescientos años encantado dando tumbos por el mundo, y ¿creéis que hay una sola mujer que quiera besarme?

—Esto... ¿Cómo dice? —inquirió Rabanito.

Giacomo se me bajó de encima, miró de cerca a la rana y se rió.

—¡È un príncipe hechizado! Qué decía io: il mondo è más mágico de lo que piensan las vacas y las personas.

La rana no nos hizo ni caso, prefirió responder su curiosa pregunta ella misma:

—Pues no, no hay ni una sola mujer que quiera besarme. Y en cambio una vaca quiere hacerse pis encima de mí.

—Bueno, querer, lo que se dice querer... —dije yo en voz baja.

Pero ello no hizo que la rana pusiera fin a su verborrea:

—Como si no tuviera bastante. Salte donde salte, aparecen sapos horrorosos que quieren aparearse conmigo para que nazcan miles de renacuajos... —Se sacudió—. Y cuando estuve en Francia, esos franceses idiotas querían cazarme y comerme. Pero ¿sabéis qué es lo peor?

—Seguro que nos lo vas a decir —espetó Hilde, que entendía tan poco como el resto de qué estaba croando la rana.

—Lo peor son las moscas. No hay nada que sepa más soso. Pero nosotras, ranas idiotas, no comemos otra cosa. Dios mío, lo que yo daría por volver a comer un asado de ternera jugosito.

Las vacas la miramos con mala cara.

Sin embargo, la rana no se percató y siguió lloriqueando:

—No debí decirle a la bruja que con la pinta que tenía afeaba la estética de mi reino... Dios mío, si hasta tenía verrugas en las verrugas... Y precisamente por eso quizá no debiera haberla enviado a la hoguera... O quizá debiera haberla amordazado, porque así no habría podido lanzarme la maldición...

La rana no paraba de croar. ¿Por qué no se podía saber si una estaba preñada orinando sin más en una piedra?

Susi preguntó:

—¿A alguien más le está sacando de quicio este tipo?
—Pero antes de que nadie le respondiera le arreó una patada en la cabeza. La rana se desplomó y perdió el sentido. Después me dijo—: Te toca.

No sé por qué no me parecía bien orinarle a alguien que estaba inconsciente. Por otra parte, seguro que eso era mejor para él que estar despierto.

—Bueno, ¿qué? ¿Lo haces o no? —apremió Susi.

—Si me lo piden no puedo —admití, en honor a la verdad.

—Siempre he pensado que eras una meapilas —se quejó ella.

Sin embargo, no me ofendió. Susi quería saber y yo lo entendía. ¿Cuánto daño le haría si en efecto estaba esperando un hijo de Champion? Si fuera ella la que esperase un ternero de él, yo no podría soportarlo, y posiblemente estuviera mucho, muchísimo más enfadada con ella de lo que ella lo estaba ahora conmigo.

Me acerqué a la rana y me situé encima, pero estaba demasiado tensa. Y el hecho de que los demás me miraran no me hacía sentir precisamente más relajada. Rabanito me preguntó:

—¿Quieres que te cante la canción del pipí de la abuelita Hamm-Hamm?

Antes de que pudiera decirle que no, comenzó a canturrear:

—Orín, orín, orín, orín que sale sin fin.

Mi vejiga se puso en movimiento en el acto. Probablemente el secreto residiera en que uno se daba prisa para que la espantosa canción acabara.

Apenas hube terminado, Susi exclamó, dando gritos de júbilo:

—¡La rana no cambia de color!

También yo suspiré profundamente aliviada. Por desgracia lo celebramos antes de tiempo, ya que Rabanito precisó:

—Hay que esperar un poco, esto no va tan deprisa.

De manera que esperamos. Y mientras tanto se me pasaron miles de cosas por la cabeza: la última vez que Champion me hizo el amor en la dehesa; lo mucho que lo echaba de menos, aunque fuese un idiota; y lo horrible que era que en ese momento no estuviese a mi lado. Mientras pensaba todo esto, Susi gritó de pronto:

—¡Esta mierda de rana se ha puesto azul!

Y Giacomo sonrió:

—Y cuando dice azul non quiere decir lívida.

CAPÍTULO 21

Miré a la rana inconsciente: no estaba ligeramente azul o verde azulada, sino de un azul vivo. De manera que no había ninguna duda. Con todo, no quería reconocerlo y balbucí:

—Puede que sea cosa de la rana, ¿por qué no cogemos otra?

Eché un vistazo rápidamente a mi alrededor, pero ya no se veía ni oía ninguna rana por ninguna parte.

Hilde observó:

—Se largaron todas cuando se enteraron de lo que le hiciste a ésta.

—È comprensibile —dijo el gato sonriendo.

Yo volví a mirar a la rana azul, que seguía inconsciente en el suelo, y poco a poco la idea se fue asentando en mi cerebro: Naia mía, ¡voy a ser madre!

No me invadió la dicha de la maternidad, sino tan

sólo una profunda tristeza: mi ternero crecería sin padre. ¡Qué destino más aciago para el pequeño! Y también para mí. No era ése mi sueño: ser madre y tener que criar sola a su ternero. Lo que yo quería era una vida como la de Zumbi y Pumbi, las moscas efímeras.

Rabanito vio lo hecha polvo que estaba y frotó con suavidad su morro contra el mío.

—Ser madre será estupendo, ya lo verás.

—Sí, estupendo —ironizó Hilde—, te pondrás más y más gorda. Retendrás agua en las patas y tendrás unos dolores horrorosos en el parto. Y cuando el niño haya nacido, no volverás a pegar ojo, porque tendrás que estar dándole leche todo el tiempo, y si tienes mala suerte..., encima será toro.

Ahora ya no estaba sólo triste, sino también espantada. Hilde no veía ninguna alegría en ser madre. Y Susi menos aún:

—Y si tienes muy, muy mala suerte, será como su padre.

Lo dijo con un odio increíble en la voz, dolida porque el toro con el que tenía algo había preñado a otra. Mientras sus ojos lanzaban chispas, yo también monté en cólera: ¿cómo pudo dejarme embarazada Champion cuando al mismo tiempo tenía una relación con Susi? ¿Cómo podía hacerme eso? ¿Hacérselo al ternero? Me habría gustado atravesarlo con los cuernos sin pensarlo de pura rabia. Pero mientras imaginaba que lo hacía, sentí remordimientos de conciencia. Posiblemente Champion ya hubiera muerto...

¡Qué vaca tan mezquina! Por muy mala que pudiera ser mi suerte, era mejor que la de Champion.

Cómo echaba de menos su risa, su voz grave cuando decía: «Lolle, vamos a hacernos mimos.»

Oí su voz alta y clara. Como si estuviese cerca: «Lolle, vamos a hacernos mimos.»

No fui la única que oyó su voz.

—¿Habéis oído eso? —inquirió Hilde—. Algo ha dicho: «Lolle, vamos a hacernos mimos.»

¿Lo habría pensado en voz alta?

No, no podía ser.

—Lolle, vamos a hacernos mimos.

Ahí estaba, de nuevo.

Pregunté al resto:

—¿Lo habéis vuelto a oír?

Me miraron con ojos bovinos, todas salvo Giacomo, que me miró con ojos gatunos. Tardaron un instante, que a mí me pareció una eternidad, en asentir.

Vacilante, di unos pasos hacia donde venía la voz. Cuanto más alto la oía, más veloces eran mis pasos y tanto más deprisa me latía el corazón. Al final eché a correr. Como nunca antes había corrido en mi vida, más deprisa incluso que la noche anterior, cuando salí huyendo del ganadero y su escopeta.

Los demás me siguieron, la más veloz, Susi, que no tardó en darme alcance. Paramos de golpe en el campo, tras los arbustos. A través de las hojas podíamos ver el aparcamiento. Y allí estaba... ¡Champion!

CAPÍTULO 22

Estaba en el aparcamiento, así, sin más.

Tenía la mirada fija al frente y parecía más abatido de lo que yo lo había visto nunca, ni siquiera cuando le expliqué que yo era una vaca con principios y no me dejaba montar en la primera cita.

—¿Está vivo? —balbució, atónita, Rabanito.

—Pero no por mucho tiempo —aseveró Susi con amargura—. ¡Me lo voy a cargar!

Lo odiaba tanto porque lo quería.

A mí, por mi parte, me temblaba el cuerpo entero. Mi Champion había sobrevivido. Al verlo, el corazón se me aceleró de alegría, hacía mucho que no me sentía tan feliz, tal vez nunca en mi vida me había sentido así, pues nunca antes había vuelto a ver a un ser querido a quien creía muerto.

Me sentía tan, tan feliz que ni siquiera me hice preguntas. Por ejemplo, cómo había sobrevivido Champion, cómo había llegado hasta ahí o cómo nos había encontrado. Podía incluso perdonarle que me hubiera puesto los cuernos con Susi, sólo quería ir con él, mimarlo, acariciarlo, no volver a abandonarlo jamás y contarle que íbamos a ser padres, una familia... Pero entonces él dijo:

—Susi, vamos a hacernos mimos.

—Io penso que questo toro è un poco promisco.

—Si «promisco» significa veleta —apuntó Hilde—, estoy de acuerdo contigo. Y si quiere decir gagá, también. O que sólo piensa con el badajo.

—¿Il badajo? —preguntó Giacomo.

—El badajo —lo corrigió Hilde.

—Questo he dicho, il badajo.

Hilde torció los ojos.

—È il pinjante dello colgante, non? —quiso saber Giacomo.

Entonces Champion dijo de nuevo:

—Susi, vamos a hacernos mimos.

Miré insegura a Susi, cuyos ojos sólo reflejaban rabia y odio. Masculló desdeñosa:

—El listo este nos está tomando el pelo.

—Es una forma bastante educada de expresarlo —comentó Hilde.

—¡A ése le voy a decir yo cuatro cosas! —bufó Susi, e

hizo ademán de ir hacia Champion, que todavía no nos había visto, aunque estaríamos a unas cuarenta vacas de distancia.

Era extraño. Cierto que entre nosotros y él se alzaban los arbustos, pero así y todo si se hubiera fijado, nos habría descubierto por fuerza. De algún modo era como si en realidad no quisiera esos mimos con nosotras. Como si ni siquiera quisiera buscarnos, incluso. ¡Era una trampa! ¿Cómo había llegado hasta ahí? ¿Por qué había sobrevivido? ¿Por qué nos llamaba ya a Susi, ya a mí? Champion era un insensible, sí, pero ¿tanto...? Parecía triste, culpable, como si no tuviera voluntad... Y nada más pensarlo tuve claro de golpe lo que estaba pasando.

—No vayas —advertí a Susi en voz baja.

—¿Por qué no? —preguntó ella con agresividad mientras se ponía en camino—. Me va a oír. Se lo merece. Se merece eso y más. Y seguro que tú piensas lo mismo, ¡te ha dejado preñada!

—¡Es una trampa! —exclamé con vehemencia.

Susi paró en seco, extrañada, y todos contuvieron la respiración espantados.

Me apresuré a explicarles en voz queda:

—Esta mañana oí hablar a otro ganadero. Dijo que el nuestro nos atraparía valiéndose de un truco. Y éste es el truco: que Champion sea el señuelo.

—Hilde, vamos a hacernos mimos —volvió a decir Champion.

Susi estaba desconcertada.

—Eso sí que es ser veleta...

Hilde la fulminó con la mirada.

—O lo que dice Lolle es cierto —aventuró Rabanito, espantada—: Es el señuelo.

Giacomo suspiró.

—Como decían en *Il Gattopardo*: il vicio conduce a la perdizione.

—Pero si eso es verdad, ¿por qué se presta Champion a algo así? —razonó entre susurros Rabanito.

—Supongo que el ganadero lo habrá obligado... —contesté yo.

—Pero uno se puede negar —opinó Hilde.

—Non si questo uno se quiere salvar —replicó Giacomo.

Al oírlo, Hilde, resopló con desdén:

—Intenta cambiar nuestra vida por la suya.

¡Una idea aterradora! Si en efecto Champion quería llevarnos al matadero para salvarse, estábamos hablando de traición. No sólo a nuestro amor, sino también al género vacuno.

Detrás de Champion apareció el ganadero. De manera que yo tenía razón, estaba utilizando de reclamo a Champion.

Tener razón nunca había sido peor.

Nos parapetamos a toda velocidad tras los arbustos sin decir esta boca es mía.

El ganadero parecía muy frustrado y lo oímos decir a voz en grito:

—No puede ser, los idiotas de tráfico informaron de que había vacas sueltas en la carretera. ¡Tienen que estar en alguna parte!

A nuestras espaldas, en la charca, oímos más imprecaciones, esta vez de la rana:

—No me lo puedo creer, ¡se me ha meado encima de verdad! Esa vaca tonta. Cuando vuelva a ser una persona, el asado de ternera será el plato nacional de mi reino.

Al oír la palabra «vaca», Champion miró hacia donde nos encontrábamos y vio que estábamos escondidas tras los arbustos. Y nos miró. Todos contuvimos la respiración. Ahora Champion nos delataría, el ganadero agarraría su escopeta y nosotras cuatro moriríamos. No, ¡nosotros cinco! Dentro de mí crecía un ternero que asimismo moriría. Traicionado por su propio padre.

Entonces Champion me miró a los ojos y yo me quedé helada. Sí, tenía miedo del toro al que tanto amaba. Un miedo cerval.

Pero Champion no empezó a mugir ruidosamente para que el ganadero nos viera. Parecía debatirse en la duda. Luego, de repente, su lucha interior finalizó y su aspecto pasó a ser muy tranquilo y relajado. Como si hubiera tomado una decisión con la que se hallaba satisfecho. ¿Se pondría a dar voces ahora?

No lo hizo. Guardó silencio y me sonrió. Se alegraba visiblemente de que estuviera viva. Después hizo un gesto amable de asentimiento, como si quisiera despedirse de mí para siempre, y echó a trotar hacia el ganadero. Sin delatarnos. Sin delatar a su futuro hijo. Había tomado una decisión.

Me habría gustado mugirle a Champion que iba a ser padre, pero eso habría sido la ruina de todas nosotras, de manera que no dije nada, y me rompió el corazón ver cómo se alejaba, sin poder hablar con él, y desde luego sin darle un beso en el morro.

El ganadero, completamente frustrado, lo llevó hasta un cochie enorme en cuya parte trasera había espacio para muchas vacas. Metió a Champion dentro y a continuación cerró la puerta. Luego se sentó delante, en el vehículo, y se puso a beber de una botella de aguardiente de mierda. Champion desapareció en las fauces del cochie, que sin duda lo llevaría al matadero. Pero no nos traicionó.

Posiblemente sí se propusiera traicionarnos para salvar la vida. Un impulso comprensible, e incluso perdonable, ya que a la hora de la verdad no lo había hecho. Eso lo convertía en un héroe. Un héroe que iba hacia la muerte por decisión propia. Con el consuelo de que nosotras seguíamos vivas.

Sin embargo, lo que era un consuelo para él no lo era para mí.

Me desplomé detrás de los arbustos y rompí a llorar suavemente.

Los demás se tumbaron conmigo y me hicieron mimos. Incluido Giacomo, que había aprendido a hacer mimos viéndonos a nosotras, las vacas. Hasta Susi, que ya no podía seguir furiosa con Champion, participó. Al igual que yo, no pudo evitar llorar, y fue la que más mimos me hizo. Y yo a ella.

CAPÍTULO 23

Pasó un tiempo antes de que alguien rompiera el silencio, cuánto exactamente no sabría decir, pues el dolor hacía que cada segundo pareciera una eternidad. Y, claro está, fue Giacomo quien dijo, acallando los sollozos:

—Eh... Non quiero molestar, pero...

—Pues no lo hagas —soltó Hilde.

—Pero deberíamos ir pensando en salir pitando. Il ganadero aún está ahí, y os seguirá buscando cuando se termine el alcohol.

Miré al aparcamiento y entre las lágrimas vi que, en efecto, el cochie seguía allí. Ahora el ganadero se había sentado delante, en el suelo, apoyado en la puerta, y seguía bebiendo el aguardiente de mierda. Volví a notar la sensación que ya conocía en el bajo vientre, o porque estaba revuelta o porque el ternero que crecía dentro de mí quería darme a entender: haz algo, mamá.

Intenté desoír la sensación, pero cada vez era más fuerte. Si de verdad se trataba del ternero, que protestaba, era bastante testarudo, y su educación me daría más de un quebradero de cabeza. Pero tenía razón: no podía abandonar a su padre, no podía abandonar a Champion de ninguna manera.

Me levanté del suelo, que mis lágrimas habían mojado, y le dije al resto:

—Tenemos que liberarlo.

—¿Qué? —respondieron todos a coro.

—Tenemos que liberarlo —repetí, con más brío.

—¿Eres consciente de que el ganadero lleva encima la escopeta? —inquirió Hilde.

—Sí que lo soy, por desgracia. Pero tenemos que hacerlo igualmente.

—Mierda —se lamentó Susi—, quiero volver con la vaca loca; en comparación contigo es normal.

—¿Cómo pretendes liberarlo? —preguntó con curiosidad Rabanito.

—Nos llevaremos por delante al ganadero con una estampida.

Ése era mi plan.

Hilde puso reparos:

—Si no somos lo bastante rápidas, nos disparará.

—Es posible, pero correré el riesgo. ¿Quién viene conmigo?

Me miraron indecisos.

—No contestéis todos a la vez.

—A ver si he entendido bien —dijo Hilde—, ¿se supone que vamos a arriesgar la vida por un idiota redomado?

—Bueno... —contesté. El planteamiento de mi amiga no me gustaba, pero tampoco podía refutarlo.

—Que te engañó con la puta esa —continuó Hilde.

—¡Oye! —exclamó Susi.

—¿Una vaca que no te llega ni a la herradura de la pezuña?

—Eh, que estoy aquí, por si no te has dado cuenta —le espetó Susi.

—Champion no nos delató —argüí, y me dirigí a Susi, con cuyo apoyo más contaba yo, pues también sentía algo por Champion—: Ha dado su vida por la nuestra.

Susi vaciló, pero su odio era mayor que el amor, de manera que repuso, profundamente ofendida:

—No cuentes conmigo.

—Creo que amas a Champion —le dije, provocándola con la mirada—. Si es así, no debes abandonarlo a su suerte.

—¡Lo odio! —exclamó ella, los ojos echando chispas.

—Eso es precisamente porque lo quieres —repliqué con suavidad.

—Las mujeres veramente son los seres más complicados de tutto il mondo —se lamentó Giacomo.

Susi no dijo nada, no quería admitir que yo tenía razón. Sencillamente no podía hacerlo.

Rabanito manifestó con valentía:

—Yo te ayudaré, Lolle. Así habrá más posibilidades de que sobrevivas, y sólo si eres nuestra líder conseguiremos llegar a la India.

Tras pensárselo un instante, Hilde se volvió hacia Rabanito:

—Odio cuando dices algo y tienes toda la razón.

Y después hacia mí:

—Cuenta conmigo..., por ti... y por ésa de ahí. —Señaló con el morro a Rabanito—. Y por ése de ahí. —Señaló con el morro mi vientre—. Pero desde luego no por el idiota de Champion.

Asentí agradecida y le dije a Giacomo:

—¿Y tú?

—Me gustaría estar molto lejos de aquí, en Ibiza con una pizza, pero como io estoy aquí, estoy contigo.

—A la de tres salimos corriendo —advertí.

Giacomo replicó, titubeando:

—A mí me parecería molto mejor que saliéramos corriendo a la de cuatro mil ochocientos...

No le hice caso y empecé a contar:

—Uno... Dos... ¡Tres!

Y salimos corriendo y mugiendo Rabanito, Hilde y yo. Y Giacomo, un tanto rezagado, detrás.

Mis mugidos decían:

—¡Champion, ya vamos!

Los mugidos de Hilde decían:

—Si muero por ese idiota, me voy a cabrear, y mucho.

Y los mugidos de Rabanito decían:

—Huy, creo que he aplastado a la rana azul.

Nuestros ruidosos mugidos asustaron al ganadero, que dejó a un lado el aguardiente de mierda, se levantó del suelo y soltó:

—¡No me jodáis!

Rabanito comentó extrañada:

—Qué cosas más raras pide.

En ese momento, el hombre echó mano de la escopeta.

Y Giacomo gritó:

—Io prefiero irme a Ibiza.

Y volvió a esconderse detrás de los arbustos.

Sin embargo, nosotras seguimos corriendo y mugiendo.

Mis mugidos decían:

—No nos podrás matar a todas antes de que te pille-
mos, ganadero.

Los mugidos de Rabanito decían:

—Por supuesto lo mejor sería que no nos mataras a
ninguna.

Y los de Hilde:

—Pero como nos des a alguna de nosotras, te mato.

A lo que Rabanito añadió:

—Hilde, si el ganadero te mata a ti, no podrás hacer
eso.

—Rabanito —contestó Hilde—, éste no es el momento de ser lógica.

—Eh, vosotras dos, ¿podríamos centrarnos en lo
esencial? —mugí mientras incrementaba la velocidad.

—¿No morir? —inquirió Rabanito.

—¡Atropellarlo!

El ganadero levantó la escopeta.

Sólo estábamos a diez metros de él.

Me habría gustado estar diez metros más cerca.

O miles más lejos.

El ganadero nos apuntó con la escopeta.

—¡Mierda, que tira! —gritó Hilde.

Y Rabanito contestó:

—Preferiría que fuese al revés.

—¿Qué?

Hasta con la vida pendiente de un hilo, Rabanito tenía la capacidad de confundir a Hilde.

—Al revés sería: que tira mierda —aclaró Rabanito.

—¡Ya, ya! —la cortó Hilde.

Oímos el clic de la escopeta y supimos que acto seguido una de nosotras mordería la hierba, y no precisamente
como nos gustaba a nosotras, las vacas.

Sólo estábamos a cinco metros.

El ganadero movía la escopeta, no sabía a cuál de las tres apuntar.

Cuatro metros.

Por fin se decidió. Tontamente, por mí.

Y me invadió el miedo. Por mí, pero sobre todo por el ternero. Vaca tonta, ¡no debería haberlo puesto en peligro! Pero es que no sabía lo que era el instinto maternal. Y ahora era demasiado tarde para hacerle caso y dar media vuelta.

Ése era el momento ideal de que se me ocurriese una puñetera idea.

Tres metros.

El momento de tener una idea era cada vez mejor.

El ganadero chilló:

—¡Os voy a matar a las seis!

¿Seis? ¿Acaso nos veía duplicadas?

Dos metros.

La escopeta armó un ruido tremendo y echó humo.

Sopló un viento fuerte...

¿Que me pasó rozando?

El ganadero había apuntado al lado.

Y yo lo atropellé.

—¡AHHH! —exclamó al irse al suelo.

Y la escopeta se le cayó de la mano. El hombre quiso cogerla, pero Hilde ya estaba encima, le dio una coz en la cabeza y el ganadero perdió el sentido.

Resoplamos y nos quedamos paradas, temblando de miedo, mirando al ganadero, que estaba en el suelo, inmóvil.

—Creo que le hemos hecho mucho daño —dijo Rabanito, compasiva.

—¿Sabes lo que me importa? —respondió Hilde.

—¿Qué?

—Un rábano.

—¿A qué viene eso? —preguntó Rabanito.

—¿Cómo dices?

—Que si lo dices por mí: ¿es que no te importo nada?
Porque si es así, no sé muy bien a qué viene eso ahora. Y,
si no es eso, ¿por qué lo has dicho?

Hilde se limitó a torcer los ojos.

Yo, sin embargo, miré al ganadero. Esa mala persona había intentado matarnos. Había obligado a Champion a hacer de señuelo para que cayéramos en una
trampa y probablemente hubiese matado ya al resto de
nuestra vacada. Me entraron ganas de darle con las pezuñas, tanto si estaba indefenso como si no. Pero, de haberlo hecho, no habría sido mejor que él. Habría sido
una persona.

En lugar de eso me dirigí, seguida de mis dos amigas,
hacia la puerta del cochie tras la que había desaparecido
Champion y lo llamé:

—¡Champion!

—¿Eres tú, Lolle? —inquirió él desde el otro lado de
la puerta.

—No —repuso Hilde—, la abuelita Ton-tón.

—¡Se llama abuelita Hamm-Hamm! —protestó Rabanito.

—No conozco ni a la una ni a la otra —aseguró, confuso, Champion.

—¡Soy yo! —exclamé.

—¿La abuelita Ton-tón? —Champion estaba sumamente confuso.

Hilde sonrió.

—Es una auténtica lumbrera.

—¡Lolle! —le dije a Champion.

—¡Por Hurlo, cómo me alegro de oírte! —repuso.

Hurlo era el dios sagrado de los toros. Y su historia de amor con Naia era tan fascinante como intrincada.

Naia y el amor

Naia miró lo que había hecho y vio que el toro era increíble. La piel de Hurlo brillaba más que el sol, tenía los corvejones más recios que la tierra y su miembro era tan grande que la lombriz de tierra le dijo a Naia: «Desde luego, se ve que ahí has echado a volar la fantasía.»

Hurlo tenía unos ojos cuyo azul envidiaban los lagos de montaña. Miró a Naia tiernamente con esos ojos increíbles, y por fin a Naia le dio la impresión de que había encontrado la felicidad que tanto ansiaba.

Hurlo y Naia se pusieron a hacer el amor en el acto. Seis días sin interrupción. Pero el séptimo Naia quiso hablar, saber más cosas del corazón de Hurlo. Para ello señaló una mariposa cautivadora, cuyos colores eran los más soberbios del mundo, y preguntó:

—¿No es preciosa?

Hurlo contempló la mariposa y al cabo de un rato repuso:

—No está mal...

Ésa fue la primera vez que Naia se dio cuenta de que los machos tal vez sufrieran de cierta falta de sensibilidad. O, mejor dicho, no eran los machos los que sufrían por ello, sino las hembras.

Naia estaba demasiado cansada para seguir hablando y se quedó dormida. Cuando despertó, el sol vespertino ya estaba rojo en el cielo, y a Hurlo no se lo veía por ninguna parte. Se puso a buscarlo de inmediato, y lo encontró justo cuando montaba a una vaca. La lombriz de tierra, que asimismo lo vio, le dijo a Naia: «No debiste crear ese miembro.»

Sin embargo, Naia sólo vio que en el campo había muchas otras vacas felices, Hurlo también había estado con ellas. Ver a esas vacas dichosas entristeció de tal modo a Naia que salió corriendo. La diosa corrió y corrió y llegó a los árboles del fin del mundo, que había erigido para que nadie cayera en la leche infinita. Se topó con un oso enorme llamado Praxx, le ordenó que se encargase de que nadie entrara en el bosque, atravesó a la carrera el susodicho bosque, llegó a la leche infinita y se arrojó a ella. Sus lágrimas se mezclaron con la leche y la agriaron. Y así fue como nació la leche infinita de la perdición.

—¡Eres libre! —le dije a Champion.

—No lo creo —contestó él.

—¿Y por qué no? —pregunté desconcertada.

—Bueno, porque la puerta está cerrada.

Miré con atención y, en efecto: de ella colgaba un candado. Y estaba cerrado.

—¡Mierda! —soltó Hilde—. ¿Cómo vamos a sacar a ese idiota antes de que el ganadero vuelva en sí?

—Con lo de idiota, ¿se refiere a mí? —inquirió, ofendido, Champion.

—Puede que el candado se rompa si volcamos el cochie —propuse—. Si nos apoyamos todos contra él, seguro que lo conseguimos.

—Esto mejora de segundo en segundo —resopló, enervada, Hilde, que sin embargo arrimó el morro contra el cochie junto con Rabanito y conmigo. Empujamos el lateral del vehículo con todas nuestras fuerzas, y aunque se movió, entre las tres no conseguimos volcarlo. Para ello necesitábamos algo más de ayuda. Y ésta sólo podía prestárnosla alguien: Susi, que para entonces ya estaba detrás de nosotras, observando nuestros esfuerzos.

—¡Ayúdanos! —le pedí.

—¿Por qué debería hacerlo?

—Porque es lo que hay que hacer.

—Me engañó.

—Bueno, en realidad me engañó a mí contigo —bufé. Su engreimiento me sacaba de mis casillas.

—No creo que Susi nos vaya a ayudar si te peleas con ella —me susurró Rabanito.

Naturalmente, tenía razón. Y estaba en juego una vida, no mis sentimientos heridos. Aunque no me gustara, debía tragarme el cabreo. De manera que apreté la mandíbula y pregunté:

—Vale, Champion te engañó, pero ¿merece morir por eso?

La cara de Susi decía que le habría gustado responder que sí, pero al menos no salió de su vacuna boca. Se situó a nuestro lado sin decir nada y, uniendo nuestras fuerzas empujamos el cochie con el morro, lanzando ayes hasta que cayó de lado cencerreando ruidosamente.

Al hacerlo, Champion chilló, era evidente que con la caída se había golpeado el cuerpo —o tal vez incluso la cabeza— contra la pared interior del enorme cochie. Me acerqué deprisa a la puerta del vehículo: el candado había reventado, la puerta estaba ligeramente abierta. Introduje el morro por la abertura, empujé por la parte de dentro de la puerta, sin que me importara lo más mínimo que el afilado canto me arañara el morro y éste empezara a sangrar un tanto, y la puerta finalmente se abrió. En el cochie volcado, Champion estaba tendido en la pared lateral. Inconsciente, pero por suerte todavía respiraba. A todas lu-

129

ces se había dado un fuerte golpe en la cabeza al caer. Me metí en el cochie, me acerqué a él con pasos inseguros por el ladeado suelo y le lamí el morro con delicadeza —Naia mía, poder estar de nuevo tan cerca de él—, y volvió en sí.

Llorando de felicidad, sonreí.

—Me alegro tanto de verte.

Así que el sueño de mi vida se haría realidad: ¡ahora podíamos ser una familia! Iba a decírselo a Champion en ese mismo instante, pero él me miró perplejo y preguntó:

—Perdona... ¿Nos conocemos?

—Esta broma no tiene la menor gracia —repuse.

Pero Champion se limitó a decir, completamente serio y sin bromear:

—No tengo ni idea de quién eres.

CAPÍTULO 24

Champion no sabía quién era yo.

¡Por Naia! ¡No sabía quién era yo!

—Soy yo, Lolle —le aseguré.

—Lo siento, pero el nombre no me dice nada —replicó Champion—. ¿Nos conocemos?

Al oír eso no pude evitar soltar una risa de lo más histérica. Yo era la vaca con la que había estado un año, es decir, una tercera parte de nuestra vida, y a la que había dejado preñada, así que habría sido todo un detalle que hubiera tenido una ligera idea de quién era yo.

—Eh, tortolitos —llamó Hilde—, deberíamos largarnos antes de que el ganadero vuelva en sí.

—¿Qué ganadero? —preguntó Champion mientras se levantaba.

—Mmm... Vamos a ver —respondió Hilde—, puede que sea el ganadero que nos quiere matar... Sí, creo que podría ser ése.

—¿Que alguien nos quiere matar? —exclamó, asustado, Champion.

Hilde me miró, extrañada de que Champion estuviera tan sorprendido.

Pregunté con cautela:

—¿De verdad no te acuerdas de nada?

—No —balbució.

Y Hilde constató, estupefacta:

—Ha perdido la memoria.

Era increíble, pero desde luego no había otra explicación para el comportamiento de Champion.

—Puede que Rabanito tenga alguna receta de la abuelita Hamm-Hamm para remediarlo. —Confié desesperada.

—Si es así, seguro que tiene algo que ver con orinarle encima —respondió Hilde.

—¿Queréis orinaros encima de mí? —Champion cada vez estaba más perplejo—. ¿Qué clase de vacas sois vosotras?

Me habría gustado mugirle bien alto que yo era de la clase de vacas que llevaba en su vientre un ternero suyo, pero Hilde nos metió prisa:

—¡Salid de una vez de ese cochie!

Saltamos del vehículo volcado. Delante esperaba Susi, los ojos rebosantes de rabia, que saludó a Champion con amargura:

—Hola.

—Hola —contestó él inseguro.

Y Susi le dio en la pata con la pezuña delantera con toda su mala leche.

—¡Ay! —gritó él—. ¿A qué viene esto?

—¿Y encima preguntas? —rezongó Susi, y le dio otra vez, en esta ocasión en un lugar más doloroso aún.

—Directamente en il oboe di amore —observó compasivo Giacomo, que ya estaba nuevamente con nosotras—. Y ahora es la *guitar* de la esterilidad.

Hilde le soltó al gato:

—Por cierto, lo de largarte sin más ha sido muy valiente.

Giacomo miró al suelo, le habría gustado que se lo tragara.

—Cuando la cosa se pone seria, sempre dejo a tutto il mondo en la estacada. Como a la mía ama.

En cualquier otro momento le habría preguntado cómo y dónde exactamente dejó en la estacada a su ama, pero no podía concentrarme en nada más que no fuera Champion. Mientras las pupilas le daban vueltas incontroladamente, le preguntó a Susi con voz de pito:

—¿Por qué me das...?

—Increíble —comentó, maravillada, Rabanito—, trina como un mirlo.

Y Susi gruñó:

—Pues ahora va a hacerlo como un mirlo muerto.

Rabanito se dispuso a corregirla:

—Un mirlo muerto no puede trinar...

—Me importa una mierda lo que pueda o no pueda hacer un estúpido mirlo muerto.

Intenté explicarle a Susi:

—Champion se golpeó la cabeza en el cochie y...

—¿Champion?* —me interrumpió él soltando un gallo mientras trataba de enfocar—. ¿Me llamo así?

---

* Campeón.

—Sí —replicó Giacomo—, pero a veces il hábito non hace al monje.

—¿Qué monje? —Champion no entendía absolutamente nada.

—¿Podríais cerrar todos el pico? —espetó Susi—. Así no me puedo concentrar en darle.

Quería atizarle otra patada a Champion, pero en el último momento me interpuse.

—¡Susi, no se acuerda de nada!

Durante un breve instante, la aludida se quedó atónita.

—No sabe quiénes somos —añadí entristecida.

Susi estaba completamente perpleja, y tardó unos segundos en reaccionar. Después masculló:

—Yo en su lugar diría lo mismo.

—Io fingí amnesia una vez —contó Giacomo—, cuando la mía novia me pilló... Con las suas tres hermanas.

Abatida, Rabanito ladeó la cabeza, y yo intuí la razón. No tenía que ver con Champion, en ese momento se acordaba de su adorada abuelita Hamm-Hamm, que en sus últimos meses de vida perdió mucho y también padeció amnesia. Debido a ello apenas hablaba ya con Rabanito y sí, en cambio, pero siempre muy agitada, con el manzano que crecía en nuestra dehesa.

Detrás de nosotras el ganadero empezó a gemir. Lo miramos: estaba a punto de volver en sí. Hilde se acercó a él con parsimonia y le arreó con la pezuña, y el hombre perdió de nuevo el conocimiento.

Champion se quedó pasmado.

—Pues sí que estáis rabiosas.

—Y podemos estarlo todavía más —lo amenazó Susi, y él se quedó más pasmado.

Rara vez lo había visto tan inseguro. A decir verdad, una única vez, y además el motivo era diferente. Fue un cálido día de primavera en que me confesó su amor en el campo ofreciéndome con el morro un diente de león.

—Alora tenemos que hacer de una vez il desaparecimiento —apremió Giacomo—. A las personas non les gusta que los animales las ataquen. Cuando pasa, los persiguen. Y ahora os perseguirán a vosotras, vacas.

Eso no sonaba bien, no sonaba nada bien. Por ello pregunté:

—¿Qué hacemos?

—Tú non tengas miedo —dijo sonriendo—. Io tengo una idea estupendísima.

—¿Por qué será que no me tranquiliza? —masculló Hilde.

—Perque la mía idea tendrá uno intríngulis, io supongo —respondió el gato—. ¿Queréis saber cuál è il intríngulis?

Sacudimos todas la cabeza.

—Io os lo cuento de tutas formas. —Giacomo sonrió—: Vamos a tener que cruzar la ciudad.

CAPÍTULO 25

Mientras trotábamos por la carretera hacia donde se ponía el sol, apenas nos dijimos palabra: Susi acabó aceptando que Champion ya no recordaba nada y renunció a seguir dándole patadas. Pero ello no hizo mella en su ira. No paraba de lanzarle miradas furiosas de reojo, y él se cuidaba muy mucho de mantenerse lejos. Algo atípico en un toro, Champion caminaba con nosotras en lugar de ir a la cabeza de la vacada. Presentía que en ese entorno desconocido, que no entendía en absoluto, estaba perdido sin nosotras. Por desgracia nosotras no podíamos sacarlo de su confusión. Por una parte, en ese mundo nuevo tampoco nos las arreglábamos mucho mejor, y por otra, Rabanito no tenía ninguna receta para la pérdida de memoria. De haberla tenido, nos explicó, ya la habría utilizado en su día con la abuelita Hamm-Hamm, y no habría estado tan celosa del manzano.

Yo no paraba de debatirme conmigo misma: ¿le decía a Champion que estaba embarazada? Pero ¿qué conseguiría con ello? Él ni siquiera me reconocía, con lo cual la probabilidad de que estallara de alegría al saber que iba a ser padre era relativamente escasa. Además ya tenía bastante con la situación en general, no podía sobrecargarlo más. De modo que decidí no revelarle de momento mi estado.

Al cabo de algún tiempo nos aproximamos a Cuxhave. Ante nosotras vimos casas que eran mucho más altas que la de nuestro ganadero, pero que a su manera parecían al menos igual de sórdidas. En esos establos gigantescos, grises, sucios, debían de vivir muchas personas, eso era evidente. Y, a juzgar por la pinta que tenían las casas, no sería de extrañar que a las personas de ese sitio también les gustara beber aguardiente de mierda.

Dejamos la carretera y nos dirigimos con cautela hacia las casas, ya que según Giacomo teníamos que atravesar esa zona, tanto si nos gustaba como si no. Y no nos gustaba para nada.

Desde las ventanas de los establos nos miraban muchas personas, y en el camino gris que tomamos vacilantes se nos acercaron las primeras. Muchas tenían la piel más oscura que nuestro ganadero, algunas de las hembras llevaban la cabeza cubierta con un pañuelo. Los machos de más edad eran grises y parecían agotados, en cambio muchos de los jóvenes llevaban ropa chillona, de colores, que le hacían desear a uno ser daltónico.

Cada vez venían más, hasta que no tuvimos más remedio que detenernos, pues no queríamos atropellarlas. Se notaba a la legua que esas personas no habían visto nunca vacas de cerca. Al menos no vivas y enteras. Nosotras tampoco habíamos visto nunca a personas así. Y menos a tantas.

—Aquí la mayoría de la gente è como vosotras —dijo Giacomo riendo—, también ha emigrado.

Fuera lo que fuese eso, tantas personas nos daban miedo. Esperaba de un momento a otro que alguien sacara un cuchillo o una escopeta. Pero no pasó nada parecido, sino que una niña pequeña se me acercó y me ofreció una zanahoria. Al aspirar el rico aroma, caí en el hambre canina que tenía, a fin de cuentas apenas habíamos pastado en todo el día. Así que cogí agradecida la zanahoria y me la comí deprisa y corriendo. La niña rió satisfecha, y al verla tan alegre por un momento me cayó bien, aunque fuera una persona.

Se nos acercaron más terneros humanos que nos dieron toda clase de exquisiteces que llevaban consigo. Rabanito exclamó jubilosa:

—¡Tenéis que probar estas golosinas!

—Y el chocolate sabe un poco como la leche, sólo que mucho mejor —añadió Susi.

—Eso no es nada en comparación con estas cosas que se llaman bollos —observó encantado Champion, que sonreía por vez primera desde que perdiese la memoria.

—Mamma mia —se reía Giacomo—. Seréis las primeras vacas con diabetes.

Algunas personas se atrevieron incluso a acariciarnos. Todo aquello ya no parecía tan amenazador. Tal vez, me aventuré a pensar mientras trituraba con fruición una manzana que me dio una mujer mayor, no todas las personas fueran malas.

Mientras las amables personas nos daban de comer, los jóvenes de la ropa vistosa se divertían de lo lindo. Uno que llevaba una gorra ladeada en la cabeza le dijo a otro en cuyo rostro crecían manchones de pelusilla rala:

—Hakan, mira, esa vaca se parece a tu madre.

—Erkan, tío —replicó el otro—, tu madre está tan gorda que ella solita ocupa el vértice de la pirámide alimentaria.

Champion dejó los bollos al oír eso y la sonrisa desapareció de su boca de golpe y porrazo. Suspiró entristecido.

—Yo ni siquiera me acuerdo de mi madre.

Dejé de masticar la manzana, en ese momento Champion me dio mucha pena. Tenía que ser horrible para él. Pero ¿qué le decía yo ahora? ¿Le hablaba de su madre, Karla? ¿De que era muy liberal y por eso en la vacada la apodaban Karla la Cachonda? Sí, tanto Champion como yo teníamos unos padres que no eran felices porque uno de los dos era infiel cada dos por tres. En mi caso era el padre; en el suyo, Karla la Cachonda. Ahora que lo pensaba, ¿cómo podía esperar yo que pudiéramos ser felices juntos con semejantes antecedentes? ¿De quién íbamos a aprender a vivir en armonía? Al fin y al cabo, la sombra del pasado planeaba sobre nuestro amor desde el principio, antes incluso de que naciéramos.

Así que quizá las cosas fueran distintas de lo que pensaba: antes de dar forma a un futuro en el que por fin se pudiera disfrutar del presente, probablemente hubiese que superar primero el pasado.

Mientras rumiaba mi manzana y filosofaba, uno de los jóvenes soltó:

—Tu madre es tan tonta que escribe las tesis doctorales de los políticos.

137

—Y tu madre es tan tonta que inventó el euro —le contestó el otro, apretando el puño.

La situación era cada vez más tensa entre los dos, y aunque la agresividad no iba dirigida a nosotras, las vacas, a saber si aquello no daría un giro repentino. Volví a sentirme incómoda, y Giacomo me indicó que debíamos ponernos en marcha de una vez. Pero no había manera de avanzar, las personas nos cortaban el paso. Y empezaban a plantearse las primeras cuestiones desagradables:

—En la radio han hablado de unas vacas que atacan a las personas.

—Seguro que tienen la rabia o algo así.

—Pues entonces habrá que sacrificarlas cuanto antes.

—Me recuerda a tu madre.

Las personas siguieron hablando de sacrificarnos y finalmente me invadió el miedo. Los demás también estaban atemorizados. Dejaron de comer las cosas que les daban y me miraron con aire vacilante. Incluido Champion. Era la primera vez en mi vida que un toro me miraba pidiendo ayuda. A pesar de lo apurado de la situación, ello me hizo sentir un tanto orgullosa. Ahora sólo se me tenía que ocurrir otra idea.

—Voy a llamar a la policía —anunció un hombre.

—Puede que tengan la enfermedad de las vacas locas.

—Tu madre la contrajo cuando te vio al nacer.

¡Eso era! Las personas nos dejarían pasar si les dábamos miedo, así que teníamos que fingir que estábamos locas.

—Tenemos que hacer como si estuviésemos locas, de esa forma las personas nos dejarán pasar —informé al resto, mientras a los pequeños terneros humanos les desilusionaba que rechazáramos lo que nos daban.

—Algunos de nosotros lo tienen fácil: sólo han de ser ellos mismos —pinchó Susi.

—¿Os acordáis de cuando creímos que el ganadero se había vuelto loco? —pregunté, sin responder al insulto.

Rabanito contestó:

—Eso fue después de que su mujer lo abandonara. Se puso a aullar a la luna, desnudo.

—No fue nada agradable —confirmó Susi—. Menos mal que las personas casi siempre llevan algo encima, porque desnudas...

Hilde suspiró.

—Con sólo pensarlo me dan ganas de perder también la memoria.

—Y a mí —convino Susi—. Así ya no tendría que pensar más en Champion.

—Pero ¿qué es lo que te hice? —le preguntó el aludido.

—Yo te diré lo que hiciste... —empezó Susi.

Pero antes de que pudiera decirle que me había dejado preñada, la corté deprisa:

—Vamos a aullar como aquella vez el ganadero.

Champion y Susi titubearon, pero Hilde y Rabanito se apuntaron en el acto, y nos pusimos a mugir ruidosa y frenéticamente mirando al cielo. Las personas retrocedieron, estaba claro que ahora nos tenían miedo, incluidos los dos jóvenes.

—¿Por qué aúllan así esos bichos?

—Ni idea, puede que hayan visto una foto de tu madre.

Pronto tuvimos espacio para seguir. Pasamos por delante de las personas tranquilamente, si bien al hacerlo me remordió la conciencia, pues los terneritos humanos estaban aturdidos, y sentí haberles pegado semejante susto.

Cuando el sol se puso en el horizonte, dejamos atrás las altas casas grises y enfilamos nuevamente un camino solitario que era mucho más estrecho que la carretera y por el que apenas venían cochies. Giacomo nos explicó que ése era el camino que llevaba al «puerto» desde Cuxhave, y que por esa zona no trabajaba nadie de noche. El camino estaba iluminado por altas farolas. Cuando era ternera, al ver las farolas de nuestra finca pensé que el ganadero había encerrado luciérnagas dentro. Cuando fui a liberar a las pobres criaturitas me quemé el morro al intentar romper el cristal. A día de hoy ya sabía que en las farolas no había luciérnagas y que las personas conseguían atrapar allí dentro la luz del sol de alguna manera mágica. Sí, las personas no dejaban ser libre ni siquiera al sol.

Soplaba un viento fresco, y poco a poco empezaba a tener frío. A cierta distancia se veían varios engendros monstruosos en fila. No estaba segura de si dejar que nuestra pequeña vacada se dirigiera hacia allí, pero el gato me tranquilizó, me aseguró que no había por qué tener miedo de las grúas. De manera que seguimos adelante, y Rabanito se unió a mí y me preguntó con cautela:

—¿Aún estás enfadada conmigo, Lolle?

—No estoy enfadada —mentí.

—Sí que lo estás.

—¡No lo estoy!

—Sí que lo estás —siguió ella, erre que erre.

—¡QUE TE DIGO QUE NO LO ESTOY, MIERDA!

Entonces se limitó a mirarme entristecida con esos ojos suyos tan sinceros.

—Muy bien, Rabanito, tú ganas: estoy enfadada. ¿Por qué no me dijiste que..., que... —busqué las palabras adecuadas para definir su amor a las vacas y sólo encontré—: eras paah-didel-dideli-dideli-dam?

—Creo que paah-didel-dideli-dideli-dam no es lo más adecuado para designarlo. —Hilde rió desde atrás.

Y yo volví la cabeza y la miré con cara de pocos amigos, después de lo cual se quedó algo rezagada. Era fascinante: antes Hilde no habría reculado jamás con mi mirada ni habría permitido que le dijese nada, pero con cada decisión que tomaba, su respeto hacia mí aumentaba. Probablemente el liderazgo no fuera una estupidez.

Rabanito me pidió, abatida:

—No te enfades conmigo.

Pero yo no pude evitar reaccionar mal.

—Soy tu amiga, podrías habérmelo dicho.

—Es que tenía miedo de que dejaras de ser mi amiga si te enterabas.

Lo que hizo que me sintiera más ofendida incluso.

—¿Eso pensabas de mí?

—La verdad es que no —respondió, apocada, Rabanito.

—¿Entonces?

—Entonces pensé: si existe el más mínimo riesgo de que te pierda como amiga no quiero correrlo. Después de que la abuelita Hamm-Hamm perdiera la cabeza y sólo hablara con ese estúpido, estúpido manzano, tú y Hilde erais las únicas personas que me quedaban. Si os hubieseis apartado de mí, ni siquiera yo habría podido seguir viendo el comedero medio lleno.

¿Cuánto habría tenido que sufrir mi pobre amiga todo este tiempo guardándose su secreto por puro miedo? Y qué insensible era yo por no haberme dado cuenta.

—Esperaba —continuó hablando, las lágrimas saltándosele— que en el viaje a la India todo fuese distinto... Pero probablemente me equivocaba...

La primera lágrima le rodó por el morro. Yo, vaca tonta, haciéndome la ofendida le había hecho daño a la criatura más buena del mundo, la única vaca incapaz de hacerle nada ni siquiera a una mosca.

—Nunca me perderás —le aseguré con dulzura—, tanto si eres paah-didel-dideli-dideli-dam o puh-puh-pi-duh o lo que sea.

—¿En serio? —sollozó.

—En serio. —Sonreí.

Las lagrimillas seguían rodándole por el morro, pero ahora eran de alegría. Mi amiga preguntó insegura:

—¿Tú crees que encontraré a la vaca de mi vida?

En lo relativo al amor, se vuelve insegura hasta una vaca que ve el comedero medio lleno y por regla general nunca pierde la esperanza.

—Pues claro. —No pude evitar sonreír—. De gustar-me las vacas, estaría loca por ti.

—Qué pena que no te gusten —respondió mi amiga, y me miró con esos ojos suyos de tal forma que por un momento pensé que le habría gustado ser mi pareja. Pero después apartó la mirada deprisa y la bajó al suelo. Natu-ralmente era una locura pensar que estaba enamorada de mí, y sin embargo tardé un instante en quitarme esa idea de la cabeza.

Era una verdadera pena que no me gustaran las va-cas. Sin duda mi vida habría sido más fácil si quisiera a una vaca en lugar de a Champion. A ser posible a una tan encantadora como Rabanito.

Sólo le pedí una cosa a mi amiga:

—Pero tienes que prometerme algo...

—Lo que quieras.

—Que a partir de ahora serás completamente sincera conmigo.

—Te lo prometo solemnemente —me respondió, y se lamió las lágrimas del morro.

Fue un alivio que en medio de la locura que me rodeaba y que tanta inseguridad me producía —mi embarazo y la pérdida de memoria de Champion, la pesadilla con Old Dog y el extraño encontronazo con las personas— al menos hubiese hecho las paces con mi amiga.

—Y empezaré a ser completamente sincera ahora mismo —anunció.

—¿Ah, sí? —pregunté extrañada.

—Aún tienes chocolate en la boca.

Me lo quité de un lengüetazo. Ñam... Qué bueno estaba, calmaba los nervios.

—Y podrías haberte enterado antes de que estás preñada.

Por desgracia, Rabanito tenía razón. De haberme dado cuenta antes, podría habérselo dicho a Champion en la finca, y él no se habría apareado con Susi. Probablemente hubiera tenido esa decencia. Y posiblemente también se hubiera venido a la India desde el principio para no dejar a su familia en la estacada y ahora no tendría amnesia.

Por otro lado, en ese caso Susi se habría quedado en la finca y habría muerto con el resto de la vacada. Además Champion seguramente hubiese asumido el liderazgo de nuestro grupito de fugitivos, y aunque la noche anterior aún lo deseara, ya no estaba tan segura de seguir queriendo que los toros nos dijeran a las vacas lo que teníamos que hacer. Máxime teniendo en cuenta que en la India, si es que conseguíamos llegar, eso se acabaría.

A continuación Rabanito dijo otra verdad que no me gustó nada en absoluto:

—Sobre todo tienes que decirle a Champion que esperas un ternero suyo.

—¿Rabanito?

—¿Sí?

—Eso de decir siempre la verdad... Olvídalo.

Ella torció los ojos, un tanto sorprendida. Y yo volví a notar esa extraña sensación en la pelvis. Y es que, claro estaba, mi amiga tenía razón: en algún momento tendría que confesarle a Champion que esperaba un ternero suyo. Y tendría que ser pronto, muy pronto.

CAPÍTULO 26

Ya en la zona portuaria vimos que las grúas en efecto estaban sin vida y no nos atacarían. En cambio todo lo demás resultaba tanto más inquietante: el viento soplaba cada vez con más fuerza, y el nocturno cielo estaba lleno de nubarrones. Pero, sobre todo, el aire olía raro y sabía aún más raro. A «la sale di mare», nos explicó Giacomo. Lo que nos contó a continuación del «mare» nos hizo estremecer: esas aguas cuyas profundidades eran infinitas sonaba a sitio poco adecuado para las vacas. Resultaba inconcebible que dentro de poco tuviéramos que cruzarlas para llegar a la India. Y aún más inconcebible que las vacas pudiésemos hacerlo.

Llegamos a un establo inmenso de metal, pero dentro no había paja ni comederos ni nada de nada. Ese establo de metal estaba completamente vacío. El viento se colaba dentro, y así y todo olía que apestaba.

—Questo è il olor más delicioso del mondo —aseguró Giacomo—. Il olor a peces mortos.

—Como tenga que olerlo mucho más, tendréis una vaca muerta —comentó Hilde.

—Antes se destripaba el pescado aquí —contó el gato al tiempo que aspiraba como si oliera a rosas silvestres.

Le pregunté:

—¿Cómo es que conoces tan bien este sitio?

—Questo è il sitio donde viví cuando llegué a questo país. Perque aquí non se atrevía a entrar nessuno.

—No me extraña, con esta peste —afirmó Susi—. Quiero salir.

Pero le dije:

—Si aquí no entra nadie, estaremos a salvo.

—Me da lo mismo, no me apetece asfixiarme —soltó ella, e hizo ademán de marcharse.

—¡Tú te quedas! —exclamé con resolución.

—¿Quién se ha muerto y te ha nombrado jefa a ti? —me espetó enfadada.

A esa pregunta sólo pude responder una cosa, la pura y triste verdad:

—Todos han muerto. La vacada entera.

Al oír eso, su ira se esfumó en el acto y nos miramos atribuladas. Champion se quedó de una pieza:

—Si eso es así, casi me alegro de no poder acordarme de nada.

Por su parte, Giacomo, que ahora saltaba entre nuestras patas, explicó que intentaría dar con un barco para nosotros antes de que amaneciera, ya que de día no podíamos quedarnos en ese sitio, resultaría demasiado peligroso. Éramos demasiado grandes y las personas acabarían viéndonos. El gato salió disparado del establo metálico, y nosotras nos tumbamos bien arrimadas las unas a las otras. Champion se buscó un sitio lejos de nosotras. Cómo me habría gustado que se hubiese tumbado a mi lado, haber podido sentirme segura con él, pero por desgracia no era posible: estaba confuso, cansado, rendido. Si alguien necesitaba aún más seguridad que yo, ése era él.

Susi, Hilde y Rabanito se durmieron en el acto, agotadas, pero su sueño no fue tan tranquilo como las noches anteriores, en el campo, los acontecimientos del día habían sido demasiado movidos. Hilde mascullaba, Rabanito gimoteaba de vez en cuando «Hamm-Hamm» dormida, y Susi no paraba de dar patadas al aire: coceaba a Champion incluso en sueños. Por su parte, éste, al igual que yo, no conseguía pegar ojo, y nos miraba a menudo, inseguro. Me daba pena, estaba muy desconcertado. Me planteé ir a tumbarme a su lado, arrimarme a él y consolarlo con mi calor, mi amor —Naia mía, en ese momento sentí que, en efecto, seguía queriéndolo—. Posiblemente ésa fuera la ocasión adecuada para decirle que íbamos a ser padres, de manera que me levanté y me acerqué a él. Si también me seguía queriendo, después de que oyera mi confesión nos haríamos arrumacos felices y contentos. Al fin y al cabo los sentimientos no tenían nada que ver con la memoria, no podían perderse con ella, ¿no?

Ante él, le pregunté en voz queda:

—¿Qué tal estás?

—¿Aparte de que no me acuerdo de nada y de que estamos en sitios que me dan miedo?

Estaba tan confundido que ni siquiera intentó hacerse el toro bravo. Me entraron ganas de hacerle mimos de inmediato. Cuando iba a doblar las cuatro patas para tumbarme, sonrió. Al parecer los sentimientos no tenían nada que ver con la memoria.

De pura dicha estuve a punto de no darme cuenta de que al sonreír no me miraba a mí sino que señalaba con el morro a Susi, satisfecho:

—Me da patadas hasta en sueños.

—Ya... —repliqué, y no acabé de entender adónde quería llegar él, de manera que me quedé quieta con las patas medio dobladas, a disgusto.

—¿Por qué está tan enfadada conmigo? —dijo, y se levantó, de forma que yo estiré las patas.

—Bueno... —balbucí. Ése era el momento perfecto para decirle la verdad. Por desgracia no logré reunir el valor necesario para hacerlo, así que eché balones fuera—: Bah, es que tiene el periodo.

—¿Qué es eso? —Fue su respuesta.

Su pérdida de memoria era mayor de lo que pensábamos.

Entonces oí la risa de Giacomo, que acababa de volver de su viaje de reconocimiento.

—Io sono en ascuas per oír la tua explicacione.

Más en ascuas estaba yo.

Champion ni siquiera esperó a que le respondiera sino que continuó preguntando:

—¿Y cuánto dura ese periodo?

—¿Por qué lo quieres saber? —inquirí yo, perpleja.

—Bueno... —titubeó Champion, cohibido.

—¿Sí?

—Es que Susi me parece maja.

—¿Q... Q... Qué?

—Tiene mucho carácter. —Sonrió ensimismado.

—¡TE VOY A DAR YO CARÁCTER!

Y le di a Champion igual de fuerte que hiciera antes Susi, si no más fuerte incluso. Giacomo hasta se compadeció de él:

—Ahora è definitivamente il instrumente del impotente.

Champion se quejó:

—Vosotras tenéis un verdadero problema con los toros.

Lo dijo tan alto que las demás se despertaron. Susi fue la primera en darse cuenta de lo que yo había hecho y exclamó indignada:

—Ah, así que yo no le puedo arrear, pero tú sí.

Champion gimoteó:

—Poder tampoco es que pueda ella.

Estaba demasiado hecha polvo para contestar a Susi. Fue el gato el que se metió de nuevo en la conversación:

—Non me gusta interrumpir questas patadas tan divertidas, pero tengo buonas novedades: he encontrado un barco con el que podemos ir a la India. Il barco zarpa al amanecer.

Susi preguntó, confusa:

—¿Cómo es que zarpa? ¿Tiene garras? ¡No quiero cruzar ese mar que da miedo en algo que tenga garras!

Champion, que ahora ocultaba el dolor que tenía entre las patas, fue hacia Susi e intentó animarla:

—No temas, pase lo que pase, Champion estará con vosotras.

Ella lo miró enervada.

—Ya verás como vuelves a estar de buen humor cuando no tengas el periodo —siguió susurrándole.

—¡¿Qué?! —Susi no daba crédito.

—El periodo. Sea lo que fuere —contestó él al tiempo que le dedicaba una dulce sonrisa.

Una sonrisa que a Susi probablemente le hubiera gustado devolver con otra patada.

Yo, por mi parte, ya ni siquiera podía pensar en atizarle. Ver cómo se le arrimaba me partió el corazón. Llevaba en mi vientre al ternero de Champion, y él no tenía nada mejor que hacer que pensar que la nada maja Susi era maja.

¡Mierda, el amor era un auténtico asco!

Salí corriendo del establo de los peces muertos y Rabanito me preguntó a voz en grito:

—Lolle, ¿qué te pasa?

No le contesté, estaba demasiado triste y demasiado avergonzada.

—Puede que también tenga el periodo —aventuró Champion.

¿Por qué nos enamoramos de semejantes idiotas?

—Pero si ni siquiera sabes lo que è questa cosa —se burló el gato.

—Es que nadie me lo dice —se quejó Champion.

—Voy a ver a Lolle —decidió Rabanito.

Sin embargo, eso era algo que yo no quería, en esa situación probablemente me sacara completamente de quicio que me dijese que había que disfrutar el momento.

—Es mejor que la dejes —la previno Hilde, que siempre prefería estar sola cuando se sentía mal.

En un primer momento me vino bien que nadie me siguiera, pero poco después lo eché en falta. Y es que ahora iba caminando yo sola con ese viento salado que cada vez soplaba con más fuerza y más frío, en dirección a esos engendros llamados grúas. Estaban justo al lado de una especie de arroyo grande que discurría en una línea recta poco natural, casi como si no hubiese sido la naturaleza la que hubiera determinado su curso.

Me tumbé debajo de una grúa para protegerme del viento, pero no sirvió de mucho, el frío se me metía en los huesos. Pero no quería volver al establo metálico, aunque ello significara quedarme congelada allí fuera. Y había otra cosa que ya no quería hacer: ir con los demás a la India.

CAPÍTULO 27

Tumbada bajo la grúa, contemplaba el cielo nocturno, que ahora estaba lleno de nubarrones y que, si lo pensaba bien, parecía tan revuelto como mi corazón. La última vez que me sentí tan desamparada aún era una ternera. Pero cuando me sentía así, por la noche podía refugiarme con mi madre. Aunque no siempre era la madre más cariñosa, dado que sufría debido a las infidelidades de mi padre, y a menudo se mostraba incluso brusca conmigo, en esos momentos estaba por mí y me cantaba para que me durmiera. Su canción preferida se me pasó por la cabeza, y comencé a cantarla en voz baja. La cancioncilla se titulaba *Qué será, será*:

> *Siendo aún ternera, muy infantil,*
> *le pregunté a mi madre: ¿qué será de mí?*
> *¿Me amará un toro?*
> *¿Seré feliz?*
> *No me supo decir.*

Sí, mi madre tampoco es que pudiera darme respuestas muy inteligentes; eso era pedirle demasiado.

> *Qué será, será,*
> *la vaca que tenga que ser, será*
> *a saber lo que pasará.*
> *Qué será, será,*
> *a saber lo que pasará.*

Ahora iba a ser madre yo, y sólo podía confiar en que más adelante fuese capaz de ofrecerle a mi ternerito más sabiduría y apoyo maternales. Pero segura de ello no estaba.

> *Ahora que voy a ser mamá*
> *yo me pregunto: ¿cómo saldrá?*
> *¿Lo veré sufrir?*
> *¿Lo podré yo impedir?*
> *La preocupación no me deja vivir.*

Qué será, será,
la vaca que tenga que ser, será
a saber lo que pasará.
Qué será, será,
a saber lo que pasará.

Seguí tarareando un poco tristona y volví a sentir en el vientre esa sensación, si bien era muy distinta de las de antes. No era desagradable, más bien como si el pequeño quisiera ponerse en contacto conmigo, como si le gustara la canción. Una sensación de bienestar me invadió el cuerpo. Era la primera vez que me alegraba de que dentro de mí creciera un ternerito.

Y entonces caí en la cuenta de que la postura de «la vaca que tenga que ser, será» era una tremenda idiotez. Estaba a punto de ser responsable de una pequeña criatura, y ella debía tener una vida mejor que la mía. Por eso había que ir a la India. Así que debía ocuparme de lo que tuviera que ser en lugar de esperar a que fuera. Tanto si Champion estaba por Susi como si no, tenía una misión. Ya no se trataba de que yo viviera una vida feliz: debía ocuparme de la felicidad de mi ternero.

CAPÍTULO 28

Me levanté con resolución, y me disponía a ir con los demás para subirme con ellos al barco que iría a la India cuando oí una voz a mis espaldas:

—A vosotras, las vacas, os gusta mucho cantar.

Me estremecí, el frío viento no era nada en comparación con la frialdad de esa voz. Naturalmente sabía de quién era, y había confiado con toda mi alma en no tener que volver a oírla. Miré a un lado, y en un gran montón de cajas estaba Old Dog. Sonreía.

—Deberíais hacer un muuusical —se burló, y soltó una sonora carcajada.

Al parecer había hecho una broma que yo no entendía.

—Antes, en la finca, me encantaba oíros mugir. —Dejó de reírse—. Vuestras canciones eran preciosas. —En su voz había una pizca apenas perceptible de sentimentalismo, una emoción que jamás habría creído que pudiese sentir—. Envidiaba vuestra voz. Eso fue antes de que volviera de entre los muertos.

¿De verdad había vuelto de entre los muertos? Así que no era un rumor que habían puesto en circulación los animales de la granja. ¿O acaso era lo que pensaba Old Dog porque estaba loco? Y ¿qué sería mejor? Lo uno era más inquietante que lo otro.

Lanzó un suave suspiro.

—Entonces aún creía en la felicidad.

¿Es que ya no creía en ella? Lo cierto es que no era de extrañar, si se paraba uno a pensarlo, ya que su gran amor, la perra de aguas Tinka, había muerto absurdamente. Por un breve instante —a pesar del miedo que sentía— me dio pena. Old Dog se percató de cómo lo miraba, y por lo visto no podía soportar esa mirada. Masculló:

—Ya te dije lo que pasaría si nos volvíamos a ver.

Y según lo decía se bajó de un salto del gran montón de cajas y aterrizó en el duro suelo gris con la agilidad y la elegancia de un gato.

Atemorizada, balbucí:

—No era mi intención.

—Eso me da completamente igual —replicó, y se me acercó despacio. Para matarme, sin duda.

Gimoteé:

—No es justo.

—¿Tengo yo pinta de ser justo? —inquirió el perro.

—Sinceramente, no —contesté en voz queda.

Y mientras lo decía retrocedí, pero detrás sólo tenía el gran arroyo de agua salada. Y daba la impresión de ser mucho más profundo que el arroyo de nuestra dehesa; tenía miedo de ahogarme. Por otra parte, ésa posiblemente fuera una muerte más dulce que ser despedazada por Old Dog.

Siguió avanzando hacia mí. Despacio. Con fruición.

Yo retrocedí más y me planteé saltar al agua. Puede que de ese modo lograra salvarme y salvar a mi ternero. Cualquier cosa me parecía mejor que lo que sucedería de un momento a otro.

Entonces el perro se detuvo justo delante de mí, bajo la grúa, y dijo entre dientes:

—Tal vez no lo parezca, pero soy muy justo.

—¿Ah, sí? —pregunté sorprendida, y paré, ni siquiera a media vaca de distancia del agua. Concebí esperanzas, aun cuando temiera que Old Dog sólo quería jugar un poco conmigo.

—Tengo corazón. —Sonrió—. Aunque ya no lo tenga.

—¿No tienes corazón? —solté espantada.

—Detalles, detalles... Pero la cuestión es que te perdono la vida... Y se la perdono a tu ternero.

¿Sabía que estaba embarazada?

—Sí, lo sé.

¿Y además era capaz de leer el pensamiento? ¿O simplemente era un grandísimo adivino?

—Estuve siguiendo un poco al ganadero y me enteré de que estabas preñada —contó.

—Lo que significa que lo de volver a vernos es cosa tuya, ¿no? —quise saber.

—Otro detalle sin importancia. Lo único importante es que os voy a dejar en paz a tu ternero y a ti.

—¿En serio? —pregunté esperanzada.

—En serio —asintió el perro. Sonaba sincero, y me entraron ganas de echarme a llorar de alivio. Pero entonces añadió—: Por ahora.

—¿Por ahora?

—Por ahora.

—No..., no volveré a verte, te lo prometo por lo más sagrado... —parloteé.

—Me volverás a ver —me interrumpió Old Dog.

—¿Por qué...? —inquirí.

—Porque tu futuro hijo todavía no tiene un corazón propio. Pero lo acabará teniendo.

Y sólo se podía matar algo que tuviera un corazón propio, se me pasó por la cabeza.

Old Dog dio media vuelta, sonriendo con frialdad, y se fue. Mientras se alejaba volvió la cabeza y me dijo entre risas:

—Nos volveremos a ver cuando el corazón del pequeño lata en tu vientre.

CAPÍTULO 29

Old Dog desapareció en la oscura noche, y yo lo seguí con la mirada incluso cuando hacía ya tiempo que no se lo veía. Sin embargo, su horrible risa aún resonaba en mis oídos. Pero ya no temblaba, en cambio noté que me invadía una oleada de determinación: ese perro loco del infierno no se llevaría a mi ternero. ¡Tenía que librarme de él!

Pero para ello debíamos subir lo antes posible a ese barco que iba a la India. Una vez a bordo, o eso creía yo, Old Dog ya no nos cogería: seguro que ni siquiera un perro muerto viviente podría cruzar a nado ese inquietante mar.

Corrí de vuelta con el resto, sin apenas notar el viento y la llovizna que había empezado a caer. Cuando entré en el establo, seguían todos despiertos. Escuchaban a Champion, que decía con desagrado:

—Este periodo de la mujer no suena lo que se dice bien. ¿Lo tienen también los hombres?

Hilde le respondió:

—Cuando tenías memoria ya eras idiota, pero ahora que la has perdido tienes todo lo necesario para convertirte en el dios de los idiotas.

Susi me vio llegar y añadió:

—Y, mira por dónde, ahí está su diosa.

—¡Cierra el pico! —solté.

—¿Cómo dices? —preguntó ella, ofendida.

—¿Qué es lo que no has entendido? ¿Lo de cerrar o lo del pico?

—Desde luego no tenéis lo que se dice buenos modales —sermoneó Champion.

—¡Cierra el pico, Champion!

Hilde se me acercó y censuró en voz baja mi comportamiento:

—Como líder eres cada vez más desagradable.

Tenía razón, desde luego, pero en ese momento me costaba mucho ser amable con Susi y con Champion. Por un instante me pregunté si debía contarles lo del perro, pero deseché la idea. Seguro que les entraría miedo de que también fuera tras ellas. Y en lo que llevábamos de viaje ya había aprendido que, por regla general, el miedo era un consejero pésimo, aunque también puñeteramente vocinglero.

Rabanito le dijo a Hilde:

—No seas tan dura con Lolle, al fin y al cabo está en...

—¡Cierra el pico, Rabanito! —la corté. Lo último que quería era que Champion averiguara lo de mi embarazo precisamente en ese momento. Una conversación al respecto me superaría por completo.

A Rabanito le sorprendió mi rudeza:

—La verdad es que no eres nada agradable, Lolle.

—¿Qué le pasa a Lolle? —Se interesó Champion—. Está en... ¿Qué?

Antes de que Rabanito lo soltara todo, dije la primera palabra que se me ocurrió que empezaba por en. Por desgracia fue:

—Enloqueciendo.

—Reconocerlo es el primer paso hacia la recuperación —apuntó Susi risueña.

—¿Estás enloqueciendo? —inquirió asombrado Champion, y a continuación aseveró—: Claro, eso explica tu comportamiento...

—Eh... —Corregí deprisa—. Quería decir engordando.

Tampoco es que fuera mucho mejor.

—¿Engordando? —repitió Champion.

—Sí... —balbucí.

Me miró con más atención.

—Bueno, un poco sí, la verdad...

Ciertamente era el dios de los idiotas.

—Quería decir engrodando. —Me corregí deprisa de nuevo.

—¿Engrodando? ¿Y qué significa?

Eso me habría gustado saber a mí.

—Yo te diré lo que le pasa de verdad a la enredosa de Lolle...

Susi iba a desvelarlo todo.

—¡De eso nada! —espeté yo—. No lo harás.

—¿O qué? —preguntó ella, provocando.

—O te mato —repliqué con sequedad.

—A juzgar por cómo está Lolle —musitó Champion—, seguro que tiene el periodo.

—Y después a ti —le comuniqué a él.

Susi soltó una indirecta:

—Desearía de todo corazón que de verdad tuvieras el periodo.

—Y cuando haya acabado con Champion, te volveré a matar a ti.

—Es imposible matar a alguien dos veces —terció Champion.

Mi respuesta a esa objeción fue tan sólo:

—Y después te tocará a ti de nuevo.

—Eso lo comprendo —afirmó Hilde—, pero así y todo deberías acostumbrarte a utilizar otro tono, siendo como eres la líder.

Tal y como lo dijo, dio la impresión de que le gustaría liderar a ella la vacada. Pero tenía razón: llevaría a todo el mundo a la India más deprisa, alejándonos de paso de Old Dog, si no me mostraba tan arisca con los demás. De manera que respiré hondo y me dirigí al gato, algo menos nerviosa:

—¿Cómo vamos a subir al barco exactamente?

En lugar de responder directamente, nos hizo salir del establo y avanzar bajo la llovizna hasta unas cajas enormes llamadas contenedores. Unos eran azules, otros rojos, la mayoría grises. A cierta distancia, en el gran arroyo de agua de mar, se encontraba ese vehículo llamado barco. Era una especie de cochie enorme, que claramente flotaba en el agua. Había que admitir que las personas eran ingeniosas. Podían viajar hasta allí donde en realidad no se les había perdido nada.

Giacomo nos explicó que cargarían los contenedores en el barco, por lo tanto debíamos escondernos en uno de ellos y estar muy, muy callados para que las personas no nos descubrieran.

Hilde observó las enormes cajas con escepticismo y preguntó:

—¿No nos asfixiaremos ahí dentro? Porque no hay respiraderos.

—Cuando il barco esté en alta mare y non tengáis molto aire, io haré molto ruido y las personas os sacarán.

—¿No se enfadarán cuando nos descubran? —Me preocupé.

—Claro, pero non darán la volta por vosotras. U os dejan quedaros en il barco hasta llegar a la India...

—¿O?

—U os echarán al mare.

Lo miramos horrorizados.

—Era una broma —dijo deprisa el gato sonriendo.

Pero tal como lo había dicho, y a juzgar por lo exageradamente que se reía, esa posibilidad no me pareció tan descabellada.

Giacomo señaló con la pata dos contenedores azules. Estaban abiertos y completamente llenos de extrañas cosas amarillas idénticas, que tenían un aspecto grotesco, se parecían un poco a las esponjas con las que el ganadero nos limpiaba a veces la piel. Sólo que esas esponjas tenían piernas. Y brazos. Y ojos de loco.

El gato aclaró:

—Questos son muñecos de Bob Esponja.

Un muñeco me parecía algo similar a un espantapá-jaros. Y a juzgar por el aspecto de esas esponjas amarillas, cabía suponer que con ellas se podían espantar otros animales que no fueran pájaros.

—Se los regalan las personas a los suos hijos para que jueguen —siguió contando el gato.

Lo que les hacen a sus hijos...

Rabanito examinó más de cerca una de las numerosas esponjas.

—Tiene la mirada un poco extraviada.

El gato rió.

—Como si hubiera confundido los M&M's con LSD.

Hilde, que entretanto seguía observando los contenedores, declaró:

—Todos no cabemos en una caja, estando como están tan llenas con los muñecos esponja. Tenemos que dividirnos.

Era cierto, y se me presentaba un cometido difícil: lo que más me habría gustado habría sido ir con Hilde y Rabanito en una de las enormes cajas, pero entonces Champion y Susi irían juntos en otra, y eso no lo podía permitir. De manera que, tanto si quería como si no, debía ir con uno de los dos. Y la verdad es que no quería.

Susi y yo seguro que discutiríamos y atraeríamos la atención de las personas demasiado pronto, de forma que esa solución era demasiado peligrosa. Por lo tanto sólo había una opción: que Champion y yo fuésemos juntos en una caja.

CAPÍTULO 30

Nadie se opuso, Susi incluso aceptó mi propuesta con vehemencia:

—Estupendo, así no tendré que ir con ese idiota.

Y Champion, ofendido, constató:

—Creo que no eres tan maja cuando te enfadas.

Giacomo explicó que debíamos escondernos atrás del todo para que las personas no nos descubrieran cuando cerraran los contenedores. Además, añadió, después las cosas se pondrían algo movidas, cuando la grúa hiciera su trabajo y cargara las gigantescas cajas en el barco. Durante ese tiempo, él subiría a bordo sin más, un gato pasaría más inadvertido para las personas que una vaca.

Rabanito, Hilde y Susi desaparecieron en una de las cajas azules, y Champion y yo nos abrimos paso hasta el fondo entre las esponjas en el otro contenedor y allí nos acurrucamos, por mi parte cuidándome muy mucho de poner cierta distancia entre los dos. Durante un rato estuvimos callados, hasta que Champion dijo:

—¿Lolle...?

—Ojito con volver a preguntarme si tengo el periodo.

—No me atrevería, después de la patada que me diste... —repuso, y al hacerlo esbozó una sonrisa encantadora, que pude distinguir perfectamente gracias a los primeros, débiles rayos de sol matutino que entraban por la puerta abierta del contenedor.

Su sonrisa me ablandó, y es que si alguien podía esbozar una sonrisa encantadora ése era Champion. Las sonrisas eran a él lo que las ventosidades a Tío Pedo. Y los nervios a Susi.

—Lo siento —continuó—, no estás engordando.

Eso era bonito. Iba a contestar: y tú no eres idiota, cuando añadió:

—Como mucho un poquito.

Así que no le dije nada.

—Me resultas muy familiar —aseguró afablemente.

Naia mía, ¿estaba recuperando la memoria?

—Me sorprende —siguió—, pero me encuentro a gusto estando tan cerca de ti.

Se movió un poco hacia mí, tanto que casi me tocaba.

¿Y si me quería? ¿Y si teníamos una oportunidad para volver a estar juntos, como en su día Naia y Hurlo?

De cómo Hurlo salvó a Naia

Hurlo satisfacía a las vacas de la vacada, pero este hecho no lo satisfacía a él. Echaba mucho de menos a Naia. A sus ojos asomó agua, que formó una lágrima gigantesca, y al final ni siquiera el poderoso Hurlo la pudo contener. La lágrima cayó al suelo e inundó la tierra. Murieron todas las lombrices, a excepción de la primera, que se quejó:

—Ahora tendré que dejar que un pájaro me vuelva a trocear.

Hurlo se disculpó de mil modos distintos y contó lo mucho que echaba de menos a Naia. Y la lombriz de tierra espetó:

—¿Y por qué no vas en su busca en lugar de ir por ahí lloriqueando?

—Eso no se me había ocurrido —repuso Hurlo, maravillado con su propia necedad.

—Es que eres un macho tonto y no un hermafrodita listo —razonó la lombriz.

—Si así se es tan listo como tú, me gustaría ser hermafrodita —aseguró Hurlo.

—Para ello tendrías que renunciar a tu miembro.

—Ah, en ese caso no quiero serlo —afirmó Hurlo.

Hurlo salió decidido en busca de Naia. Buscó en todos los pastos, campos y dehesas, y finalmente llegó a los árboles del fin del mundo. Se adentró valientemente en el bosque, cuya oscuridad no le infundió ningún miedo. Cuando llegó a un pequeño arroyo sinuoso de aguas cristalinas, le salió al paso un oso enorme que lo amenazó:

—Soy Praxx, el guardián del bosque, el de los dientes poderosos.

Cualquier criatura habría salido corriendo. Cualquiera salvo Hurlo, que le devolvió una mirada aún más temible y repuso:

—Déjame pasar o serás Praxx, el de los dientes rotos.

El oso rehuyó la mirada resuelta de Hurlo y se echó a temblar:

—Creo que será mejor que me busque otro bosque.

—Una idea muy buena —aprobó Hurlo.

El oso salió corriendo y Hurlo continuó avanzando por el bosque hasta llegar a la leche infinita. En ella vio que flotaba Naia, inconsciente, a punto de morir, pues sus lágrimas habían agriado la leche. Pero Hurlo se lanzó sin pensarlo a la leche emponzoñada para salvar a su gran amor. No temía por su vida, pese al gran peligro que corría. Y es que a veces era una ventaja que la reflexión no fuera uno de los puntos fuertes de uno.

Haciendo gala de su increíble fuerza, Hurlo sacó a su amada Naia de la leche y la llevó al bosque. Estaba inconsciente, y él se mantuvo a su lado, velando por ella. Días, semanas, lunas llenas. Cuando Naia por fin abrió los ojos, Hurlo prometió a su gran amor que no volvería a serle infiel. Y Naia, loca de felicidad, lo cubrió de lametones. Días, semanas, lunas llenas.

Champion siguió hablando queda, dulcemente:

—A tu lado me siento tan, tan bien... ¿No serás...?

—No seré ¿qué? —pregunté yo a mi vez, la voz más baja aún.

—¿No serás...?

—¿Qué...? —musité.

—¿Mi hermana?

Ahí estaba otra vez, ¡el dios de los idiotas!

—No —respondí con suma frialdad—, no soy tu hermana.

Por lo visto no éramos Naia y Hurlo, aunque Champion a veces se comportara tan tontamente como Hurlo.

En ese instante oímos pasos que se acercaban y dejamos de hablar. De puro miedo también dejamos de respirar, ya que entre las esponjas vimos a dos hombres con el rostro cubierto de pelo que hacían algo en la puerta del contenedor. Uno era delgado; el otro, gordo. El flaco se quejó:

—Otra vez esta puñetera lluvia, no debería llover en esta época del año. La mierda del cambio climático.

—Me entran ganas de darles una patada en el culo a los fabricantes chinos —soltó el gordo.

—O meterles su CO_2 por el culo —propuso el flaco.

Mientras, nosotros seguíamos agazapados en la caja, sin decir ni mu.

—Una vez me hicieron eso en una colonoscopia —contó el gordo.

—Me alegra que me lo cuentes. —El flaco suspiró.

Mientras los dos charlaban, me arrimé más a Champion inconscientemente en busca de protección, mi piel tocando la suya. Me recorrió un hormigueo, un poco como cuando uno acerca el morro a la cerca electrificada, sólo que mucho más agradable y excitante. Como si fuera

163

la primera vez que nos rozábamos. Y en cierto modo era así: la primera vez en este mundo nuevo.

El gordo siguió diciendo:

—Tampoco me gustaría ser un médico de ésos, inflando tripas todo el día y encima mirándolas.

—No, no es una buena profesión —convino el otro—. Pero cuando no se sabe hacer otra cosa, no queda más remedio.

A continuación cerraron la puerta del contenedor con gran estrépito. De pronto la oscuridad era absoluta, ni siquiera nos veíamos las pezuñas. A cambio oímos que los pasos de los hombres se alejaban. Apenas me atrevía a respirar, por un lado porque tenía miedo de que los hombres nos descubrieran, por otro porque el roce de Champion me resultaba desconcertante. Tenía los pelos de punta del nerviosismo. Él también, lo notaba perfectamente. Y eso me turbaba más todavía.

De repente escuchamos un gran crujido y un barullo procedentes de arriba. Me asusté de tal modo que lancé un mugido. Un mugido que se vio acallado por el mugido de Champion, y por suerte los dos fuimos acallados por el traqueteo de la grúa, que cogió el contenedor y lo levantó por los aires. La caja había dejado el suelo, las esponjas salían volando a nuestro alrededor, y yo también salí volando..., directa a Champion.

Quedé encima de él, morro contra morro, pecho contra pecho, ubres contra... Bueno, mejor dejémoslo así.

Sentí su aliento cálido y él, el mío. Si antes ya me recorriera el cuerpo un cosquilleo, ésta de ahora —en la oscuridad y corriendo un peligro de muerte— era la cercanía más enardecedora que uno se pudiera imaginar.

La caja se balanceaba en el aire, ahora algo menos, de

forma que los mugidos volvían a resultar inteligibles. Champion me dijo con suavidad:

—Me alegro de que no seas mi hermana.

—¿Por qué? —inquirí en voz queda.

—Porque la consanguinidad no me va.

Estaba tan atónita que no supe qué contestar.

—Me..., me siento atraído hacia ti —dijo él abiertamente—. Es algo familiar, bueno.

Sonaba bien.

—Mucho más que hacia Susi, ahora me doy perfecta cuenta. Es como si estuviéramos hechos el uno para el otro.

Eso sonaba aún mejor.

—Dime, ¿somos toro y vaca?

En una caja voladora, entre todas aquellas cabezas de esponja, había llegado la hora de la verdad.

—Lo fuimos —repuse.

—¿Lo fuimos? —repitió él—. ¿Y qué pasó entre nosotros?

La caja descendió y comenzó a bambolearse. Estuve a punto de despegarme de Champion, pero él me apretó firmemente contra él con sus fuertes patas.

—Algo bastante tonto —repliqué.

—¿Fui yo ese algo bastante tonto? —inquirió él con cautela.

No dije que no.

—Lo siento —se disculpó en voz baja.

—Más lo siento yo —respondí entristecida.

—¿Me perdonas, haya hecho lo que haya hecho? —preguntó con ojos tiernos.

Si lo perdonaba ahora, acto seguido estaríamos dándonos apasionados lametones, eso estaba claro. Todo se arreglaría, y yo podría ser feliz y vivir con él como las efímeras Zumbi y Pumbi.

Por otro lado, ¿quién me garantizaba que Champion no se liaría con Susi a la primera oportunidad y me volvería a romper el corazón? Pero, por otro, ¿no debía hacer todo cuanto pudiera para superar esa desconfianza? No sólo porque esperaba un ternero suyo, sino también porque nadie que fuese desconfiado en el amor era feliz. Y, por otro, ¿cómo reaccionaría Champion cuando supiera lo del ternero? ¿Lanzaría mugidos de alegría? ¿O rehuiría la responsabilidad?

En ese momento, Champion empezó a darme cariñosos lametones. Fue tan excitante que se me olvidaron todos los peros. Pegué mi morro al suyo, saqué del todo mi larga lengua y la entrelacé apasionadamente con la suya. Él hizo lo mismo con la mía. Nunca lo habíamos hecho de una forma tan salvaje y fogosa. Claro que una situación de peligro hace que uno se muestre mucho, mucho más pasional. Si esas situaciones de peligro no entrañaran tanto peligro, se podrían recomendar sin dudarlo a toda pareja en crisis.

Nos entrelazamos más y más y más y perdimos la noción del tiempo y del espacio y de las esponjas, hasta que volví a notar esa sensación en el bajo vientre y recordé lo que había dicho Rabanito: Champion tenía que saber que iba a ser padre.

A juzgar por la dicha con la que nos besábamos, o al menos eso esperaba yo, sin duda se alegraría, y después seguro que acabábamos enredados de nuevo con más pasión aún. Con las lenguas aún entrelazadas, dije:

—Champfion, zengo que decidze algo.

—¿Qué? —preguntó él, mientras seguíamos enroscados apasionadamente.

—Voy a zened un zednedo.

—¿Un zednedo? No será mío, ¿no?

—No —espeté algo irritada—. Del gazo.

—¿Del gazo? ¿Cómo es pfosible?

—¡Pfues clado que zuyo!

Iba a retirar la lengua, pero antes de que pudiera hacerlo, él repuso:

—Ah.

Nada de pfandásdico, o genial o qué día más incdeíble. Tan sólo: «Ah.»

No le hacía ilusión tener un ternero en común.

El corazón se me encogió.

Y Champion añadió, más inseguro aún:

—Endonzes no dienes el pfediodo.

Y se separó de mí y desunimos las lenguas. La caja cada vez se movía más en la bajada, y como él ya no me sostenía con tanta fuerza, me caí y me golpeé aparatosamente contra el suelo del contenedor, que a su vez aterrizó estrepitosamente en el barco. Me di contra la pared, con la cabeza. Lo último que pensé antes de desmayarme fue: el amor no sólo es un auténtico asco, es una porquería.

CAPÍTULO 31

No sé cuándo volví en mí, despatarrada. El suelo seguía siendo inestable, pero ahora de manera distinta. No se movía la caja entera, tan sólo el suelo se balanceaba ligeramente, y no podía juzgar si era cosa del aturdimiento que tenía o del suelo en sí. El hecho de que la oscuridad siguiera siendo absoluta no me ayudaba precisamente a orientarme. A mí lado estaba Champion, o al menos eso creía notar, si bien su voz sonaba infinitamente lejana.

—Creo que vamos por el mar ese.

Solté un suspiro de alivio: habíamos conseguido escapar de Old Dog. Con ese consuelo perdí otra vez el conocimiento.

—No conseguirás escapar de mí —dijo Old Dog.

Ambos estábamos de nuevo en medio de una densa capa de nieve, en la senda que discurría entre el abismo y la enorme pared rocosa que se perdía en el cielo.

La tormenta de nieve me azotaba el rostro; estaba demasiado desorientada para decir nada.

—Vaya, ¿a quién tenemos aquí? —El perro rió al tiempo que señalaba con su pataza algo a mis espaldas.

Me volví en la angosta senda, con cuidado de no resbalar y caer al abismo. Esperaba ver a Champion, que tal vez pudiera salvarme..., aunque probablemente tuviera las mismas posibilidades si se enfrentaba con Old Dog que una liebre con un cochie. Sin embargo, la figura que se aproximaba desde lejos en el serpenteante camino era más pequeña, más delicada..., aún era un ternero. Un animal joven, pequeño, que tendría sólo un día. Era de un blanco radiante, y ello no se debía a la nieve sino a que no tenía una sola mancha en la piel. Al pequeño le temblaba el cuerpo entero. Era mi ternero. Sin duda. Lo quería más que a mi vida y deseaba darle calor de inmediato. Pero Old Dog me dirigió una sonrisa breve, me rodeó y salió corriendo. Directamente hacia el ternerito tembloroso. Y yo grité... Y grité... Y grité...

Cuando desperté aún reinaba la oscuridad y sentía una gran pesadez en el morro. De manera que pregunté:

—Dime, Champion, ¿me estás tapando el morro? —Mi voz sonó poco clara, ahogada.

—No —susurró él.

—Entonces, ¿qué pasa? —quise saber, porque me costaba respirar.

—Estoy sentado en tu morro.

—¿Queeé?

—Que estoy sentado en tu morro —repitió—. Las personas nos oirán si no paras de dar gritos.

Tras el estupor inicial pregunté:

—¿Por qué no me tapas la boca sin más?

—Uy, es que no se me ocurrió.

No lo podía entender. Y menos aún podía entender que no hiciera ademán de moverse.

—¿Champion?

—¿Sí?

—¡QUÍTATE DE ENCIMA DE UNA VEZ!

—No grites tanto —pidió él.

Antes de que pudiera darle un mordisco en las nalgas oímos la voz del gordo con la cara peluda al otro lado de la caja.

—En el contenedor hay algo.

¡Vaca tonta! ¡Por mi culpa nos habían descubierto!

El flaco con la cara peluda contestó:

—Pues habrá que abrirlo.

—Mierda, eso suena a trabajo.

—Si hay ratas, el cargamento se irá a la porra y el capitán se cabreará con nosotros.

—Bueno, pues lo abrimos y echamos las ratas al mar —dijo el barbudo gordo suspirando.

—Menos mal que no somos ratas —dijo Champion aliviado al tiempo que se me quitaba de encima de una vez.

—Me temo que por desgracia a ésos les dará lo mismo —le respondí entre susurros.

Ambos contuvimos la respiración, asustados. La puerta del contenedor se abrió ruidosamente, y el sol atravesó las esponjas y nos cegó. Cuando se pasa tanto tiempo a oscuras, hasta un rayito de sol mínimo hace daño en los ojos. Y a tenor de las boñigas de Champion ya llevábamos allí dentro un buen rato.

Atemorizado, Champion se pegó a un rincón del fondo para que no lo vieran las personas. Pero yo sabía de sobra que no serviría de nada. Difícilmente hay un animal en el vasto mundo menos apropiado para esconderse que una vaca.

Los dos barbudos entraron en el contenedor, y la peste a caca de vaca les revolvió las tripas. El gordo comentó:

—Esto huele casi tan mal como el váter de un intercity.

—Ser fontanero de un tren también tiene que ser un oficio bastante duro —reflexionó el flaco.

Se acercaban cada vez más. Champion contuvo la respiración y metió barriga, pero eso tampoco hacía que fuera más invisible. Pocos minutos después, los dos hombres nos descubrieron.

—Ésos no son Bob Esponjas. —El barbudo gordo se maravilló.

—Ya te dije que había oído algo.

—El capi nos va a matar.

—Tío, ahora sí que me gustaría ser fontanero de un tren.

Nos sacaron del contenedor profiriendo imprecaciones. El sol estaba alto en el cielo y me cegaba de tal modo que sólo veía estrellitas a través de los ojos cerrados. Mientras pestañeaba para acostumbrarme a la claridad, los hombres decían cosas como: «Esperemos que el capi se haya tomado los antidepresivos», «Y que no haya vuelto a tomarlos con vodka» o «Qué lástima que nunca le dé una sobredosis».

Cuando pude abrir los ojos debidamente perdí todo interés en la conversación, ya que lo que vi me dejó patidifusa: nos encontrábamos en un barco enorme, cuyo suelo oscilaba ligeramente; sobre nuestra cabeza un cielo sin nubes, de un azul radiante; a nuestro alrededor una preciosa agua azul en la que la luz bailoteaba y centelleaba: el mar. Era muy distinto de lo que pensaba, nada violento ni agitado, sino simplemente hermoso. Parecía infinito.

Cuando era una ternerita, siempre trataba de imaginar cómo sería de grande la leche infinita de la que hablaban las leyendas, pero mi pequeño cerebro vacuno jamás habría podido concebir cuán grandiosa era la infinitud. Esas aguas bellas, ligeramente onduladas, llegaban hasta el horizonte, y al parecer continuaban más allá, o eso cantaba Giacomo. Al ver aquello olvidé todo cuanto me rodeaba, el peligro, las vacas del otro contenedor, incluso que a Champion no le hacía feliz ser padre. Un profundo respeto inundó mi corazón: la Tierra era más fascinante incluso de lo que me había atrevido a pensar, y yo era una vaca que podía descubrirla. En ese momento sentí una profunda gratitud a la vida.

—Lolle. —Oí que decía Champion.

Sonaba como lejano, puesto que todos mis sentidos estaban en el mar, en su murmullo, su olor a sal, su centelleo azul...

—Lolle, siento interrumpir ese me-he-quedado-embobada-con-esto, pero hay una cosita de nada que quizá debiera preocuparte.

—¿De qué se trata? —Apenas le hice caso, aquel espectáculo me tenía obnubilada.

—¡MIERDA, MIERDA Y MIERDA, CORREMOS UN GRAN PELIGRO!

Al oír eso sí le hice caso.

Dejé que las estupendas vistas fueran eso, estupendas vistas, y miré de nuevo a las personas, con las que ahora estaba un hombre de cierta edad que a diferencia de los otros no tenía pelo en el rostro, pero sí unos ojos muy tristones.

—Capitán —se dirigió el barbudo gordo al hombre de más edad—, ¿qué hacemos con los animales?

En lugar de responder, el hombre se tragó una bolita redonda y farfulló:

—Vacas a bordo de mi barco... Por Dios, si mi mujer no estuviera siempre metida en casa, me habría jubilado hace tiempo.

Champion me preguntó en voz baja:

—¿Los embisto?

—No creo que después estén muy dispuestos a dejarnos seguir a bordo —repliqué.

—Pues a mí no se me ocurre otra cosa —aseguró él.

—Es que tú eres un toro —le contesté—, y a vosotros nunca se os ocurre nada salvo embestir.

—Claro. Y tú, como eres una vaca, tienes una idea mejor, ¿no? —dijo él, mordaz.

La tenía, en efecto. Cierto que no iba a salvarnos, pero al menos sí nos permitiría ganar tiempo. Me volví hacia el contenedor donde estaban Hilde, Rabanito y Susi y les dije a gritos:

—¡Mugid con ganas!

Por toda respuesta, Susi espetó:

—Tenemos que salir de aquí ahora mismo. Con tanta boñiga nos va a dar algo.

El barbudo flaco se quedó de piedra:

—¡Hay más vacas!

A lo que el mayor respondió:

—Tengo que aumentar la dosis.

Y se tragó otra bolita redonda.

Los barbudos abrieron el otro contenedor. Susi, Hilde y Rabanito salieron atropelladamente, y el flaco observó estupefacto:

—Ahora tenemos cinco vacas a bordo.

—Cuatro vacas y un toro —lo corrigió, picado, Champion, sin que nadie dijera nada al respecto.

El de más edad suspiró.

—Éste no es mi día. La verdad es que no es mi semana. Ni mi mes. Y ahora que lo pienso, ni siquiera es mi vida.

—Pero ¿cómo han podido llegar hasta aquí estas vacas? —preguntó, perplejo, el barbudo gordo.

—No estoy seguro —repuso el capitán—, pero me da que el hecho de que seáis unos chapuceros podría tener algo que ver.

Los dos barbudos miraron al suelo, turbados, y el otro musitó:

—No nos dejarán entrar en la aduana de Nueva York con estos bichos. Tenemos que echarlos al mar.

Las otras vacas empezaron a temblar, pero yo escudriñé el cansado rostro del hombre mayor: no tenía ganas de matarnos, y tampoco quería comernos, simplemente quería que nos ahogáramos porque éramos una carga. Así que, me dijo mi cerebro, tendríamos una posibilidad de sobrevivir si lográramos convencerlo de que seríamos de utilidad para las personas de a bordo. Pero ¿cómo? Podíamos dar leche, pero esas personas no daban la impresión de alimentarse a base de leche. La única otra cosa que sabíamos hacer estupendamente era soltar boñigas, si bien no acababa de hacerme a la idea de que los hombres se fueran a poner locos de contentos con eso.

Champion resopló:

—Bueno, yo voto por embestirlos.

—¡No! —exclamé con vehemencia, estaba segura de que si lo hacía los hombres nos echarían al agua sin contemplaciones.

Hilde se mostró de acuerdo con Champion:

—Pues yo creo que el tonto este tiene razón.

—¿A quién llamas tonto? —preguntó él, enfadado.

—Te llamo tonto a ti, pedazo de idiota.

—Pues ojito con volver a llamarme eso.

—¿Tonto o idiota?

—Ambos.

—Yo no te he llamado «ambos».

—¡AHHH! —gruñó él.

—Nunca deja de fascinarme la facilidad de palabra que tienen los hombres.

—No parece que estas vacas se lleven muy bien —afirmó el barbudo flaco.

Por desgracia era verdad. Hasta el momento yo, la líder, no había logrado que estuviésemos unidos, y si no se me ocurría algo a toda prisa, nuestra pequeña vacada moriría.

—Probablemente las vacas sean como las personas —aseveró el mayor—. Salvo por el hecho que los pobres bichos no saben lo mal que los trata el destino.

Hilde mugió:

—A ese respecto me gustaría decir algo.

Como es natural, el hombre no la entendió. Ahora parecía más triste incluso que antes. Un poco como nuestro ganadero. Por lo visto, las personas no eran capaces de ser felices.

—El mundo es tan triste —reflexionó el anciano—. ¿Sabéis lo que pienso a veces? Que el universo no nació de una gran explosión, sino de un suave suspiro.

Se disponía a tomar otra bolita. Al parecer esas cosas lo aliviaban; los barbudos, en cualquier caso, no le proporcionaban ningún consuelo. Bien porque no querían o —lo más probable— porque no podían. En ese momento supe que el capitán se equivocaba: ¡las vacas no son personas! A ese respecto había una grandísima diferencia: cuando una de nosotras estaba triste, se le acercaba otra para hacerle mimos. Hasta Susi y yo lo hicimos cuando creímos que Champion sería sacrificado. Nada más darme cuenta de esa diferencia, supe lo que podíamos proporcionarles a las personas: consuelo.

Me acerqué al viejo capitán, que dejó la bolita y me miró con aire inseguro.

Susi preguntó:

—¿Qué hace esa loca ahora?

Champion contestó:

—Creo que alguna locura.

—No —negó Rabanito—, creo que va a hacer algo muy bonito.

Me situé junto al capitán y comencé a hacerle mimos con suavidad.

Al verlo, Susi torció el gesto.

—No sé cómo a Lolle no le da asco.

Sin embargo, a mí no me parecía nada asqueroso, pues poder dar cariño a alguien no era ningún motivo para sentir repugnancia.

Al hombre le sorprendió mi comportamiento, pero no se apartó. Yo seguí haciéndole mimos, y al poco él sonrió.

—¿Has visto eso? —le susurró el barbudo flaco al

otro—. El capitán sonriendo. La última vez que lo hizo fue hace cinco años.

—Cuando su hija aún vivía —añadió el gordo.

¡Naia mía, el anciano había perdido a su ternera!

No era de extrañar que estuviese tan triste. Ahora sí que me daba verdadera pena, y por eso comencé a pasarle la lengua por la cara. Entonces él incluso se rió.

—Eres un verdadero encanto, ¿a que sí?

—No, no lo es —objetó Susi.

El anciano, claro está, no la entendió. De hecho no le hizo el menor caso, pues disfrutaba del contacto conmigo. Se metió las curiosas bolitas en el bolsillo de la chaqueta, me acarició y les dijo a los barbudos:

—Dejaremos que las vacas sigan a bordo.

—¿Y qué hay de la aduana en Nueva York? —quiso saber el flaco.

—Ya se nos ocurrirá algo cuando llegue el momento. —El capitán sonrió.

Los míos suspiraron aliviados, al igual que los barbudos, que por lo visto se alegraban de no tener que matarnos. No eran asesinos, y sólo nos habrían dado muerte si se lo hubiesen ordenado. Por otra parte, en ese caso lo habrían hecho, y entonces serían asesinos. De manera que eran asesinos en potencia.

A decir verdad tendría que haber experimentado un gran alivio al saber que no nos tirarían al mar, pero, apenas se hubo conjurado el peligro más inminente, me sumí en otras cavilaciones: por un lado seguía estando el hecho nada insignificante de que a Champion no le hacía ilusión lo del ternero. Por otro me preguntaba qué sería la Muueva York esa de la que hablaban los hombres. Naia mía, ¿por qué no habían mencionado la India?

CAPÍTULO 32

Los barbudos nos asignaron un rincón del barco para quedarnos. Mientras el resto se tumbaba para calentarse la piel al sol, y antes de que pudiera plantearme la cuestión de qué íbamos a comer en ese sitio, ya que en el suelo pelado del barco no había nada que pastar, Giacomo me saltó al lomo desde un contenedor y dijo riendo:

—Qué os dije io: ¡seguís vivas!

En lugar de alegrarme pregunté en el acto:

—¿Por qué no dicen las personas que el barco va a la India?

El gato se deslizó hacia mi cabeza y respondió:

—Te vas a reír.

—No estoy tan segura.

—Que sí, que sí. Es que ha habido un piccolo cambio, molto divertido. Il barco non va a la India. È sólo que se llama *India*.

Increíble: cruzábamos el mar infinito... ¿¿¿Rumbo a un destino completamente distinto???

—Non te ríes —constató el gato.

—Muy agudo —repuse con acritud.

—¿Y se io te conto un chiste?

—¿Y si yo te arreo una?

—Pero es que me sé un chiste molto buono —insistió él, y bajó al suelo—. Questa è una liebre que va al óptico y pregunta: «¿Tienes zanahorias?» E il óptico responde: «Sí», y la liebre dice: «Me has fastidiado il chiste.»

Lo miré fijamente.

—Y tú ahora me miras como diciendo: ¿te arreo?

—Muy agudo, nuevamente.

—Y non te ríes aún.

—Eso podría cambiar si te tiras al agua.

—Si tú quieres —respondió el gato con la más encantadora de sus sonrisas—. Un cómico buono hace cualquiera cosa por una risa.

—Pues sé un buen cómico, anda —le pedí. Su encanto no iba a hacer que se me pasara el cabreo.

Juguetón, Giacomo se subió al muro del que más adelante supe que se llamaba borda. Naturalmente, no tenía la menor intención de saltar, pero siguió intentando aplacar mi ira bailoteando en la borda y retándome:

—Si de verdad quieres, salto.

—Quiero.

Y el gato suspiró, dejó de hacer tonterías, se bajó de la borda y dijo:

—Io lo siento.

—¿Está muy lejos esa Muueva York? —inquirí, sin aceptar sus disculpas.

—Nueva York —me corrigió.

—¡Responde a mi pregunta!

El gato vaciló un tanto y luego se echó a reír:

—Non, non... Claro que non... Está práticamente al lado.

Si no hubiese titubeado, tal vez hasta lo hubiera creído.

Giacomo se dio cuenta de que yo dudaba y me lanzó una mirada candorosa:

—¿Pueden mentir questos ojos?

—Los ojos tal vez no, pero la boca sin duda.

—Non te preoccupare, Lolle —me tranquilizó Giacomo, y se subió a un contenedor a tomar el sol—. Haz como io, disfruta del sole... Y ya verás cómo vuelves a reírte.

Supe que el gato no me daría una respuesta en condiciones, así que no valía la pena seguir insistiendo. Quizá incluso tuviera razón y acabara riéndome del percance. Quizá. Pero muy probablemente no.

Sea como fuere una cosa estaba clara: otra vez tendría que ocultarles a los demás que en este viaje algo no estaba saliendo según lo previsto. Y el primero con el que tuve que hacerlo fue Champion, que se acercó a mí y dijo:

—He estado pensando...

—Eso sí que es una sorpresa —contesté un tanto desabrida. Pero ¿tan raro era que me mostrase insolente después de que él reaccionara como lo hizo al saber lo de mi embarazo?

—Cuando seamos padres, reconoceré al ternero.

Probablemente fuera lo mínimo, pero Champion lo anunciaba como si fuese algo del otro mundo. Y, típico de los hombres, como si esperara que lo felicitase por ello.

Como no dije nada, al cabo de un rato preguntó:

—¿Has oído lo que he dicho?

—Estoy preñada, no sorda.

Guardamos silencio un rato más, hasta que él afirmó:

—Me he dado cuenta de que me miras mal.

Lo miré peor aún.

—¿Qué más quieres que diga? —preguntó, nervioso.

Se me ocurrieron muchas cosas, podría decir cosas como: te quiero, seremos una familia feliz. Traeremos más terneros al mundo y más adelante incluso seremos abuelos. Unos abuelos mucho mejores que los tuyos, Lolle, que te pusieron el mote de Lárgate.

Pero Champion no dijo nada por el estilo, de manera que respondí entristecida:

—Ya lo has dicho todo.

CAPÍTULO 33

Poco después, los hombres nos dieron de comer zanahorias, maíz y lechuga, y el barbudo flaco observó:

—Servíos, que nosotros no comemos verdura.

Y el gordo añadió:

—Ya de pequeño no me hacía ninguna gracia encontrarme cosas verdes en el plato.

Preferí no pensar qué —o, mejor dicho, a quién— se comían esos dos y me concentré en lo bueno: por lo menos ya sabíamos de qué se alimentaría mi vacada en ese viaje.

Mientras los demás masticaban, después de comerme unas zanahorias perdí el apetito. Lo cierto era que al estar embarazada tendría que comer por dos, pero en vez de eso me sentía abatida por diez. Fui a la borda a contemplar el mar. Allí abajo nadaban peces muy cerca de la superficie, unos peces mucho mayores que los que había en nuestro arroyo. Se movían siempre formando grupos nuevos y parecían tan tranquilos, tan libres de preocupaciones como me habría gustado estarlo a mí. ¿Por qué habría nacido vaca?

Habría podido estar observando las vacadas de peces hasta la noche de no haberse levantado Champion para soltar una imponente boñiga que emponzoñó todo el aire marino. El barbudo gordo se tapó la nariz al pasar y manifestó:

—Con eso Irán fabricaría un arma biológica.

Y el flaco razonó:

—Fabricar armas biológicas tampoco es un oficio muy bueno.

—Muy estresante, yo estaría todo el día cagado de que se me hiciera un siete en el traje.

Después Champion se me acercó, y esperé con toda mi alma que no viniera a contarme todo orgulloso la enorme boñiga que le había salido: a los toros les encanta presumir de esas cosas. Podían pasarse el día entero sin hablar de otra cosa. Aparte de su vigor. Y de quién meaba más lejos. O más alto sin que le cayera encima. Los machos tenían la capacidad de convertir cualquier función normal del cuerpo en un concurso. En cambio, lo que no eran capaces de hacer era comprender por qué nosotras, las hembras, no estábamos ni la mitad de impresionadas que ellos.

Champion empezó:

—Hay algo más que decir...

—Más te vale que no sea de tus boñigas —lo corté.

—¿Por quién me tomas? —inquirió, furioso.

—No creo que quieras oír la respuesta.

—Me lo temía. —Suspiró.

Nos quedamos mirando la puesta de sol, que teñía el mar de un rojo anaranjado. Entonces supe que el mar en sí no tenía color, sino que formaba una unidad con el cielo. ¿Se fundirían el mar y el cielo en el horizonte? Cuando uno llegara al final, ¿se podría subir del mar al cielo?

Al cabo de un rato, Champion probó de nuevo:

—Es que hay algo más que decir, de veras.

Rara vez lo había visto tan serio, y me picó la curiosidad. ¿Querría hablar de nuestro ternero? Y, si era que sí, ¿de qué? En cualquier caso no daba la impresión de que fuera a comerme a lametones de pronto, rebosante de felicidad porque iba a ser padre. Y sin embargo eso era lo que yo seguía esperando. Así que pregunté:

—Bueno, y ¿de qué se trata?

—Todavía no nos hemos parado a pensar en nuestra vacada, que habrá muerto.

Me sorprendió. Y no sólo a mí: las otras estiraron el cuello y fijaron su atención en nosotros. Se me encogieron los cuatro estómagos: con tanto lío y tanto miedo no nos habíamos despedido debidamente de los muertos. Y ahora que estábamos tranquilos por vez primera y no corríamos peligro, ¿qué hacíamos? Comer y dormir, pero no pensar ni un segundo en las vacas muertas. Y había sido precisamente Champion el que se había dado cuenta.

—Me gustaría decir unas palabras —empezó.

Las demás se levantaron y se unieron a nosotros, y todas juntas escuchamos lo que Champion tenía que decir. La primera vez que nuestro grupito de fugitivas quería escuchar de nuevo a un toro. Él carraspeó y dijo:

—Ya no me acuerdo de la vacada y, por ello, tampoco de los que han muerto. Es posible que me haga una idea de qué clase de animal era Tío Pedo y de que posiblemente hubiera compañeras más divertidas que Tristeza, Suicida y Desgracia, pero no lo sé con seguridad. Tampoco me acuerdo de mis padres (y esto sí que me resulta duro), pero seguro que eran estupendos, si de ellos nació alguien como yo.

Por regla general, en un momento así, Hilde habría mencionado un dicho sobre su vanidad, algo del estilo de: la modestia es una virtud que el toro no saca a la luz. Pero estábamos hablando de los muertos, y eso era algo demasiado serio para hacer un comentario zafio.

Champion continuó, atropelladamente:

—Mi madre y mi padre ya no conocerán a su ternero nieto.

Se me hizo un nudo en la garganta; nuestros padres no eran perfectos, pero me entristecía que no fueran a conocer a su nieto, lo mismo daba que hubieran muerto antes, como los míos, o que los hubieran sacrificado ahora, como los de Champion. Sin embargo, la peor parte se la llevaría el pequeño, pues habría de crecer sin sus abuelos. Y todo porque las personas comían animales. ¿Por qué no podían ser rumiantes, como nosotros, animales normales?

Champion alzó la mirada al cielo como si los difuntos pudieran oírlo desde allí arriba:

—Queridos amigos de nuestra antigua vacada que habéis muerto. Aunque no me acuerdo de vosotros, por más que lo intento, os prometo solemnemente una cosa: nunca os olvidaremos.

Yo pugnaba por no llorar, al igual que Susi. A Rabanito ya se le habían saltado las lágrimas, e incluso Hilde estaba sobrecogida, y le dijo a Champion con la voz cascada:

—Puede que no seas tan idiota, después de todo.

—Yo es que no sé por qué estáis siempre con lo mismo —contestó, sin asomo de ironía: sencillamente no se explicaba por qué opinábamos eso de él—. Cuando soy un gran tipo.

Al oírlo, Susi, Hilde y yo —con lágrimas en los ojos— no pudimos evitar echarnos a reír. Era una sensación rara, reír y llorar a la vez. No hay nada más desconcertante: uno se siente vivo y vulnerable a un tiempo.

—Y ¿ahora qué pasa? ¿Qué? —preguntó Champion, confuso.

—Que sí que eres idiota. —Hilde le dio un empujoncito amistoso con la nariz—. Pero puede que no rematadamente.

Champion estaba desconcertado y nosotras nos seguíamos riendo, todas salvo Rabanito, que no podía parar de llorar. Nos acercamos a ella y le hicimos mimos, incluido Champion, dejándose llevar por un extraño momento de sensibilidad masculina.

Con el rabillo del ojo vi que el capitán nos observaba y se preguntaba:

—¿Por qué no seré una vaca?

Qué locura, él quería ser una vaca y yo un pez. Lo más absurdo sería que, para colmo, los peces quisieran ser personas. Pero no, eso sería demasiado estúpido. Un animal no podía ser tan tonto como para desear algo así.

—Tenemos una vida estupenda. —Rabanito sollozaba—. Y somos unos desagradecidos...

—Bueno, yo creo que eso de la vida estupenda es cuestión de opiniones —apuntó Susi mientras seguíamos consolándonos.

Hilde pensaba lo mismo:

—Y hay que tener una opinión muy singular para creer que esto es maravilloso.

Me iba a sumar a las quejas, cuando Rabanito dijo:

—¡Claro que es estupendo! ¡Nosotros seguimos vivos!

Nada más decirlo, rompimos todos a llorar de nuevo, porque tenía toda la razón. Hasta a Champion se le saltaron las lágrimas.

A lo lejos, entre nuestros lloros y mimos, oí que el capitán musitaba:

—Me da que las vacas también necesitan antidepresivos.

Rabanito dejó de llorar de golpe, resopló hondo y afirmó:

—Tenemos suerte, y deberíamos disfrutarla.

Nos quedamos tan sorprendidos que también nosotros nos enjugamos las lágrimas.

Conque eso era la felicidad.

El hecho de estar vivo.

Así de sencillo.

CAPÍTULO 34

El sol se hundió definitivamente en el mar. Siempre me había preguntado dónde pasaría la noche, y ahora por fin lo sabía: se acostaba bajo la superficie del agua. Sin embargo, el sol tenía que sumergirse muy mucho en el agua, ya que no se veía ni una pizca de luz. La luna y las estrellas se reflejaban en las oscuras olas. Después de unos días tan duros, ese espectáculo me resultó sumamente tranquilizador, el suave golpeteo del agua contra el casco del barco, el leve balanceo del suelo bajo mis pezuñas, la ligera brisa marina en la piel y el aire fresco en los ollares. Lo que sentía era un gran alivio por haber salido con vida de tantas aventuras. Y una profunda gratitud. Si esos sentimientos eran la felicidad, entonces era muy feliz.

Lo único malo fue que esa sensación no duró mucho.

Una pequeña parte desagradecida de mí comenzó a alterarse y se dio cuenta de que la vida tenía que ser algo más que simplemente sobrevivir. Traté de reprimir esa parte vacilante, pero cuanto más me esforzaba para conseguirlo, tanto más alto gritaba la escéptica que había en mí. Según ésta, la felicidad que yo sentía no era realmente felicidad, sino tan sólo alivio. Y probablemente alivio y felicidad no fuesen lo mismo, ya que de ser así alivio no se llamaría alivio sino felicidad. Y no habría ninguna palabra para designar el alivio, pues sería superflua. Contesté a la escéptica que su actitud frente a la vida era de absoluta ingratitud, y todo lo que me respondió fue: bla, bla, bla. Observé que ésa no era forma de discutir, a lo que la escéptica me contestó que mis argumentos no es que fueran precisamente impresionantes, ya que todavía no había escuchado ninguna objeción a su objeción, y abrigaba vivas sospechas de que no se me ocurría gran cosa. Repuse que había magníficos argumentos de que lo que yo sentía era verdadera felicidad, y que podía escucharlos si así lo quería. Lo quería. Vacilé, ya que no se me ocurrió ni un solo argumento, tras lo cual la escéptica rompió a reír: eso era precisamente lo que esperaba. Le solté que hiciera el favor de ocuparse de sus asuntos y me contestó que ésos eran sus asuntos. Sin embargo, en mi opinión, lo que tenía era que largarse de una puñetera vez, pero la escéptica tenía sus dudas de que fuera buena idea, al fin y al cabo formaba parte de mí. Cuando lo comprendí, dejé de discutir con ella y me planteé a mí misma la pregunta: ¿por qué esta felicidad no me parecía felicidad?

¿Porque en realidad no lo era?

¿O porque yo, vaca lerda, no era capaz de ser feliz? ¿Como las idiotas de las personas?

CAPÍTULO 35

Entretanto mis compañeros vacunos no conseguían dormir, y charlaban unos con otros y todos a la vez. Y en un momento dado empezaron a hablar de cosas muy personales. Yo los oía desde la borda.

—Yo todavía soy virgen —confesó Rabanito en mitad de la conversación.

Hilde se rió.

—No te preocupes, pequeña, yo también lo soy.

Esas confesiones no me sorprendieron, aunque en el caso de Hilde no estaba del todo segura, ya que se le daba muy bien ocultar sus sentimientos y sus secretos bajo su dura piel.

Susi suspiró.

—A mí me gustaría serlo.

Eso, en cambio, sí me sorprendió. A fin de cuentas a ella le gustaba, y mucho, echarse al cuello de los toros.

Hilde pasó por alto el suspiro y repuso con voz firme:

—En cualquier caso, no me gustaría morirme siéndolo.

—Eh... —Champion carraspeó y esbozó una sonrisa de lo más encantadora—, en ese sentido yo podría ayudarte con mucho gusto.

—Si no hay más remedio, me lo pensaré. —Hilde le sonrió.

—¿En serio? —preguntó Rabanito.

Estaba tan sorprendida como yo.

—¿¿¿En serio??? —repitió Champion, aún más sorprendido que nosotras.

—La verdad es que no —repuso Hilde.

—Pero «la verdad es que no» tampoco quiere decir que no, ¿no? —quiso cerciorarse Champion, sonriendo optimista.

—Quiere decir que eres un caso perdido —aseguró Hilde.

Champion suspiró entristecido y confirmó en voz baja:

—Soy un caso perdido, sí. No me acuerdo de nada y ya no valgo para nada. Me gustaría recuperar la memoria.

Volvió a darme pena, aunque aún me dolía que no pareciera ilusionado con nuestro ternero.

Susi lanzó un nuevo suspiro.

—Pues a mí me gustaría perder la memoria en parte, sobre todo cuando pienso que una vez lo hice hasta con Tío Pedo.

—Vaya, muchas gracias —se lamentó Hilde—. Ahora ya no podré quitarme esa imagen de la cabeza.

Susi parecía muy abatida.

—Es que había momentos en que lo que pensaba de mí misma tendría que haber sido algo mejor.

Champion se acercó a ella y le preguntó con tiento:

—¿Nosotros lo hemos hecho...?

—Ajá. —Fue la escueta respuesta—. Por lo menos veinte veces.

—¿¿¿VEINTE VECES??? —grité yo. Pensaba que sólo había sido una vez, como mucho dos, pero por lo visto Champion me había engañado a menudo y durante mucho tiempo. Tal vez pudiera haberle perdonado un desliz, pero eso..., eso era un engaño sistemático y continuo.

Champion me miró de reojo, vio que estaba que trinaba y dijo cabizbajo al resto:

—Ahora empiezo a entender por qué Lolle está tan enfadada conmigo.

—¡ENFADADA NO ES LA PALABRA!

Tras un ligero titubeo, propuso:

—¿Qué os parece si cambiamos de tema?

—¡MUY BUENA IDEA! —aprobé.

Todos guardaron silencio un instante, y después Hilde dijo:

—Si en la India no hay vacas con manchas marrones, seguiré adelante por mi cuenta hasta que las encuentre.

Parecía decidida y me asustó: estaba dispuesta a renunciar a todos nosotros para hacer realidad el sueño de su vida. Con independencia de la probabilidad que hubiera de encontrar vacas con manchas marrones en el mundo.

—Pues en la India o donde sea, yo no volveré a dejar que un toro se me acerque —aseveró Susi en voz baja.

A Rabanito le extrañó.

—Creía que querías tener muchos y romperles el corazón.

—Pero para eso tendría que dejar que se me acercaran —razonó ella en un tono que revelaba que ya no tenía fuerzas para eso.

Era una vaca a la que los toros habían utilizado, y probablemente no fuera capaz de volver a abrir su corazón a nadie en mucho tiempo. Eso si era capaz de hacerlo alguna vez. Rabanito le dio un empujoncito cariñoso y bromeó:

—¿Qué te parecería probar con una vaca, para variar?

Lo preguntó de tal forma, naturalmente sin decirlo en serio, que Susi no pudo reprimir una sonrisilla y olvidó el rechazo que sentía por las vacas a las que les gustan las vacas:

—Peor que con un toro no puede ser.

Champion exclamó asombrado:

—¿¡Dos vacas montándoselo?! —Su cerebro apenas conseguía procesar esa información, al menos no sin que la lengua le colgara lascivamente de la boca—. Creo que la idea me pone...

—¡NO LO DIGAS! —espetaron todas las vacas a la vez.

Y Champion se metió deprisa la lengua en la boca.

—Deberíamos dormir —apuntó Hilde.

Nadie se opuso, después de ese día a bordo del barco y de las sensaciones vividas, todos estábamos agotados. De modo que por vez primera obedecimos una orden de Hilde. Nos tumbamos —yo seguí un tanto apartada del resto— y cada cual se sumió en sus pensamientos. Incluido Champion. Mientras nuestros ojos se cerraban, lo oí murmurar:

—Dos vacas montán...

Y todas exclamamos a coro:

—¡CIERRA EL PICO, CHAMPION!

CAPÍTULO 36

En los días que siguieron el viaje fue tranquilo, no hubo ningún incidente, y nos vino pero que muy bien. Al fin y al cabo las vacas han nacido para llevar una vida monótona. Hubo momentos en los que incluso deseé poder viajar eternamente por el mar. Seguro que la India no era más apacible que ese eterno balanceo en el mar infinito. Quizá pudiésemos convencer a las personas de que nos dejaran quedarnos con ellas. Se portaban bien con nosotras y a todas luces disfrutaban de nuestra presencia. Incluso daba la impresión de que dotábamos de un nuevo sentido a su vida.

—Cuidador de animales tiene que ser un buen oficio —opinó el barbudo gordo cuando Rabanito le dio un lametazo en agradecimiento por las zanahorias.

—Mucho más satisfactorio que marinero, que sólo transporta por el océano peluches, planchas o lanzagranadas —convino el flaco.

—Y mucho mejor que ser amenazado por piratas somalíes.

—Uf, sí, en comparación con lo otro no es nada divertido.

—A los cuidadores de animales no les pasa mucho.

—Salvo, quizá, a los somalíes.

—Deberíamos cambiar de oficio.

—Pues sí, la verdad. Cuidador de animales es el primer oficio al que no consigo encontrarle peros.

Susi esbozó una leve sonrisa mientras rumiaba unas zanahorias especialmente jugosas.

—Estos hombres son más majos que nuestro ganadero.

Hilde la provocó:

—Tienes muy buen ojo para lo evidente.

—Por lo menos se me da bien algo, aunque no tomar las riendas de mi vida —replicó Susi con tristeza.

Cuanto más se prolongaba el viaje, cuanto más nos alejábamos del que fuera nuestro hogar, tanto más parecía lamentar Susi la vida que había llevado hasta entonces.

Poco a poco incluso Hilde empezaba a compadecerse de la vaca que peor le caía. Y ése era un sentimiento que no terminaba de manejar bien.

—¿Susi? —le dijo.

—¿Sí?

—No sé, me gustas más que cuando no eras sino una pava tonta.

—Sinceramente, yo nunca me he terminado de gustar a mí misma —respondió Susi.

Y al hacerlo se mostró tan débil y vulnerable que Hilde ni siquiera le soltó un: es muy comprensible, sino que no dijo nada.

Por la noche, cuando los barbudos roncaban, el capitán hasta se atrevía a venir con nosotras. Solía sentarse conmigo en el suelo, se apoyaba en mi lomo mientras me rascaba detrás de la oreja y se pasaba allí horas sin decir nada, únicamente contemplando el cielo estrellado. Sin embargo, en una ocasión, tarde, se echó a llorar: «Nunca debí ser marino. De ese modo habría estado con mi hija. Pasó tan poco tiempo en este mundo, sólo veintidós años, y la mayor parte de ellos yo no estuve...»

Lloró y lloró en mi piel, y yo lo dejé hacer con mucho gusto. En ese momento comprendí que no era fácil que la felicidad durara, pero que la infelicidad se quedaba para siempre. Si el amor era una porquería, la infelicidad era una auténtica porquería.

Cuando dejó de llorar, el hombre se sentía mejor y yo, curiosamente, también. Por lo visto uno siempre se sentía más satisfecho cuando a otro le iba peor: ¿en qué estaría pensando Naia cuando insufló en las vacas esa forma de sentir? ¿Querría inculcarnos con ello humildad y gratitud? ¿O darnos fuerza para ayudar a los demás? ¿O acaso no pensaba en nada, como cuando creó la puñetera infelicidad? O Naia era una vaca muy, muy sabia, cuya sabiduría uno no entendía de golpe y porrazo, o era una vaca tonta.

Sea como fuere, ya no me sentía tan mal como las primeras horas que pasamos a bordo. También porque para entonces el ternero iba creciendo en mi vientre; incluso ya se me notaba un poco. Y me sorprendía sonriendo cuando notaba esa sensación en el bajo vientre. Me imaginaba simplemente que el pequeño quería hablar de ese modo conmigo, y le respondía. Y cuando lo hacía acababa diciendo cosas tan tontas como:

—Ayayayay, mi pequeñín, vas a ser un mocoso meoncete precioso.

Hilde oyó esto y dijo:

—Si sigues hablando así con él, será un mocoso meoncete con disfasia.

A partir de entonces decidí hablar con el pequeño para mis adentros, y así los demás no podrían oírme. Y hablando de los demás: cuando estábamos todos tumbados apaciblemente, me llenaba de orgullo haber llevado tan lejos a mi pequeña vacada, y sin que ni uno solo de nosotros hubiera resultado herido. Tal vez no fuera tan mala líder como Hilde quería que pensara.

Cuanto más me iba animando esos días, tanto mayores eran las esperanzas que concebía: quizá la felicidad acabara viniendo a mí.

Sin embargo, primero vino a mí Rabanito.

Y me confesó su amor.

CAPÍTULO 37

Estaba contemplando una puesta de sol especialmente bonita, de un rojo encendido, cuando Rabanito se me acercó y dijo balbuciendo:

—Lolle..., tú ya sabes que me gustan las vacas.

—Hay cosas difíciles de olvidar —sonreí.

—Pero hay algo que no le he contado a nadie... —continuó.

—¿De qué se trata? —pregunté, y ya al decirlo intuí que iba a lamentar haber preguntado.

—Me... Me gusta una vaca de nuestro grupo.

—¡Mierda! —Se me escapó.

Rabanito me miró enfadada.

—Quería decir... —Mentí a toda prisa—: Mierda, creo que el ternero me acaba de dar la primera patada.

Lo bueno de tener una amiga tan ingenua como ella era que se le podía mentir con bastante facilidad, porque se lo creía todo. Lo puñetero era que uno siempre acababa sintiéndose mal, porque Rabanito era demasiado buena para engañarla.

—Me alegro de que puedas sentir algo tan increíble como un ternerito en tu vientre.

Esbocé una sonrisa forzada, y ella siguió:

—Siempre he ocultado mi amor y nunca he demostrado nada, porque no quería perder como amiga a la vaca en cuestión, ¿sabes? Pero ahora que hemos vivido tantas cosas y que no tardaremos en llegar a la India, a un lugar precioso donde las vacas son respetadas y sin duda nadie pondrá reparos a que dos vacas se quieran, me pregunto si debería confesarle mi amor a esa vaca...

—¡Mierda y más mierda! —exclamé.

—¿Otra patada? —Se interesó la ingenua de Rabanito.

Ni siquiera asentí, estaba demasiado confusa: ¡Rabanito quería confesarme su amor! Y si lo hacía, yo tendría que explicarle que sus sentimientos no eran correspondidos. Y entonces..., entonces le haría daño. Y no quería hacérselo, porque la quería. Pero sólo como amiga, no como a ella le habría gustado.

—Si otra vaca sintiera lo mismo que tú, sin duda te habrías dado cuenta —repuse, intentando evitar la cuestión con tacto.

—Puede que ella nunca haya demostrado su amor, como yo, por miedo —respondió, esperanzada, Rabanito.

Por desgracia, desde el punto de vista de Rabanito era lógico. Así que, en efecto, abrigaba esperanzas de que fuésemos pareja. Era más ingenua de lo que yo pensaba, y eso era decir mucho. Pero, por otra parte, yo misma lo sabía: donde hay amor, hay esperanza. Por estúpida que ésta fuera. Y es que donde hay amor, también hay estupidez.

—Pero —seguí tratando de disuadir a mi amiga de que me confesara sus sentimientos—, ¿y si esa vaca no te quiere?

—En ese caso por lo menos me habré sincerado.

—Huy —empecé—, la sinceridad está sobrevalorada.

—¿Y eso?

—Hay cualidades mucho, mucho más importantes.

—¿Cuáles?

—Pues... La tolerancia, por ejemplo.

—También me parece importante, pero no más importante.

—La limpieza.

—En comparación con lo otro no me parece importante.

—¡La puntualidad! —Me iba quedando sin ideas.

—¿La puntualidad? —repitió, sin dar crédito, mi amiga.

—Desde luego.

—¿Consideras más importante ser puntual que ser sincera?

Me miró con esos grandes ojos suyos como si yo estuviera como un cencerro.

—A ver, si no fueras puntual, ¿qué serías? —respondí, prácticamente atropellándome al hablar.

—¿Impuntual?

—¡EXACTAMENTE! —confirmé, un tanto nerviosa.

Rabanito no estaba nada convencida.

Desesperada, miré al reluciente mar, que el sol vespertino había teñido de rojo. Sencillamente no quería romperle el corazón a mi mejor amiga. Era preferible que no nos dijéramos la verdad y siguiéramos siendo amigas a perder la amistad por culpa de una verdad estúpida y más que sobrevalorada.

—Bueno, entonces, ¿qué opinas? —preguntó con cautela—. ¿Le confieso mi amor a esa vaca?

¿Qué responder a eso, salvo: no, no, no, de ninguna manera, hablemos mejor de las ventajas de la puntualidad? O démonos con la cabeza contra la borda hasta que hayamos olvidado de qué querías hablar.

Pero estaba claro que eso habría herido a mi Rabanito,

razón por la cual no lo dije. Tal vez pudiera hacer como si sintiera dolores de embarazada, tuviera que tumbarme sin pérdida de tiempo y no pudiera seguir hablando. Pero en ese caso mantendríamos la misma conversación al día siguiente, o al otro. Así que lo único que conseguiría sería aplazar lo ineludible, no evitarlo: tenía que decirle a mi mejor amiga que no la quería. Y después pedirle a Naia que nuestra amistad sobreviviera a esa confesión.

—¿Rabanito?

—¿Sí?

—Debo decirte la verdad.

—¿No soy bastante puntual?

—Es otra cosa.

—¿Cuál?

Vacilé, y acto seguido hice acopio de valor y afirmé con voz quebradiza:

—No te quiero.

Ella me miró estupefacta, por un momento se quedó helada. ¿Qué pasaría cuando se le pasara? ¿Lloraría? Seguro. ¿Se vendría abajo? Probablemente. ¿Volvería a acercarse a mí? Quizá no. ¡Ay, ojalá no lo hubiera dicho!

Rabanito empezó a moverse, se echaría a llorar de un momento a otro y mi corazón no lo podría soportar.

—Por favor, Rabanito, no llores... —supliqué.

Pero no lloró. No, se rió. Y se rió más. Y más. Y más. El cuerpo entero temblándole. Naia mía, estaba completamente desquiciada.

—De verdad... De verdad... —consiguió decir entre las risotadas.

—¿De verdad? —inquirí, preocupada por el estado mental de mi amiga.

—De verdad... —Se calmó un tanto—. ¿De verdad pensabas que te quiero?

Y volvió a darle un ataque de risa e incluso se puso a rodar por el suelo.

—Eso pensaba, sí —admití apocada, y de pura vergüenza me entraron ganas de tirarme al mar.

—Lo siento —dijo Rabanito cuando volvió a serenarse y se levantó—, pero no eres mi tipo.

—¿Y por qué no? —solté sin querer, puesto que ahora estaba un poco ofendida.

—Bueno, es que estás un poco gordita.

—Hombre, gracias.

—Y no tienes las patas bonitas —añadió Rabanito con una sonrisa.

—Olvida la pregunta.

—Y cuando te pones nerviosa, bizqueas, y es como si fueras un poco boba.

—He dicho que olvides la pregunta.

—Y a veces la boca te huele fuerte...

—¡RABANITO!

—Vale, vale.

Se calló, pero todavía soltó alguna risita. Por mi parte, miré el mar, primero irritada, luego perpleja. Finalmente me volví hacia ella y le hice la pregunta que había que hacer dada la situación:

—Entonces, ¿a quién quieres?

—A Hilde —repuso en voz baja pero clara.

Bueno, por lo menos no había dicho Susi.

—¿Crees que ella me quiere? —me preguntó mi amiga con absoluta seriedad.

Sinceramente, no tenía ni idea. Desde mi punto de vista no había nada que lo indicase. Absolutamente nada. Claro que tampoco Rabanito había dado a entender nada con respecto a Hilde. Al parecer, en el amor se pueden ocultar muchas, muchas cosas.

Como líder no pude evitar preocuparme por lo que supondría para la vacada y para nuestro viaje de Nueva York a la India si Hilde le decía a Rabanito: por desgracia no te quiero. O incluso: yo a ti también.

Pensé qué consejo darle a Rabanito en ese instante —que le confesara sus sentimientos a Hilde o que se los callara—, y pensé, pensé y pensé. Y entonces una gaviota se me cagó en la cabeza.

Levanté la vista y el siguiente regalito me dio en toda la cara. Siendo vaca era imposible limpiarse la cara: con las pezuñas no se podía, porque una se iba al suelo; el rabo no llegaba hasta la cara; y con la lengua... Eso era ¡puaj!

—¿De dónde salen todas esas gaviotas? —Quiso saber Rabanito mientras me limpiaba amablemente el morro con el rabo.

Sobre nosotras volaba un montón de pájaros. Eran los primeros que veíamos desde hacía mucho.

Giacomo se acercó a nosotras bailoteando por la borda y explicó:

—Nos acercamos a tierra firme, por eso están ahí questas gaviotas. Sólo quedan unas pocas horas para Nueva York.

—¿Qué es Nueva York? —preguntó mi amiga.

Giacomo me miró con cara de asombro.

—Allora, ¿è que non se lo has contado?

—Que no nos has contado ¿qué? —inquirió Rabanito mientras ladeaba la cabeza un tanto y me dirigía una mirada escrutadora.

Y contesté apocada:

—Te vas a reír...

CAPÍTULO 38

Rabanito no se rió.

Hilde, menos.

Susi, sí... Pero por desgracia fue una risa histérica.

Champion parecía completamente desbordado.

El único que me sonrió fue Giacomo.

—Debiste decírselo.

—Y a ti debí tirarte al mar —le susurré por respuesta.

Hilde resopló:

—¿Y la India está muy lejos de esa Nueva York?

Le contesté lo que me contestara a mí el gato, aunque ni yo misma lo creía:

—Bah, no mucho...

—¿De verdad? —me preguntó Hilde con suspicacia.

Y el resto también me miró como si no me creyera.

Me dirigí a Giacomo en busca de ayuda:

—Es verdad, ¿no?

Y él sonrió y repuso:

—¿Qué significa lejos? Il sole está molto lejos, en comparacione con questo tutto lo demás está cerca...

Hilde fue hacia él, los ojos eran una rendija furiosa, y masculló:

—Si no nos das ahora mismo una buena respuesta, vas a ver tú lo que está lejos.

—Signorina, io non credo que con esas pezuñas vaya a poder...

Hilde amusgó los ojos aún más.

—...Pero credo que mejor doy una buona respuesta.

—Una decisión acertada —aprobó Hilde, aunque sus ojos seguían lanzando amenazadoras chispas.

Giacomo dibujó con la pata una cruz en el polvo de cubierta:

—Questo è Cuxhave...

×

A continuación dibujó un asterisco.

×

                                                *

—Questo è la India... E questo... —añadió un círculo
en el polvo—: Nueva York.

×

                                            ○ *

No se lo creyó ni siquiera Rabanito.
Hilde bufó:
—Para tomarnos el pelo nos bastamos y nos sobra-
mos nosotras solas.
Y Giacomo, un tanto intimidado, se corrigió deprisa:
—Bene, è possibile que esté más aquí:

×   ○

                                                *

—Ahora en serio —ordenó Hilde.
Giacomo borró el círculo que representaba a Nueva
York y lo dibujó en otra parte.

            ×
○

                                                *

Todos estaban atónitos.

A excepción de Champion, que preguntó:

—Eh... ¿Qué decíais que era el círculo?

—La nostra è más la ruta a la India de Colón —dijo con una sonrisilla el gato.

Hilde espetó:

—¡A mí el Culón ese me da lo mismo! A ver, ¿cuánto va a durar el viaje?

—Signorina, questa non è una pregunta que tenga una risposta fácile. —Probó el gato para ganar tiempo.

—Claaaro que la tiene —repuso la furibunda Hilde, y acto seguido agarró al gato con el morro y le mordió el pellejo con firmeza.

El animal gritó y pataleó, pero no pudo soltarse, y Hilde levantó el morro sobre la borda, y con él al gato, que miró despavorido al mar. Si Hilde abría la boca, él caería al agua, el barco seguiría su camino y él se ahogaría sin lugar a dudas, ya que, aunque las gaviotas nos sobrevolaban, todavía no se veía ningún lugar al que el gato pudiera llegar para salvarse.

—¡Molto, il viaje va a durar molto! —exclamó.

Me pareció muy valiente por su parte que dijese la verdad, puesto que cabía la posibilidad de que después de oír eso Hilde abriera la boca de rabia. Pero ésta apartó el morro y el gato de la borda y dejó caer a Giacomo al suelo de la cubierta. En lugar de seguir arremetiendo contra él y dirigirle reproches, me dijo a mí:

—¿Tú sabías que no íbamos a la India?

—Bueno, sí... —balbucí.

—¿Y cuándo nos lo habrías dicho, gran líder? ¿O es que te habrías pasado todo el tiempo diciendo en la Nueva York esa: mirad lo bonita que es la India?

La respuesta sincera era que había sido demasiado

cobarde para confesarlo. Y que no habría podido con la inseguridad y el nerviosismo del resto, ya que estaba demasiado ocupada con lo mío.

—No quería preocuparos... —respondí en voz queda.

—¿Qué somos? ¿Terneritos menores de edad? —contestó ofendida Hilde, y acercó tanto su morro al mío que reculé asustada.

El resto no decía nada, no se puso de su parte. Pero por desgracia tampoco de la mía.

Hilde apartó el morro y comenzó a ir arriba y abajo en cubierta. Todos la mirábamos, nadie se atrevía a decir ni mu. Era la primera vez en el viaje que todos esperaban a ver qué diría Hilde y no a escuchar la solución que ofrecería yo: estaba más que claro que no tenía ninguna. Así y todo traté de recuperar el control de la situación y de la vacada y manifesté, con toda la valentía de que fui capaz:

—Lo conseguiremos.

Hilde paró en seco y me lanzó una mirada penetrante. Larga. Los demás aguardaban su reacción; yo no sabía qué hacer, me sentía muy insegura, nunca había visto así a mi amiga..., eso si aún era mi amiga. Al cabo de un rato dijo muy tranquila:

—Tienes razón, lo conseguiremos.

Respiré aliviada, no seguiríamos discutiendo.

—Pero —añadió— no contigo de líder.

—¿Cómo? —balbucí.

—Estás demasiado centrada en ti misma, con el niño y todo lo demás.

Eso no lo podía negar, aunque quisiera. Aunque fuese injusto que se la viera a una así por estar embarazada.

Hilde aseveró como si tal cosa:

—Me haré cargo de la vacada.

A eso no sólo quise oponerme, sino que lo hice:

—A mí no me parece...

Cierto, no fue una oposición muy convincente.

Hilde se dirigió al resto:

—Y a vosotros, ¿qué os parece?

La vacada entera se nos quedó mirando a ambas. Nadie sabía muy bien de qué lado ponerse. Nadie salvo una:

—Yo creo que Hilde debería ser nuestra líder —afirmó en voz muy queda Rabanito.

Me entraron ganas de gritarle que sólo lo decía porque sentía algo por ella, pero leí en sus ojos la súplica: por favor, no lo digas. De modo que guardé silencio.

La siguiente que abrió la boca fue Susi:

—No os soporto a ninguna de las dos, pero las dos sois más fuertes que yo. Y Hilde es más fuerte que Lolle.

La arrogancia de la pobre Susi se desmoronaba más y más cada día que pasaba; la mía lo hacía cada segundo. Miré sin querer a Champion, con la esperanza de que se pusiera de mi parte, pero cuando abrió la boca fue para soltar:

—Algo en mí me dice que quien debería liderar este grupo soy yo...

—Pues no le hagas caso —lo interrumpió Hilde con vehemencia.

Y ello le creó tal inseguridad que, en efecto, dejó de hacer caso a ese «algo» en él. No hizo falta decir nada más, la cosa estaba clara: había perdido mi sitio a la cabeza de la vacada. Y, lo que era peor aún, a Hilde como amiga.

CAPÍTULO 39

Me metí en mi rincón. Si Hilde iba a arreglar las cosas, como quería hacer a toda costa, ¿quién deseaba cargar con la responsabilidad de los demás? A partir de ahora sólo me preocuparía de mí y de mi pequeño, vaya que sí. Le dije al ternero que llevaba en el vientre:

—Mamá cuidará de ti, mi mocoso meoncete.

A lo que Susi comentó:

—Si quieres otro nombre estúpido para el ternero, llámalo cagoncete.

La miré con mala cara, y ella fue lo bastante lista para cerrar el pico. Después arrullé al ternero, bajito:

—Buenas tardes, buenas noches, cubierto de rosas, envuelto en agujas, te beso en la sien. Mañana por la mañana, si Naia quiere, te sentirás bien.

Naturalmente no se trataba de arrullar a un ternero que aún no había nacido —lo más probable es que ni siquiera pudiera oírme—, sino de tranquilizarme a mí misma, pues estaba demasiado agitada para dormirme sin más. Me llevé las pezuñas al vientre y de pronto noté un leve golpeteo. Dejé de cantar en el acto.

Susi se quejó:

—Un «buenas tardes, buenas noches» más y habría hecho con esas agujas algo muy distinto a envolverla.

Pero no la escuché, porque el leve golpeteo que no oía, pero sí sentía, era el latido del corazón de mi ternero.

Ahora sí tenía vida.

Oleadas de dicha inundaron mi cuerpo.

Seguidas de un espantoso escalofrío.

Y es que esos latidos también significaban que pronto volvería a ver a Old Dog.

CAPÍTULO 40

Al amanecer sobrevolaban el barco cada vez más gaviotas. La vacada aún dormía y me pregunté, como había hecho durante toda la noche —que había pasado casi toda en vela—, si no podría quedarme para siempre en el barco y así librarme de Old Dog. Por otro lado, ¿de qué tenía tanto miedo? Aunque el perro había dicho que me mataría cuando el ternero empezara a vivir de verdad en mi vientre, no podía habernos seguido a través del ancho mar. ¿O sí?

Mientras intentaba en vano tranquilizarme, Giacomo se me acercó bailoteando por la borda y exclamó:

—¡Terra a la vista!

Y acto seguido me miró y sonrió:

—Sempre he querido decir questo...

No le devolví la sonrisa.

—Non estás molto habladora questa mañana —observó él, risueño.

No le respondí.

—Lo tomaré por un sí.

Tampoco le respondí.

—Y questo por la confermacione de que puedo tomarlo por un sí.

Aunque no decía nada, en cierto modo me alegraba de que el gato estuviera conmigo. Cuando uno tiene miedo, no hay nada mejor para no pensar en él que el enfado. Y en ese momento con quien más enfadada estaba era con Giacomo. Ni con Hilde, ni con Rabanito, ni siquiera con Champion. Y Susi prácticamente estaba fuera de la carrera del enfado; hasta no hacía mucho jamás habría imaginado que en una carrera así pudiera quedar tan descolgada del resto. Y es que había sido culpa de Giacomo que acabáramos en el barco que no era y que debido a ello me hubiera peleado con los míos, pero el gato no daba la menor impresión de tener mala conciencia. Al contrario, estaba de buen humor, iba de un lado a otro de la borda, nervioso, como si se muriera de ganas de llegar por fin a Nueva York. Como si allí lo esperase algo... Y de pronto concebí una terrible sospecha.

—Dime, Giacomo, ¿es posible que no sea ninguna casualidad que vayamos a Nueva York? —le pregunté.

—¿Cómo è que se te ocurre questa cosa? —inquirió vacilante.

—Es que resulta curioso que estés tan contento. Y que acabes de poner cara de que te han pillado no desmiente precisamente mis sospechas.

Giacomo puso más cara aún de que lo habían pillado.

—Y esa mirada confirma mis sospechas.

Giacomo profirió un suspiro y confesó:

—Tienes razone. Elegí questo barco a propósito.

A decir verdad podría haber aplacado mi miedo por completo con un buen acceso de rabia, pero estaba demasiado sorprendida de que mis sospechas fueran fundadas. Me debatía de tal modo entre el desconcierto y la rabia que por de pronto no fui capaz de decir nada. Cuando por fin recuperé el habla, únicamente balbucí:

—¿Queo?

—Io non domino la vostra lengua, pero estoy convencido de que «queo» non è ninguna palabra.

—¿Cuomo? —seguí balbuciendo.

—«Cuomo» tampoco è una palabra.

—¿Pur?

—Tampoco —observó el gato.

—¡Sabes de sobra lo que quiero decir! —espeté. La ira se impuso al desconcierto.

—Lo sé, sí —contestó el gato, abatido. Y añadió—: Ya te he hablado de la mía ama.

—¿A la que le gustaba comer esas curiosas setas?

—Hasta que los ojos le daban voltas —confirmó Giacomo, y agregó muy apenado—: Hasta que un buen día non le dieron más voltas.

No entendí del todo a qué se refería, y el gato se puso a hablarme de su vida con su querida ama: el ama de Giacomo era una mujer joven y llena de vida, y los dos dieron la vuelta al mundo. En la región del Amazonas contemplaron las aves más bellas (Giacomo se comió alguna que otra), en Haití bailaron con sacerdotes vudú (y por motivos que no entendí del todo clavaron agujas calientes en muñecos que representaban el antiguo amor del ama), y en Colombia aprendieron que no es muy buena idea beber agua del grifo (al menos si a uno no le apetecía tener bichitos minúsculos en las tripas). El ama y Giacomo practicaron el amor libre (no entre sí, claro está) y finalmente el viaje los llevó hasta Nueva York, o más exactamente a una parte de la ciudad llamada Chinatown. Allí los dos se divirtieron con gatitas asiáticas (al ama le gustaban las hembras tanto como los machos). Una noche un vendedor ambulante les ofreció unas «plantas para ponerse a tono que en su día fumaban los monjes shaolin». Pero esas plantas eran mucha planta. Al ama se le puso la cara toda verde, los ojos empezaron a darle vueltas y finalmente se desplomó. Y los ojos dejaron de darle vueltas.

—¿Se...? —Empecé la pregunta, pero antes de que pudiera decir la palabra el gato me bufó:

—¡Io non sé!

A continuación, mientras intentaba no llorar, confesó que, del miedo que le entró (reforzado a más no poder por haberse fumado las plantas), echó a correr presa del pánico. Hasta llegar al puerto de Nueva York, donde se escondió en un barco. Y en menos que canta un gallo se vio rumbo a Cuxhaven. Muy lejos de su ama. En Cuxhaven conoció por casualidad a Old Dog y lo puso fuera de sí cuando, sin saber la suerte que había corrido su amada Tinka, le dijo: «Tienes cara de perro, non te vendría mal pasar la noche con una mujer.»

Después el perro lo persiguió un día entero, hasta nuestra finca, donde nosotros lo protegimos.

Ahora ya sabía lo que se proponía hacer Giacomo en Nueva York:

—Así que quieres comprobar si los ojos de tu ama aún dan vueltas, ¿no?

Él asintió, lloroso, odiándose por ello.

¿Cómo podía seguir enfadada con él? De manera que le dije para animarlo:

—Seguro que los ojos aún le dan vueltas.

—¿De verdad lo crees? —Se sonó los mocos en el pelaje.

La respuesta sincera sería: no tengo ni repajolera idea; pero ése no era momento para ser sinceros. Así que sonreí.

—No lo creo, lo sé.

El gato se secó una lágrima de un ojo con la pata. Volvía a tener esperanzas y deseé que no se truncaran.

En ese mismo instante vi a lo lejos una mujer enorme en medio del mar con una antorcha en la mano. No era una mujer de verdad, más bien parecía de piedra. Giacomo se percató de mi asombro y explicó:

—Questa è la estatua de la Libertad.

La palabra «libertad» me emocionó e hizo que el corazón me latiera con fuerza. Me pareció estupendo que las personas erigieran algo tan grande en pro de la libertad. Imaginé lo bueno que sería que no fuese una mujer de piedra, sino una vaca inmensa la que iluminara el camino con una antorcha. Ay, ojalá las vacas pudiésemos hacer más cosas que boñigas...

Mientras contemplaba fascinada la estatua, oí decir al barbudo flaco a mis espaldas:

—Los de aduanas no dejarán que las vacas entren en el país.

—Las mandarán al otro barrio —comentó el gordo con tristeza.

Y a mí me dio la impresión de que ese otro barrio no era tan agradable como podría sugerir la palabra en sí. Sentí pánico. Y ahora ¿qué hacía? Pero acto seguido caí en la cuenta de que ya no era la líder de la vacada, y ahora ese problema era de Hilde. Por desgracia ello no me tranquilizó lo más mínimo.

—No os preocupéis. —El capitán se unió a sus marineros—. No hay nada en el mundo que no pueda solucionarse con un soborno. Tengo bastante dinero para untar a los aduaneros. Lo guardaba para la educación de mi hija.

Los marineros se quedaron compungidos al recordar a la hija fallecida del capitán, y sin duda yo lo habría sentido más de no intuir que nuestra vida estaba en juego. El capitán añadió:

—También me he ocupado de que las vacas vayan a una de esas granjas de Iowa donde crían wagyus. Será un paraíso para ellas. Tendrán la mejor vida posible. —Y afirmó entristecido—: Como la que me habría gustado tener a mí.

Los ojos apesadumbrados del capitán revelaron que sus intenciones con nosotras eran buenas. Nos había buscado un paraíso desconocido, y aunque no fuera la India, me sentí aliviada: un paraíso era un paraíso.

Lo único malo fue que en ese preciso instante Hilde se acercó a mí y dijo:

—En cuanto el barco atraque, saldremos corriendo cuando yo dé la orden.

Y peor aún fue que ni siquiera pude oponerme, porque apenas cogí aire, ella me impidió hablar añadiendo:

—Tendrás que acostumbrarte a esto: ya no eres la líder.

Y dio media vuelta y se fue trotando. Y lo peor de todo fue que ahora tenía que decidir entre ir sola al paraíso que nos había buscado el capitán o permanecer con los míos.

CAPÍTULO 41

Cuando llegamos a tierra, el capitán se reunió delante del barco con dos hombres de aspecto severo a los que llamó agentes de aduanas de Estados Unidos y que llevaban en las alforjas unas cosas que parecían escopetas pequeñas. Y les dio a los tipos enfadados unas hojas verdes que tenían todas el mismo tamaño y, por tanto, no parecían naturales, como si no fuesen de un árbol o una planta. Los hombres empezaron a sonreír con codicia, de manera que el capitán les dio más hojas verdes. Le pregunté a Giacomo de qué iba aquello y me dijo:

—Para las personas il dinero è más importante que la comida, la bebida, el amore y el sexo.

—¿Por qué? —quise saber, perpleja.

—Perque con él consiguen comida, bebida, amore y sexo.

—No suena muy lógico —advertí.

—Una persona lógica è una contradiccione en sí misma —suspiró el gato.

A continuación, el capitán se volvió hacia nosotras: sin duda iba a informarnos de que estábamos a salvo y nos llevaría al paraíso del que les hablara a los marineros. Pero no pudo hacerlo, ya que Hilde gritó:

—¡CORRED!

Y salió disparada. Naturalmente Rabanito la obedeció en el acto, pero también Susi y Champion siguieron a nuestra nueva líder. Y yo debía tomar una decisión: el paraíso o mi vacada. Pero en realidad no era una decisión: un paraíso sin los míos..., no era un paraíso. De manera que también yo eché a correr.

El capitán nos gritó desesperado:

—¡No os vayáis!...

Y aún oí decir al barbudo flaco:

—Si fuéramos *cowboys*, podríamos echarles el lazo.

A lo que el barbudo gordo repuso:

—Ahora que lo pienso, seguro que ser *cowboy* es mejor que ser cuidador de animales: los salones, el whisky y las mujeres, sobre todo las mujeres...

Pasamos corriendo por delante de barcos y grúas y salimos de la zona portuaria a una calle que era mucho mayor que la que llevaba a Cuxhaven y por la que pasaban cochies enormes. Enfilamos el arcén, y aunque estábamos sin resuello, Hilde seguía espoleándonos. Era una líder enérgica, de las que no aceptaba como argumento para hacer un descanso algo como: no puedo más o las pezuñas me echan humo o creo que voy a vomitar ahora mismo. Incluso a Champion le costaba mantener el ritmo, y me dijo mientras a nuestro lado pasaban como flechas los enormes cochies:

—Creo que preferiría seguirte a ti.

Y esbozó una sonrisa encantadora. Puede que en ese momento incluso me hubiera alegrado, pero a fin de cuentas se trataba de Champion, y sabía que después de una frase así de bonita sólo había que contar hasta tres para que soltara alguna estupidez. De manera que comencé a contar para mí: Uno... Dos... Tres...

—Porque si te siguiera a ti —añadió risueño Champion— te vería ese culo tan bonito.

Ay, era tan previsible.

—Es que me pareces muy atractiva.

Otra cosa agradable, pero también esta vez estaba segura de que sólo tendría que volver a contar hasta tres para escuchar alguna bobada. Uno... Dos...

—Puede que sea porque con el embarazo tienes las ubres más grandes.

Era incluso más rápido.

—Ahora en serio —continuó, y la sonrisa se le borró de la cara—, sería estupendo que intentáramos conocernos de nuevo, por el ternero, pero también por nosotros.

Eso me hizo sentir una inseguridad absoluta: ¿intentarlo de nuevo? En lugar de planteármelo seriamente, preferí contar una vez más para mis adentros, ya que si decía acto seguido alguna tontería, y seguro que era así, no tendría que responder a su proposición. Uno... Dos... Tres...

Nada.

Cuatro... Cinco... Seis...

No decía nada, tan sólo me miraba expectante mientras trotábamos a la par.

Siete... Ocho... Nueve...

¡Madre mía, no decía ninguna estupidez! Lo que significaba que tendría que dar una respuesta. Pero ¿cuál? ¿Y si me la jugaba y le hacía caso? ¿Y correr el riesgo de que volviera a engañarme?

—No... No puede ser verdad —dijo Hilde, y de repente paró en seco en el arcén.

Mientras que las demás se alegraron de poder tomar aliento, yo celebré la distracción y miré hacia donde miraba Hilde: al borde de la carretera había un edificio del que salía y entraba un montón de gente que iba comiendo o bebiendo algo. Sobre el edificio se veía una imagen inmensa de un panecillo con carne dentro, y junto al panecillo una vaca enorme rebosante de felicidad. Sumé la vaca y el panecillo y me dio:

—¡¡¡OH, NO!!!

Nos quedamos mirando a los que comían los panecillos de vaca. Una cosa era saber que las personas comían vacas y otra muy distinta era verlas haciéndolo. Todos nosotros sentimos el fuerte impulso de atravesarlas con los cuernos y lanzarlas bien lejos, aun cuando casi todas ellas estaban tan gordas que el lanzamiento no nos resultaría fácil. Sin embargo, ese impulso se vio superado por otro más fuerte aún, que Rabanito y yo ya sentimos aunque no con tanta vehemencia la primera vez que oímos hablar de las atrocidades que cometían las personas: vomitamos todos a los pies de los zampabollos, que por su parte reaccionaron mostrando su repugnancia y diciendo: «*Oh my God!*» u «*Oh my shoes!*» u «*Oh my, why do I wear sandals?*».*

Giacomo se rió.

—Io credo que para ésos questo non è precisamente un Happy Meal. —Y acto seguido nos advirtió—: Será mejor que os larguéis.

—¿Podemos vomitar antes? —quiso saber Susi, las patas temblorosas—. No puedo dar un solo paso.

* Oh, Dios mío. Oh, mis zapatos. Oh, no, ¿por qué me habré puesto sandalias?

—Si non te muoves, acabarás en los panini.

—¿En qué? —preguntó Susi desconcertada.

—¡Panecillos!

—Huy, pues sí que me puedo mover.

Y Susi salió pitando. Los demás echamos un último vistazo a los bollos, y como no teníamos ninguna gana de acabar cubiertos de cebolla en un futuro próximo, también echamos a correr. Uno de los comevacas gordos soltó:

—*Worst marketing gag ever!**

Pero ninguno nos siguió. Aunque, teniendo en cuenta lo deformes que eran, esas personas gordas probablemente hubieran desfallecido a los pocos metros.

Llegamos a un puente enorme que cruzaba un gran río. Por el puente no pasaban cochies, sino tan sólo personas, que iban a pie o corrían. La mayoría no nos hizo el menor caso, a lo sumo nos dedicaron un minuto de atención, a diferencia de lo que nos sucediera en Cuxhaven, algo que el gato explicó diciendo:

—Hace falta algo más que unas vacas para que un neoyorquino se sorprenda.

Dado que las personas no nos hacían nada, avanzamos más despacio, casi sosegadamente, y observamos con asombro las inmensas casas que se alzaban al final del puente. Eran tan altas que ni siquiera se les veía el final, ya que el sol era cegador.

Aunque allí no nos miraban, Hilde sí clavó la vista en algunas personas, las que tenían la piel negra, un color que nunca habíamos visto. Era fácil adivinar lo que pensaba Hilde: si allí había personas con un color de piel distinto, posiblemente también hubiera vacas de otro color. Tal vez incluso con las manchas marrones de Hil-

* Es la peor estrategia de marketing que he visto en mi vida.

de. Y de ser así, ya no se sentiría sola en el mundo. El brillo de los ojos de Hilde reflejaba literalmente esa esperanza.

Cuando dejamos el puente en el otro lado del río, Giacomo me susurró:

—Alora io tengo que dejaros.

—¿Vas a buscar a tu ama?

—Sí.

Y salió corriendo sin decir una sola palabra de despedida, se largó sin más. Ni siquiera pude darle las gracias debidamente por salvarnos la vida y haberme enseñado que el mundo no terminaba en los árboles que crecían al final de los pastos. Que aunque era más terrible, más pavoroso de lo que imaginaba, también era más bello, impresionante y emocionante. ¡Más mágico! Sin embargo, también entendía la razón por la que nos dejaba: no era feliz con su ama por su culpa, y estaba decidido a volver a serlo. Le deseé toda la suerte del mundo.

CAPÍTULO 42

Los demás no se habían dado cuenta de que el gato nos había abandonado, posiblemente para siempre. Estaban demasiado impresionados con las gigantescas casas, en cuyos desfiladeros el aire caliente, sofocante, se alzaba como una pared. El ruido era increíble debido a los numerosos cochies, que apenas avanzaban y que podíamos adelantar fácilmente a pie. ¿Cómo podían soportar las personas vivir en un espacio tan estrecho? Vivir así difícilmente podía ser sano.

Hilde nos condujo a las profundidades de ese bosque de casas inmensas, del que temí que no fuésemos capaces de salir jamás. Tendríamos que haber dejado una boñiga en cada esquina, pensé, pero ya nos habíamos adentrado demasiado como para que esa idea pudiera servirnos de ayuda.

Tras un largo deambular llegamos a un sitio con imágenes llamativas, centelleantes, sobre las altas casas. Las personas que se encontraban allí no iban de un lado a otro atropelladamente, sino que sostenían en la mano unas cajitas que llamaban «móvil» o «cámara», y les oí decir palabras como «Times Square», «musicales» y «muy pronto todo esto será de los chinos».

Y oí una voz grave que preguntó: «Vaya, ¿por fin has llegado?»

Despacio, muy despacio, ladeé la cabeza: entre todas las personas que deambulaban por allí estaba, como si tal cosa, Old Dog.

CAPÍTULO 43

—Perdona, Lolle, he tenido que comer algo, porque esperarte me dio mucha hambre —contó el perro del infierno mientras señalaba con la pata un paquete vacío que tenía al lado. Uno en el que aún había restos de un panecillo de vaca. De haberme quedado algo en la panza, habría vomitado de nuevo.

Old Dog esbozó una sonrisa nauseabunda, el único ojo sano, rojo, brillante como una estrella resplandeciente. Susi, que veía al perro por primera vez, exclamó:

—¡Madre mía!

—Eso mismo digo yo, ¡madre mía! —añadió Rabanito, temblando de miedo.

—Madre mía no es una buena forma de expresarlo —opinó Hilde.

—Mierda sería más acertado —corroboró Champion, que asimismo veía por vez primera a Old Dog.

Hasta un toro imponente y robusto como él estaba completamente intimidado.

—Te cojo el «mierda» y le añado «y más mierda» —repuso Hilde.

—¿Mierda y más mierda? —Champion no acababa de entenderlo.

Mientras los míos seguían discutiendo cuál podía ser la exclamación más adecuada para el perro tuerto (estaban a punto de decidirse por: me quiero ir con mi madre), Old Dog cada vez estaba más enfadado, primero dio unos golpecitos impacientes con la pata en el duro suelo de piedra y finalmente gruñó:

—¿Os importaría dirigiros a mí, vacas?

Todos se volvieron hacia él, y yo balbucí:

—Es... Es imposible que estés aquí.

—Pues no, no lo es —confirmó él lo evidente al tiempo que se levantaba despacio.

Aunque de pie no era ni la mitad de alto que nosotros, parecía bastante más imponente. Tanto que quienes iban por la plaza con el móvil en la mano preferían describir un amplio arco para evitarlo.

—Pero... Pero es que no puede ser —objeté.

Hilde me dijo en voz baja:

—No creo que el monstruo ese se vaya a ir utilizando la lógica.

Y Susi preguntó:

—¿Quién vota por largarse?

Lo votamos todos, no era muy de extrañar.

Sólo faltaba creer que podríamos escapar de Old

Dog. Supimos instintivamente que sería más rápido que nosotros y que un intento de fuga equivaldría a una invitación para hacernos trizas de inmediato. De manera que nos quedamos petrificados.

—¿Cómo…, cómo nos has encontrado? —quise saber.

—Seguiros fue muy fácil. —El perro rió con arrogancia—. Os subisteis a un barco rumbo a Nueva York, y yo tomé el siguiente. Naturalmente uno más rápido.

—¿Y cómo te colaste en mis sueños? —pregunté atemorizada.

—¿Has soñado conmigo? —dijo burlón.

—¡Lo sabes de sobra! —exclamé. Estaba completamente segura de que de alguna manera poseía la capacidad de vagar del reino de los despiertos al de los dormidos y visitarme en él.

—Me resulta muy halagador que sueñes conmigo —dijo Old Dog sonriendo mientras avanzaba hacia mí despacio, sin responder realmente a mi pregunta.

En ese momento, Champion tuvo un arranque de valentía y se interpuso entre el perro y yo.

—Si no dejas en paz a Lolle, te doy un halagador golpe en la cabeza ahora mismo.

Naia mía, Champion estaba dispuesto a luchar por mí. Como en las leyendas, cuando el poderoso Hurlo luchó contra el oso Praxx para salvar a su Naia. Me entraron ganas de darle un lametón a Champion.

—¿Me estás amenazando? —Old Dog le dedicó una sonrisa desagradable a mi héroe, tan amenazadora que la sangre se me heló en las venas—. ¿No lo dirás en serio?

—Creo… Creo que sí —respondió Champion inseguro, y empezó a temblar.

Aunque hacía un calor sofocante entre las casas altas

de la puñetera Nueva York, tiritábamos como en el invierno más crudo.

—Os propongo algo —dijo el perro, dirigiéndose a todos nosotros—. Sólo quiero a Lolle y a su futuro hijo, el resto se puede ir.

Susi repuso:

—Esa proposición suena pero que muy bien.

Me entraron ganas de darle una patada.

Por el contrario Hilde, Rabanito y Champion en un primer momento guardaron silencio, al parecer les costaba asimilar la propuesta de Old Dog y decidirse entre el egoísmo y la muerte por mordedura de perro. De manera que Hilde tardó algún tiempo en contestar con toda la firmeza de que fue capaz:

—¡Somos una piña!

—¡Exacto! —apoyó Rabanito.

—¡Y menuda piña! —convino Champion.

En ese momento me sentí muy orgullosa de todos ellos.

—Pues yo creo que cada cual debería hablar por sí mismo —objetó Susi.

Bueno, de casi todos.

—Vosotros lo habéis querido —contestó el perro.

Y de pronto, sin previo aviso, se abalanzó sobre Champion con un salto imponente y le dio un mordisco brutal en la barriga. Champion lanzó un grito, y Susi salió corriendo presa del pánico hacia la masa humana y derribó a algunas personas, Rabanito se echó a llorar, Hilde se quedó paralizada por el horror y yo chillé:

—¡Huye, Champion!

Old Dog escupió al suelo un trozo de piel de Champion y preguntó con aire provocador:

—¿Y ahora? ¿Vas a hacer caso a tu mujercita y vas a salir corriendo?

Champion sangraba y se tambaleó sobre las robustas patas, pero no salió corriendo. Apretó la mandíbula de dolor y tardó un poco en encontrar la fuerza para separarla y contestar jadeante:

—Prefiero morir a dejar solos a Lolle y a mi ternero.

—¿Sabes lo que dicen de los héroes? —repuso el perro, el ojo brillándole de tal forma que uno tenía la sensación de ser cegado por un fuego infernal rojo.

—Que no se echan atrás —aseveró Champion al tiempo que, debilitado, iba hacia el perro.

—Que no tienen mucha esperanza de vida —corrigió Old Dog.

Y atacó a Champion de nuevo. Cuando los dientes del perro del infierno se clavaron en su cuerpo, él soltó un aullido mayor que el anterior, y el impacto hizo que el suelo vibrara. El perro se inclinó sobre el cuello de Champion enseñando los dientes. Las personas se congregaban a nuestro alrededor y sostenían en alto las cajitas; un hombre joven dijo:

—*Cool, they kill each other!**

Y otro añadió, encantado:

—*We will get a lot of YouTube clicks!***

Old Dog abrió la boca para hundir sus dientes en el cuello de Champion.

—¡NO! —grité.

El perro se volvió un instante hacia mí y contestó con la serenidad del asesino:

—Sí.

—Pero tú sólo me quieres a mí —argüí desesperada.

El perro se apartó de Champion, que sangraba; gi-

---

* ¡Guay, se van a matar!
** ¡Vamos a tener un montón de visitas en YouTube!

moteaba y ya no estaba en condiciones de reaccionar, menos aún de ayudarme. La vida no era una leyenda en la que el héroe podía vencer al monstruo gracias al amor.

Old Dog se acercó a mí con parsimonia.

Entretanto, Rabanito se acercó a Champion y le dijo:

—Yo te ayudaré.

—¿Cómo...? —preguntó el dolorido toro, que de puro dolor estaba a punto de perder el conocimiento.

—Como hacía la abuelita Hamm-Hamm —replicó ella, y comenzó a orinarle en la herida.

—¿A eso lo llamas tú ayudar...? —balbució espantado Champion.

Acto seguido se desmayó. A mí me habría gustado correr a su lado y despertarlo a lametones, aun cuando ahora fuese un tanto asqueroso, gracias a Rabanito, pero Old Dog se plantó delante de mí y dijo:

—Tienes razón, sólo os quiero a ti y a tu ternero.

—¿Y eso por qué, si se puede saber? —soltó Susi.

Y un segundo después estaba aterrada por haberse mostrado tan curiosa. El perro se volvió hacia ella, que, asustada, logró balbucir:

—Nada, no he dicho nada.

—Sí que lo has dicho —masculló el perro con frialdad.

—No... Eh... Ha sido... Ésa... —replicó Susi, señalando con la pata a Hilde, que farfulló:

—Hombre, muchas gracias.

Antes de que Old Dog pudiera amenazar a Hilde, tercié yo con valentía:

—Pues a mí también me gustaría saberlo. ¿Qué tengo de especial para que recorras el mundo sólo para matarme?

De fondo oí un aullido antinatural. Las personas, que movían las cajitas con nerviosismo, gritaban cosas incomprensibles como:

—*Police is coming!*

—*The animals are dangerous.*

—*They should kill them!*

—*That will get us even more YouTube clicks.**

El perro vaciló un tanto antes de contestar:

—Eso no es asunto tuyo.

—¿QUE NO ES ASUNTO MÍO POR QUÉ VOY A MORIR? No daba crédito.

—Basta con que tenga mis motivos. —En lugar de desvelar su oscuro secreto, el perro masculló—: ¿Alguna pregunta más?

No se me ocurrió ninguna, su locura me dejó sin palabras. Pero Rabanito gritó:

—Tú haz unos cientos de preguntas y, como tendrá que contestarte, no te podrá morder.

Old Dog la miró un instante y ella añadió apocada:

—Claro que, por otra parte, como lo he dicho en voz alta, no creo que vaya a picar.

A mis espaldas los aullidos cobraban cada vez más fuerza. Las personas se apartaron y exclamaron:

—*Police is here!*

—*And they got guns.*

—*YouTube, here we come!***

Old Dog, haciendo caso omiso de todo cuanto pasaba a nuestro alrededor, me preguntó:

—¿Estás lista para morir?

---

* ¡Viene la policía! / ¡Esos animales son peligrosos! / ¡Deberían matarlos! / Así tendremos todavía más visitas en YouTube.

** ¡Ha llegado la policía! / Y va armada. / ¡YouTube, allá vamos!

Si hubiera dicho que no, le habría dado lo mismo. Moriría sin haber encontrado la felicidad.

Cerré los ojos y recé para que la leyenda de los verdes pastos de Naia fuera cierta.

De cómo Naia creó el reino de los cielos

Naia y Hurlo vivían felices, pero los animales del reino de Naia no estaban satisfechos, pues había algo que les disgustaba sobremanera: la muerte. Justo cuando Naia y Hurlo se hallaban en mitad de un dilatado juego amoroso, como tantas otras veces, la lombriz de tierra se acercó, seguida de los demás animales, y se quejó a voz en grito:

—Con la muerte sufrimos. ¿En qué estabas pensando cuando la creaste?

Naia interrumpió el juego, miró asombrada a los animales y respondió:

—Eh... Bueno...

Y se miró las pezuñas, avergonzada.

—Di, ¡¿es que no estabas pensando en nada?! —espetó malhumorada la lombriz.

Naia repuso de nuevo:

—Eh... Bueno...

Y los animales comenzaron a echar pestes a la vez como locos. Naia vio el miedo a la muerte reflejado en sus ojos y se retiró. Pasó la noche entera en vela, y finalmente decidió crear un reino que fuera más bello aún que la tierra y al que fueran a parar los animales cuando muriesen. Un reino de los cielos donde para las vacas los pastos siempre fueran verdes y para las lombrices la tierra siempre estuviese húmeda. Después de crear este reino de los cielos, Naia les habló de él a los animales, que exclamaron jubilosos: «¡Ahora ya no tendremos que temer la muerte!»

Naia, satisfecha, volvió a hacer el amor con Hurlo. Horas, días, lunas llenas. Hasta que se preguntó, escamada, por qué cada vez había menos animales en el mundo. Dejó que Hurlo descansara para cobrar renovadas fuerzas —en el amor no aguantaba ni con mucho lo que ella— y le preguntó a la lombriz de tierra dónde se metían los animales. La lombriz contó, cabizbaja:

—Todos los animales se quitan de en medio voluntariamente.

—¿Por qué? —preguntó Naia, horrorizada.

La lombriz titubeó, pero Naia resopló enfadada por los divinos ollares, y ella, temblorosa, levantó la cabeza hacia la diosa vaca y respondió:

—Los animales piensan: si el reino de los cielos es mucho más bello, ¿para qué perder el tiempo en la Tierra?

Naia se quedó absolutamente pasmada, no se imaginaba eso. Se pasó la noche entera pensando y pensando, y al amanecer reunió a todos los animales que aún estaban vivos y anunció:

—Tal vez lo del reino de los cielos sólo fuera una broma mía.

Al oír aquello, los animales se sobresaltaron profundamente.

—O tal vez no —continuó Naia.

Ahora las criaturas de la tierra se sentían muy inseguras. Y la astuta Naia les dio un consejo:

—Pensaos muy bien si queréis poner fin a vuestra vida antes de tiempo.

A partir de ese momento ningún animal se atrevió a hacerlo. Aunque todos confiaban en la bondad de Naia, ya no tenían la seguridad absoluta de que el reino de los cielos existiera de verdad.

De pronto se oyeron unas escopetas y abrí los ojos. Mis amigas cayeron al suelo a izquierda y derecha, era evidente que las habían alcanzado las escopetas con las que las personas —cuya ropa era similar a la de los aduaneros— nos apuntaban. Old Dog no se dejó impresionar lo más mínimo, ni tampoco distraer por esos hombres de aspecto decidido que los de los móviles llamaran «cops»:* gruñó enseñando los dientes y dio un imponente salto hacia mí para hacerme pedazos.

Pero en mitad del salto se oyó de nuevo una escopeta: el perro fue alcanzado en el aire y cayó ante mis pezuñas. Tendría que haberme sentido aliviada de no ser porque otra escopeta abrió fuego, esta vez directamente hacia mí. Algo me dio en el cuello. Experimenté un dolor punzante, pero no se me desgarró la carne, como yo me temía. Simplemente me sentí cansada, muy cansada. Las patas no me sostenían y caí sobre el suelo de piedra. Los ojos se me cerraron de nuevo y escuché:

—¡Guau! Qué bien dispara la policía.

Era el barbudo flaco.

—Seguro que el de policía también es un buen oficio —opinó el gordo—, de no ser por los delincuentes...

Las penúltimas palabras que oí fueron del capitán:

—Sólo confío en que los polis no disparen cuando les ofrezca dinero para que suelten a las vacas.

Lo último que oí fue a Old Dog, que musitó con las últimas fuerzas que le quedaban:

—Los hombres no volverán a ayudarte. Te mataré. E iré a por ti cuando más feliz seas.

* Polis.

CAPÍTULO 44

«Pío, pío...»

Oí cuando recobré el conocimiento.

«Pío, pío...»

Necesitaba algo más para abrir los ojos.

«Pío, pío.»

Y me pregunté: ¿pío? ¿Cómo que pío?

«Pío, pío, pío», escuché, casi como si fuese una respuesta a la pregunta que no había formulado. No cabía duda de que eran trinos de pájaro, lo cual resultaba desconcertante, ya que antes de que me dispararan y me hirieran —o tal vez incluso me mataran— no había visto ningún pájaro. En cambio ahora ya no oía a las personas, ni los cochies ni las escopetas que resonaran antes en mis oídos. Tampoco notaba el aire caliente, sofocante, de la gran ciudad, sino que un viento suave me acariciaba el morro, lo justo para reanimarme.

El trino de los pájaros —daba la impresión de que eran dos enamorados seduciéndose— se convirtió en un extraño canto, mucho más bello de lo que había oído nunca entonar a un ave cantora: «*Heaven, I am in heaven, and my heart beats so that I can hardly speak, when I am flying with you, cheek to cheek...*»*

Finalmente abrí los ojos y descubrí que estaba en un prado. La hierba era tan verde y parecía tan lozana como si no fuese de este mundo. De no haberme impresionado tanto su exuberancia le habría dado un bocado de inmediato. Pero, en vez de hacer eso, me levanté y vi justo enci-

---

* El cielo, estoy en el cielo, y el corazón me late con tanta fuerza que apenas puedo hablar, cuando voy volando contigo mejilla contra mejilla.

ma de mí dos vistosos pájaros cantores. Volaban uno en torno al otro, enamorados, mejilla contra mejilla, en el despejado cielo, cuyo azul radiante era más claro y más hermoso de lo que había visto nunca. Como si fuese otro cielo. ¿Sería posible que existieran dos cielos? ¿O incluso más? Ay, ¿qué sabía yo del vasto mundo?

Giré sobre mi propio eje: la dehesa parecía extenderse por todas partes hasta el infinito, sin que se viera una sola casa, un tractor o cualquier otra cosa construida por las personas. Todo aquello me permitió llegar a una única conclusión: el cielo de Naia existe realmente... Y yo, vaca vieja, me encuentro en él.

No, alto, se podía llegar a otra conclusión: si de verdad existe el reino de los cielos, no tendría que esforzarme tanto en la vida real. O, mejor dicho, no tendría que romperme los cuernos.

Mientras le daba vueltas a todo esto, vi de repente, contra la radiante luz del sol, que se me acercaba una vaca. ¡Naia mía! ¡Sin duda era Naia!

El corazón se me puso en la garganta. Pero, qué digo, ¡se me puso en los cuernos! ¿Qué trato debía darle a la diosa vaca? ¿Me echaba a sus pies? O, teniendo en cuenta la cantidad de tonterías que había que aguantar en la vida, ¿y si le mugía abiertamente mi opinión?

La luz del sol me cegaba, no veía bien a Naia, que cada vez estaba más cerca. Me iba poniendo más y más nerviosa: dentro de un momento conocería a la diosa vaca y, si no me mordía la lengua, la haría enfadar en el acto, cosa que desde luego no era lo mejor cuando uno acababa de llegar al reino de los cielos.

Ahora la vaca se hallaba a escasos metros, y con cada paso que daba hacia mí lo veía con mayor claridad: ésa no era Naia... Pero si era... ¡¡Rabanito?!

—Por fin has despertado... —dijo riendo mi amiga.

—¿Estamos todos en el reino de los cielos? —le pregunté.

En lugar de responder, Rabanito siguió riendo.

—¡Eres taaan rica, Lolle!

Y me dio un lametazo, que, aunque me hizo bien, no disipó mi confusión.

—¿Estamos o no estamos en el reino de los cielos? —insistí, y pensé que lo que había dicho Rabanito, «¡Eres taaan rica, Lolle!», implicaba que allí había algo que yo no entendía.

—Estamos en un paraíso, pero no en el reino de los cielos —aclaró Rabanito.

Yo seguía sin entender nada. Para ser sincera, entendía menos que nada, aunque desde el punto de vista del cálculo puro y duro eso no fuese posible.

—Ven, que te lo enseño. —Rabanito sonrió, y enroscó su rabo en el mío y echó a andar conmigo por esa hierba maravillosa que resultaba increíblemente mullida bajo las pezuñas y que olía tan fresca. Decidí que no quería abandonar nunca esa dehesa increíble, se encontrara donde se encontrase.

Al cabo de un rato vi que entre la hierba alta, verde, había una vacada. Entre los animales se hallaban Champion, Hilde y Susi, pero además de ellos allí pastaban muchas otras vacas, quizá cincuenta. Eran extrañas, fascinantes, directamente majestuosas. También eran mucho más grandes y fuertes que nosotros, y tenían una piel negra que brillaba con el sol. En comparación con esas criaturas nosotros parecíamos sucios y venidos a menos. Sin embargo, a esas vacas de aspecto dichoso no parecía importarles nuestra apariencia. Me dedicaron una sonrisa encantadora, aunque también algo extasiada.

—Son nuestras nuevas amigas —me explicó Rabanito—. Las wagyus.

¿Las wagyus? Ése era el nombre que había mencionado el capitán.

Una de las lustrosas vacas, sin duda me sacaría una cabeza, se levantó y me saludó con amabilidad.

—Soy Maggie, la mayor de nuestra pequeña vacada. Bienvenida a la dehesa Ponderosa.

Maggie parecía de lo más encantadora. No a la manera de Rabanito, sino más bien completamente sumida en sus ensoñaciones.

—Encantada, Maggie —contesté, aunque en realidad no lo estaba, puesto que me hallaba aún demasiado confundida.

—Aquí la comida es excelente. —Aplaudió Champion, cuya herida ya había sanado un tanto.

Probablemente había estado sin sentido mucho tiempo.

—Y el agua también —dijo alegremente Susi.

—Y el detalle de que aquí no nos quieran sacrificar tampoco es moco de pavo —opinó Hilde, que a todas luces se sentía bien entre las vacas negras. Aunque no tenían manchas marrones como ella, sí tenían un color distinto del nuestro.

Comida excelente. Agua excelente. Hierba excelente. Y ningún peligro. No era de extrañar que en ese sitio las vacas tuvieran mucho mejor aspecto que nosotras. Pero había una cosa que seguía sin entender: ¿cómo habíamos llegado hasta ese lugar? ¿Dónde estaba exactamente la dehesa Ponderosa? Esas preguntas se agolparon en mi boca y salieron en forma de un único suspiro frustrado:

—¡Ahhhh!

—¿Perdona? —inquirió Rabanito.

Hilde sonrió.

—Lolle probablemente quiera saber cómo hemos llegado hasta aquí.

—No, me gustaría saber cómo ejecutar bien una danza de apareamiento —repliqué, mordaz.

—Y eso ¿por qué? —Se interesó Rabanito, para la que la ironía era un idioma extranjero.

Susi se rió.

—Porque cuando Lolle ejecuta su danza de apareamiento es como si tuviera diarrea.

Por lo visto a esa puñetera vaca volvía a irle demasiado bien.

—Ah, por eso. —Rabanito creyó entender—. Bueno, Lolle, yo no creo que cuando bailas parezca que tienes diarrea, quizá más bien algún problemilla de vejiga y...

—¡LO QUE QUIERO SABER DE UNA VEZ ES QUÉ ESTÁ PASANDO AQUÍ! —la corté.

Rabanito estaba completamente perpleja, pero antes de que pudiera decir otra tontería, Hilde tomó la palabra y me contó lo que había que contar: después de que nos dispararan las escopetas, estuvimos durmiendo mucho tiempo. Posiblemente días. Y yo unas horas más que los demás, porque me acertaron más flechas. Entretanto, por lo visto el capitán se ocupó de que los hombres de las escopetas nos perdonasen la vida y nos llevaran lejos, muy lejos de Nueva York, precisamente a esa dehesa, Ponderosa. Maggie y el resto nos habían acogido en su vacada con cordialidad, y decían cosas increíbles de lo bien que se estaba en ese paraíso, lo amables que eran las personas y cómo se dedicaban a una.

—Nos dan masajes —añadió Maggie al relato de Hilde.

A esa vaca, pensé yo, le habían dado demasiadas uvas fermentadas. Personas que daban masajes a las vacas, menuda locura. De vez en cuando, las vacas nos dábamos masajes las unas a las otras con el morro, y en una ocasión Champion probó a hacerme uno con las pezuñas, y fue más o menos igual de agradable que una inflamación de mama. Pero como se esforzó tanto no tuve el valor de decírselo. Pero ¿las personas? ¡Las personas no harían nunca algo así!

—¿Estás segura de que en la palabra masaje en lugar de una jota no hay una ce y una erre? —pregunté a la amable y extasiada Maggie.

—¿Cómo dices? —sonrió ella, sin comprender.

—Seguro que lo que quieres decir es masacre, ¿no?

—¿Por qué iban a querer masacrarnos las personas? —inquirió ella perpleja, pero sin dejar de sonreír.

—¿Porque nos quieren comer? —aventuré yo con impaciencia como posible explicación.

—Lo que dices no tiene sentido. —Maggie rió a carcajadas.

—¿Que no tiene sentido? No soy yo la que ha dicho que las personas nos dan masajes —le solté.

—Lo que dice es cierto. —Hilde sacó del apuro a la gran vaca negra—. A nosotros también nos han tratado con mimo.

Y me contó que las personas las cepillaban e incluso les frotaban la piel con un líquido que olía a rosas para que brillara. Yo seguía pensando que todo eso eran chifladuras, pero Rabanito sonrió y dijo:

—Al fin y al cabo para eso creó Naia a las personas.

Por qué Naia creó a las personas

Naia y Hurlo se hallaban de nuevo entregados a un juego amoroso cuando las furiosas vacas fueron a protestar.

Hurlo dijo: «¿Es que aquí no hay forma de que lo dejen a uno tranquilo?»

Naia interrumpió el juego y pidió a Hurlo que continuara solo. Hurlo puso cara de vinagre, y las vacas comenzaron a quejarse: de las moscas, que no podían espantar cuando se les posaban en la nariz; del cerumen de las orejas, que no podían retirarse con las pezuñas; de las boñigas, que nadie enterraba y acababan oliendo irremediablemente a moho; y de muchas, muchas más cosas contra las que no podían hacer nada porque sus pezuñas eran demasiado toscas. Exigieron a Naia que les procurara ayuda de una vez para solucionar todas esas contrariedades. Naia se pasó la noche entera pensando qué podía hacer, para disgusto de Hurlo, cuyas pezuñas asimismo eran demasiado toscas para que «continuara solo». Al amanecer, Naia finalmente vio la luz: sería buena idea crear a una criatura con manos que pudiera estar siempre al servicio de las vacas y se ocupara de todo aquello que ellas no eran capaces de hacer con sus pezuñas. Esa criatura se llamaría persona. La diosa vaca puso a las personas en el mundo y corrió de inmediato junto a Hurlo para que no tuviera que continuar solo torpemente nunca más. Lo malo fue que olvidó decirle a la persona el fin para el que había sido creada.

Tenía el corazón rebosante de alegría: habíamos ido a parar a un lugar donde personas y vacas convivían conforme a lo que fuera la intención inicial de Naia. De modo que nuestro grupito ya no tenía por qué ir a la India, pues ya habíamos llegado al paraíso. ¡Mi ternero podía nacer en ese sitio!

CAPÍTULO 45

A lo largo de las lunas llenas que siguieron la vida fue sencillamente estupenda.

Los días eran calurosos; las noches, tibias; y las personas nos trataban como a dioses.

Todos nuestros servidores humanos eran mujeres, y se llamaban Jill, Jane, Mary y Poppins; estas últimas eran gemelas. Se hacían llamar *cowgirls*, significara lo que significase eso exactamente. Estaban morenas, llevaban pantalones azules, camisa blanca y un gran sombrero de paja. Las cuatro se pasaban el día entero riendo y se ocupaban de nosotros a las mil maravillas. No sólo nos daban masajes, nos frotaban la piel y nos ofrecían exquisiteces, no, muy de mañana también nos daban un trago del agua más increíble que habíamos probado en nuestra vida, que era rojiza y que las *cowgirls* llamaban Chianti. Al beber un trago, uno sentía una agradable euforia o un dulce mareo durante un rato. Teníamos la piel cada vez más bonita, estábamos cada vez más gordos y nuestra carne era una delicia, blanda y tierna. Durante ese tiempo, el bienestar hizo que olvidara todas mis preocupaciones: dejé de pensar en Old Dog —cómo nos iba a encontrar, cuando ni siquiera nosotros mismos sabíamos exactamente en qué lugar del mundo estábamos—, y me daba lo mismo que Hilde me hubiera arrebatado el liderazgo de nuestro grupito, puesto que allí ya no nos hacía falta un líder. Incluso estaba convencida de que Giacomo había encontrado la felicidad y se fumaría algo con su ama alegremente.

Mi vientre cada vez estaba más abultado, por un lado debido a la buena alimentación, pero por otro también porque el ternero crecía dentro de mí. A veces sonreía a

Champion, que para entonces ya tenía completamente curada la herida de la barriga y siempre estaba rozándome con las pezuñas cuando pastábamos..., de un modo muuuy casual, claro. Yo me dejaba hacer encantada y era capaz de imaginarme empezando una nueva vida con él en ese sitio. Que él también lo deseaba ya me lo había dicho en el camino del puerto a Nueva York. En ese paraíso delicioso olvidé definitivamente todo lo que me había hecho, y cada vez tenía más ganas de que fuésemos de nuevo pareja.

Pero no sólo Champion y yo nos entregábamos a esos pensamientos; también Rabanito intentó después de esas lunas llenas confesarle su amor a Hilde de una vez por todas, a pesar del tremendo miedo que tenía de que Hilde dejara de ser su amiga. Por tanto no fue un intento demasiado directo, y desde luego no muy hábil.

—¿Hilde? —inquirió Rabanito un bonito día mientras las dos dormitaban juntas al sol.

—¿Sí? —repuso la aludida, levantando únicamente a medias los párpados.

—Cuando a una vaca y a otra vaca les gusta jugar juntas al «tú llevas la boñiga» y de repente la primera vaca propone un juego diferente al que a la otra no le apetece nada jugar, ¿tú crees que después pueden seguir siendo amigas?

En el rostro de Hilde se leía una única palabra, y ésta era: ¿eh?

—¿Tú crees que una amistad resiste algo así? —insistió Rabanito.

—¿Por qué no iba a hacerlo?

—Porque el otro juego se llama «caricias en las ubres» —repuso en voz baja Rabanito.

—¿Caricias en las ubres?

234

—Así llamaba la abuelita Hamm-Hamm a cuando uno quería acariciar las ubres...

—Ya... —contestó Hilde, un tanto aturdida.

—Cuando lo que se quería era acariciarle algo a un toro, la abuelita Hamm-Hamm lo llamaba caricias en el...

—¡No lo quiero saber! —exclamó Hilde. Y eso era exactamente lo que yo pensaba.

Rabanito, desconcertada, guardó silencio un instante y después dijo con cautela:

—No has respondido a mi pregunta.

Hilde miró a Rabanito y empezó a entender de qué iba eso de «acariciar las ubres».

—¿Estás enamorada de una vaca del grupo?

—¿Por qué...?, ¿por qué lo dices...? —balbució Rabanito.

Al mirar a nuestra amiga, Hilde podría haber respondido perfectamente: porque te has puesto roja. Pero no dijo nada. Probablemente intuyera qué ubres quería acariciar. Y Hilde la quería, sí, pero no como le habría gustado a Rabanito. Por otro lado, quería tanto a Rabanito como amiga que no podía soportar hacerle daño. De manera que Hilde salvó a la vaca del quebradizo hielo del amor levantándose y proponiendo alegremente:

—Anda, basta de cháchara, vamos a jugar al «tú llevas la boñiga».

Rabanito asintió, y en lugar de seguir insistiendo, empezó a darles patadas a las boñigas feliz y contenta, para gran disgusto de Susi, a la que una le dio en toda la cara y rezongó:

—A veces me dais un asquito...

Rabanito daba la impresión de estar aliviada por no tener que vérselas con un desaire directo, pues así su corazón podía albergar la ilusión de que Hilde tal vez la amara. Y es que a veces las ilusiones deparan más alegría que la realidad.

CAPÍTULO 46

En esas lunas llenas, nuestro pequeño paraíso me pareció perfecto, y los demás tampoco pensaban ya en la India. La única que no era feliz allí era una pequeña y singular vaca wagyu llamada Cassie, que siempre se tumbaba aparte y estaba mucho peor alimentada que el resto de nosotros, ya que por algún motivo aborrecía la excelente comida. Una mañana que me encontraba lamiendo la estupenda agua Chianti y pensando que ése sería un buen día para reconciliarme con Champion, la pequeña vaca se acercó a mí y me dijo:

—En tu estado yo no bebería eso.

—¿Y por qué no?

—Para evitar que mi hijo llegue al mundo con dos cabezas.

Me quedé de piedra.

—Dos cabezas incapaces de hablar con lógica.

Me estremecí, la tal Cassie tenía una fantasía de lo más retorcida.

—Cassie, eres un poco desagradable —le espeté, sin preocuparme de que pudiera ser maleducada. A fin de cuentas a ella también le traía completamente sin cuidado que a una le diera un vuelco la panza por culpa de sus chismes.

—Aquí lo desagradable no soy yo. No creerás en serio que aquí las personas hacen todo esto por gentileza, ¿no?

A su rostro asomó por vez primera una sonrisa, aunque pareció falsa y amarga.

—Y ¿por qué iban a hacerlo, si no? —inquirí.

—Porque así nuestra carne es más tierna y a las personas les sabe mejor —explicó la pequeña wagyu, y se fue trotando.

Me sentí desfallecer, ¿era posible que las amables *cowgirls* fuesen tan malas como nuestro ganadero? No, ¡esas mujeres eran diferentes! Eran alegres y amables y olían bien, mientras que el ganadero siempre estaba de mal humor, era grosero y los días malos la peste que echaba habría podido anestesiar a un jabalí.

Maggie se me acercó y dijo risueña:

—No tomes en serio a Cassie, cuando era pequeña se cayó sin querer en un bebedero lleno de agua Chianti.

En ese instante decidí no volver a beber más de esa deliciosa agua rojiza, por mi ternero. No quería que mi pequeño fuera como la pequeña wagyu malhumorada.

Maggie volvió a tumbarse en la mullida hierba, pero yo me quedé de pie, insegura. Acababa de abrirse la primera grieta en el paraíso.

Por la tarde quise echarle masilla y finalmente reconciliarme con Champion. El sol se estaba poniendo... Y ¡muuu!, hasta la puesta de sol era allí, en lo que las *cowgirls* llamaban «el corazón de Estados Unidos», más colorida e intensa que en el mar.

Champion tenía el bonito ritual de dar un paseíto vespertino por la dehesa, a solas, sin el resto. Me separé de los demás para ir en su busca, pues quería estar con él sin que nadie me molestara. Sentí la mullida hierba bajo las pezuñas e imaginé cómo retozaríamos Champion y yo con nuestro ternerito por esa pradera, como una pareja feliz que había logrado olvidar todos los errores del pasado. Yo perdonando a Champion y él..., bueno, al fin y al cabo él lo había olvidado todo.

Subí un pequeño montículo y al otro lado vi a Champion contemplando la puesta de sol, y a su lado estaba... ¡¿Susi?!

De pronto intuí que olvidar no sería tan fácil como esperaba.

Los dos estaban de espaldas a mí, de manera que no me vieron. En cambio yo oí perfectamente lo que le decía Susi a mi amado toro:

—Vamos, a ti también te apetece.

Y con ese «apetece» me temí que no se refería a jugar a «tú llevas la boñiga», sino más bien a «acariciar las ubres» o «acariciar otras cosas».

—No... No me apetece —negó él.

¡Bien!

La única pena fue que su voz trémula, vacilante, hizo que la frase fuera menos convincente de lo que me habría gustado.

—Entonces, ¿no quieres montártelo conmigo sin pudores que valgan?

Susi lo dijo sonriendo de un modo que sin duda consideraba seductor, pero que yo más bien habría definido como de pendón desorejado.

—N..., n..., no... —repuso Champion débilmente.

Me habría gustado oír más decisión en lugar de ese «n..., n..., no...» debilucho.

Susi preguntó:

—¿Cuándo fue la última vez que lo hiciste?

Una pregunta sumamente interesante, cuya respuesta se ponía más interesante aún, ya que Champion vaciló antes de darla. Naia mía, ¿habría hecho el amor con alguna vaca wagyu sin que yo me enterara?

—No me acuerdo...

¿Sería una pobre excusa?

—Debió de ser antes de que perdiera la memoria.

Sonaba verosímil, no parecía una excusa. Muy bien, Champion.

—Entonces la última vez fue conmigo —constató Susi.

O no tan bien, Champion.

—Hace muchas, muchas lunas llenas. —Susi rió.

Eso no le gustó mucho a Champion.

—Y no quieres hacerlo conmigo ¿por...? —Susi no aflojaba. En ese paraíso le volvía a ir muy bien. Parecía haber olvidado todos los errores que había admitido en sus momentos de debilidad.

—Por Lolle.

Habría podido lamerlo otra vez de alegría.

—¿Por una vaca preñada que no deja que te acerques a ella?

—Mmm... —farfulló él.

—Que quizá no vuelva a dejar que te acerques a ella jamás.

—Mmm... —Champion cada vez se mostraba más pusilánime.

—¿Por ella aceptas vivir como un buey?

—Mmm...

La respuesta apenas fue audible.

—¿Aunque eres un toro imponente que podría tenerme en el acto?

—Tal y como lo dices parezco un poco bobo —opinó Champion.

¡A MÍ NO ME LO PARECES!, pensé yo.

—Eso es porque eres bobo. —Susi sonrió—. Párate a pensarlo, después de todo este tiempo de abstinencia podrías volver a divertirte otra vez.

Él se quedó pasmado.

Susi meneaba las ubres con aire tentador.

—¿O es que quieres renunciar a ello?

—Fblmf... —balbució Champion.

—¿Fblmf significa que sí o que no?

Eso también quería saberlo yo.

—Fblmf...

—O sea, sí —constató ella sonriendo.

—Fblmf —repitió Champion débil, pero afirmativamente.

—Lolle no se enterará... —Susi sonrió maliciosa.

—¡YO NO ESTARÍA TAN SEGURA! —exclamé desde atrás.

Ambos se volvieron asustados.

—¿Lolle? —preguntó Susi espantada.

—¿Fblmf? —inquirió Champion, más espantado aún.

—¡Déjate de fblmf! —lo amenacé enfadada, con lágrimas en los ojos.

—¿Frudulu? —Intentó tranquilizarme, vacilante.

—¡Y el frudulu te lo puedes meter por donde no brilla el sol!

—¿En una topera? —preguntó él, intimidado.

Torcí los ojos.

—Creo que no estás siendo muy razonable —observó Susi con mordacidad.

—Y yo que tú estás siendo una buscona.

—Si no dejas que se te acerque, que no te extrañe luego que lo haga otra —objetó ella.

—Fblmf. —Champion le dio la razón.

—¡Cierra el pico! —le ordené.

—Ya veo que cada vez eres más razonable —se burló ella.

—¡Frudulu! —convino Champion, de repente con más energía.

Y me lanzó una mirada desafiante, como si en su opinión estuviera siendo injusta con él. Hacía escasos minutos quería que volviéramos a ser una pareja, y también me habría gustado hacer el amor con él, pero ahora...

Lo miré furibunda, y él me devolvió la mirada y afirmó:

—Te he estado esperando muchas lunas llenas. Dime de una vez si estamos juntos o no.

Pese a todo, es posible que le hubiera dicho que sí, de no haber pinchado Susi con una sonrisa jactanciosa:

—Seguro que se toma otros cientos de lunas llenas para responder.

Después Champion resopló enfurruñado.

En cualquier caso, sin duda no le habría soltado a voz en grito:

—¡No volveremos a estar juntos en la vida!

Que fue lo que hice después de que él resoplara. Y probablemente tampoco me hubiera marchado tan furiosa.

Lo último que oí fue que Susi le decía a Champion como si tal cosa:

—Bueno, ahora ya podemos hacerlo.

Me sentía demasiado débil y demasiado humillada para decir algo. Y tampoco me atreví a mirar si Champion fblmfeaba con ella o no.

CAPÍTULO 47

¡Otra vez! ¡Otra vez! ¡Otra vez!

Me senté junto al agua y de nuevo me entraron ganas de echarme a llorar por culpa de Champion. Y sin embargo esta vez era muy distinta de cuando lo pillé con Susi, y también de cuando me refugié sola bajo la grúa en Cuxhaven. Justo cuando iba a dar rienda suelta al llanto, el pequeño que llevaba en el vientre me dio una patada como para decirme: oye, que no hay sólo un amor, ni tampoco una única forma de ser feliz en el mundo.

El ternero había crecido en mi vientre, y no sólo poseía un corazón que latía, sino también una personalidad propia, particular, lo presentí con claridad en ese instante. Esa certeza me hizo muy feliz, y empecé a cantar en voz baja una vieja canción que cantaban las embarazadas en nuestra vacada cuando la preñez iba tocando a su fin:

> *Can you feel the cría tonight?*
> *Su corazón late dentro de mí.*
> *Se nota, alivia las penas que hay.*
> *¿Quién necesita a un toro así?*

El ternero me dio una patada aprobadora en el vientre. Y seguí cantando:

> *Can you feel the cría tonight?*
> *¿Cómo le late el corazón?*
> *Se nota, hace que la vaca que en mí hay*
> *aguante cualquier sinrazón...*

Sí, tenía la fuerza necesaria para traer a ese ternero al mundo. Ahora estaba completamente segura.

> *Se nota, hace que la vaca que hay en mí*
> *por fin se decida a vivir...*

Mientras cantaba lo supe: no volvería a derramar una sola lágrima más por Champion. Y no por orgullo o algo parecido, no: había acabado definitivamente con él.

El amor a la pequeña criatura que crecía dentro de mí era tan grande que en ese momento me llenó de una profunda paz interior.

No sospechaba que ésa sería nuestra última noche en esos verdes pastos. Y que por la mañana iríamos camino de un lugar al que las personas llamaban restaurante de alta cocina.

CAPÍTULO 48

Tuvieron que ser las zanahorias. O el agua Chianti. O esa bebida que hacía cosquillas en la boca llamada Dom Pérignon, que las *cowgirls* nos dieron de beber excepcionalmente esa noche. Sea como fuere, nos durmieron a todos: a Hilde, a Rabanito, a Susi, a Champion, a mí, a las wagyus, absolutamente a todos. En este mundo no había criaturas más pérfidas que las personas.

Cuando despertamos, íbamos en algo que Maggie, la más vieja de la vacada, denominó vagón de tren. En uno así la llevaron a ella en su día a la paradisiaca dehesa, y supuso que ahora nos dirigíamos a una pradera aún mejor, tras lo cual Hilde afirmó: «Parece que demasiada agua Chianti influye en la capacidad de juicio.»

Aturdida, intenté orientarme: el vagón traqueteaba ruidosamente y se oía un viento demencial. Ese establo rodante se movía a una velocidad aterradora, posiblemente aún más deprisa que un cochie. Pisábamos una madera dura cubierta escasamente de paja. Por unas ventanitas con barrotes que estaban tan altas que no se podía mirar fuera entraba un poco de luz mortecina. Al ver esa luz débil lo supe: no volvería a ver el cielo radiante de

Ponderosa. Y no íbamos camino de un paraíso, sino de la perdición.

Cassie, la pequeña wagyu sombría, me miró como diciendo: ¿qué te dije?

Le respondí con cara de: los listillos no le gustan a nadie.

Y ella me lanzó una mirada que decía: los que no saben perder no le gustan a nadie.

A lo cual contesté, en voz alta y triste:

—Me da que todos somos perdedores.

—Yo no me hacía ilusiones —replicó Cassie.

—Pero, a diferencia de nosotros, de esa forma te has amargado las últimas lunas llenas en la Tierra —razoné. Su sabihondez me sacaba de quicio.

El comentario afectó a la pequeña. Mucho. Miró al suelo entristecida y constató:

—En ese caso probablemente no fuera tan lista como pensaba.

No quise añadir nada, de pronto incluso me daba pena, que se había pasado la vida entera esperando la traición de las *cowgirls* y debido a ello no había podido disfrutar. Conocer el propio destino también podía ser una maldición.

—Probablemente sea la listilla más tonta del mundo —lloriqueó Cassie.

Hilde, que lo había oído todo, miró a la pequeña wagyu, y yo confié en que hiciera un comentario amable, pero todo lo que le dijo a Cassie fue:

—Ahora llora.

Me habría gustado oír algo mejor.

—Sé buena con ella. —Regañé a Hilde. Me acometió toda la rabia que había estado reprimiendo las últimas lunas llenas. Dentro de mí, como pude comprobar, me seguía cabreando que me hubiera quitado el liderazgo de la vacada.

Hilde le dijo a la wagyu:

—Contén la respiración y cuenta hasta cuatrocientos mil.

—Eso no es mucho, que se diga —resoplé, cada vez más furiosa.

—¿Y si cuenta sólo hasta trescientos noventa y nueve mil novecientos noventa y nueve? —inquirió Hilde con voz hiriente mientras a Cassie le corrían las lágrimas por las mejillas.

—Dejar hechas polvo a vacas pequeñas no sirve de nada, gran líder —le solté—. ¡Sin ti y tus decisiones no estaríamos aquí!

Eso hirió el orgullo de Hilde, que contestó, cáustica:

—¿Y adónde nos habrías llevado tú?

Me paré a pensar: en lugar de haber ido a Nueva York me habría quedado con el capitán, que..., nos habría entregado en el acto a las *cowgirls*. De manera que el resultado habría sido el mismo de haber liderado yo la vacada. Con el rabo entre las patas observé mi abultado vientre de preñada y bajé la mirada.

Hilde y yo guardamos silencio hasta que ella dijo, con aire más conciliador:

—Quizá no se nos dé muy bien a ninguna de las dos lo de ser líder.

Le dediqué una sonrisa agridulce.

—Ya, es probable que a ese respecto los haya bastante mejores que nosotras.

Miramos a nuestro alrededor, vimos a Champion, Susi, Rabanito y las cariacontecidas wagyus, y Hilde constató:

—Puede que los haya mejores que nosotras...

—Pero no en este vagón —añadí yo.

Y nos dedicamos sendas sonrisas agridulces.

—¿Hacemos las paces? —propuse.

—Sólo lo conseguiremos si nos mantenemos unidas —repuso Hilde.

Y a modo de confirmación entrechocamos los cuernos. Durante un breve instante me sentí bien, incluso alimenté nuevamente esperanzas.

Durante un breve instante.

Después observé de nuevo las paredes del ruidoso vagón de tren.

—No nos vendría mal alguna idea para salir de aquí —apuntó Hilde.

—Y si la idea sirviera de algo sería aún mejor —puntualicé.

—Yo ni siquiera tengo una mala —admitió ella, lanzando un suspiro.

—A mí me lo vas a decir.

—¿Tienes una mala, al menos?

—Qué va, ni una sola —reconocí.

Guardamos silencio de nuevo, y finalmente dije:

—Si de verdad existe Naia, es que no nos quiere.

—Si existe, es que cree que somos una auténtica mierda —opinó mi amiga.

—Bene, entonces è buono que io os quiera. —Se oyó decir de pronto a una voz procedente de arriba.

Levantamos la vista de súbito: allí, entre los barrotes de una de las ventanitas, estaba Giacomo, en la cara una ancha sonrisa.

CAPÍTULO 49

—¡Giacomo! ¿Qué estás haciendo aquí? —exclamé con alegría.

—Io sono sentado entre los barrotes de una ventanita sonriéndoos. —La sonrisa se ensanchó.

—Y diciendo tonterías —repuso Hilde, que aunque revolvió los ojos también se alegró de la sorprendente aparición de Giacomo.

Verlo nos dio esperanzas. Unas esperanzas completamente absurdas, cierto, porque ¿cómo nos iba a librar de una situación tan apurada un gato tan pequeño? Pero esperanzas, al fin y al cabo.

Giacomo se me subió al lomo y nos miró:

—Mamma mia, os habéis puesto todavía más gordas.

—Y tú cada vez eres más encantador —repuso Hilde.

—Ahora sé qué no he echado de menos todas estas lunas llenas.

—Y usted, signorina... —Giacomo le sonrió—. È la que más gorda está.

Susi bufó pero, antes de que pudiera decir nada, Rabanito se abrió paso entre las wagyus hasta llegar hasta nosotras y sonrió.

—Me alegro de que estés aquí.

—Y yo me alegraría de que habláramos de cómo salir de aquí —intervino Champion.

No le hacían ninguna gracia las estrecheces del vagón, al fin y al cabo ya había estado encerrado una vez, en el cochie del ganadero. Aunque su memoria no lo recordara, algo en su cuerpo lo hacía: se le notaba porque sus ojos se movían nerviosamente a un lado y a otro y tenía sudor en la frente.

—Ah. —Giacomo rió—. Si tambene está il tontaino.

—¿A quién llamas tú tontaino? —resopló Champion.

—Sólo un tontaino haría questa pregunta. —El gato rió con más ganas, una risa en cierto modo artificial.

Me di cuenta de que Giacomo nos ocultaba algo. Tampoco es que fuera muy difícil verlo: a fin de cuentas se hallaba lejos de su ama. ¿La habría encontrado? Sea lo que fuere, pensé: el tontaino... Esto... Champion estaba en lo cierto. Teníamos problemas más urgentes que el extraño comportamiento del gato. Por eso le pregunté:

—¿Nos puedes ayudar a salir de aquí?

Echó un vistazo al vagón, vio a todas las vacas y su rostro se ensombreció. Respondió muy, muy serio:

—Sí, pero non.

—¿Podrías ser un poco más claro? —pidió Hilde.

—Sí, pero non —repitió el gato.

—¿A eso lo llamas tú claridad?

Y él susurró:

—Os puedo sacar a vosotras, pero non a tutte.

—Ahora sí que me ha quedado algo más claro —aseguró Rabanito.

—¿Cómo que no a todas? —No fui tan rápida como mi amiga.

—La mayoría tendrá que quedarse aquí.

Susi fue la más rápida en reaccionar:

—Si no formo parte de «la mayoría», no pasa nada.

Susi, así era ella, siempre pensando en sus compañeros vacunos.

A los demás nos invadió una desagradable sensación: ¿dejar morir a otros mientras nosotros sobrevivíamos? ¿Estaba eso bien? En caso de que formáramos parte de los que consiguieran huir, claro.

En lugar de seguir dándole vueltas a estas cuestiones,

las aparté por de pronto de mi cabeza y le pregunté al gato lo más obvio:

—¿Y cómo vamos a salir de aquí?

Giacomo fue hasta la gran puerta del vagón, por la que supuestamente nos metieron las *cowgirls* cuando estábamos inconscientes. Afianzada a la puerta de madera había una barrita de hierro muy pequeña. Giacomo la señaló, la llamó «pasador» y sonrió:

—È molto facile: sólo tenéis que levantarlo con il morro.

Me planté allí en el acto y levanté el pasador. La puerta se deslizó hacia un lado con suma facilidad, y por la abertura entró un viento muy fuerte. Probablemente las personas no consideraran a las vacas tan inteligentes como para comprender el mecanismo de la cosa esa, el pasador, y por desgracia no se equivocaban: sin el gato no habríamos sabido abrir la puerta. Me disponía a abrirla del todo cuando Giacomo exclamó:

—Attenzione!

Para entonces yo ya sabía lo que significaba esa palabra: dentro de un momento alguna mierda que aún no conocía nos daría un montón de problemas.

De manera que abrí con cuidado. El viento me dio con fuerza en la cara, me aturdió y casi me lanzó fuera. Pero eso no fue lo peor ni con mucho: ante mis ojos, a una velocidad increíble, desfilaron árboles. Al verlos me mareé y a punto estuve de perder la orientación. Miré abajo instintivamente, y vi pasar piedras a la misma velocidad increíble, de manera que me mareé más aún. Se me fue un poco la cabeza, y entonces lo entendí: no eran los árboles y las piedras los que pasaban a toda prisa ante nosotros ¡sino el vagón el que dejaba atrás a toda velocidad las piedras y los árboles con nosotros dentro! Y acto seguido comprendí algo mucho peor: si caía del vagón y me daba contra las piedras, me quedaría aplastada como un escarabajo cuyas últimas palabras fueron: «Esa sombra que tenemos ahí arriba ¿es la pata de una vaca...?»

Me retiré un poco del borde del vagón y me volví hacia los demás miembros de mi pequeña vacada, que miraban en silencio los árboles que pasaban volando, mientras las wagyus se pegaban a las paredes, asustadas, para alejarse todo lo posible de la puerta. Estaban todos demasiado horrorizados para mugir algo. La primera que recuperó el habla fue Hilde:

—Así no podremos saltar.

—Ah, sí que podréis —aseguró el gato, haciéndose oír con el fuerte viento.

—O el gato está como una cabra o lo estoy yo —opinó Susi.

—¿Por qué tiene que ser una de dos? —espetó Hilde.

—Dentro de unos minutos questo tren pasará por un ponte enorme, y ahí podréis saltar —contó el gato.

A lo que Champion repuso:

—Desde luego el gato está como una cabra.

Hilde le dio la razón:

—Si nos tiramos de un puente, caeremos sobre las piedras desde una distancia aún mayor.

—Caeréis al agua. Il ponte cruza il Misisipi.

Rabanito se quedó pasmada:

—¿Qué cruza el pipí?

—A tu abuelita Ton-tón le gustaría —afirmó Susi.

—¡Deja de llamarla Ton-tón!

—Lela-Lela.

—¡Eso tampoco!

—¿De cabeza contra el árbol-De cabeza contra el árbol?

Furiosa, Rabanito iba a responder algo, pero el gato explicó:

—Il Misisipi è un río.

Todos exhalamos un hondo suspiro: ¿teníamos que saltar de ese vagón en marcha a un río desde un puente? Ahora sí que no cabía la menor duda: el gato estaba como una verdadera cabra.

—¿Qué tenéis que perder?

—¿La vida? —apuntó Susi.

—Que sólo podréis ganar de ese modo.

—Eso también es verdad. —Hube de admitirlo. Íbamos rumbo a una muerte segura, así que debíamos decidir entre la fiebre aftosa o la lengua azul.

Sin embargo, si sobrevivíamos al choque, tendríamos una oportunidad, ya que las vacas sabíamos nadar. Pero eso sería si sobrevivíamos a la caída. No me gustaba nada ese «si».

—Pero il ponte non è largo... —advirtió Giacomo—. Tenéis que ser molto rápidas y dejar atrás a le altre.

—Y entonces, ¿qué será de ellas? —preguntó Rabanito.

—Allora, las wagyus acabarán en los platos de los *gourmets*. —El gato suspiró, un suspiro apenas audible debido al viento.

Si los *gourmets* se atrevían a hacer eso —primero mimar a las vacas para que tuvieran más chicha en las costillas y su carne fuera más tierna—, me gustaban aún menos que las personas normales.

Les dije a los demás:

—Debemos llevarnos a todas las wagyus que podamos.

—¿Debemos? —inquirió Susi, que sólo quería salvar su pellejo.

La miré mal.

—Habrá que preguntarles, digo yo —añadió en voz baja.

Giacomo suspiró de nuevo.

—Non te irá molto bene. Ellas non tienen tanta experiencia con la vita como vosotras. Las suas esperanzas serán mayores que el miedo, y por eso se quedarán en il vagón confiando en un *happy end*.

—¿Qué es un *happy end*? —Se interesó Rabanito—. No sé, suena bien.

—Algo que sólo existe en la fantasía —aclaró el gato, y fue evidente que al decirlo no pensaba, a juzgar por su mirada tristona, en las wagyus sino posiblemente en su ama. Después se dominó, sacó el cuello por la puerta y exclamó—: ¡Il ponte viene! ¡Preparaos para saltar!

Nos acercamos a la puerta —todos los que no éramos wagyus— y echamos un vistazo con cuidado. El viento estuvo a punto de volarnos la cabeza. Tras una curva vimos el puente, que era sumamente alto, mediría al menos cincuenta vacas.

—Yo de ahí no me tiro —aseguró Susi.

—Piensa en la alternativa —aconsejó Hilde.

—Preferiría pensar en unos pastos verdes.

—Eso lo entiendo —convino Hilde.

—Cualquier cosa antes que seguir en este vagón —declaró Champion, que sudaba y tenía temblores en todo el cuerpo y posiblemente hubiera saltado a la mayor boñiga en llamas del mundo para escapar de la angustiosa estrechez del vagón.

El puente cada vez estaba más cerca, Hilde volvió el hocico hacia mí y me preguntó:

—Y ahora, ¿quién hace de líder y salta la primera?

—Hazlo tú —grité más alto que el viento—. Yo saltaré la última y me ocuparé de que venga conmigo el mayor número de vacas posible.

Hilde me miró como nunca lo había hecho antes y respondió con un fuerte dejo de respeto en la voz:

—Tú siempre piensas en los demás, y yo sólo en avanzar. Eres la única, la verdadera líder.

Me quedé anonadada, estaba claro que me cedía la responsabilidad de la vacada. Porque me consideraba la mejor. Ojalá no la decepcionara, no decepcionara a nadie.

El tren llegó al puente, y Hilde respiró hondo y se tiró del vagón dando un enorme salto de vaca. Cayó... Y cayó... Y gritó: «¡AHHH!», y cayó y gritó más aún y se oyó un plaf... Y no volvió a aparecer.

—De pronto ya no estoy tan segura de que lo del salto sea tan buena idea —dudó Rabanito.

—A mí me ha parecido una mierda desde el principio —confirmó Susi.

Pero en ese instante Hilde salió a la superficie y cogió aire.

—Allá vamos —dijo Champion con valentía, y fue el siguiente en lanzarse al agua, sin pensárselo mucho, mientras gritaba, típico de los machos—: ¡BOOOOMBA!

Para entonces ya habíamos llegado a la mitad del puente. Le tocaba a Rabanito, que farfullaba algo que apenas nos resultaba audible:

—Ha llegado el momento de comprobar si también sé disfrutar de este momento.

Y esbozó una sonrisa forzada y se tiró.

Mientras Rabanito aterrizaba en el agua, miré a Susi, que estaba en el borde de la puerta, a mi lado, el miedo reflejado en sus enormes pupilas. Pero ya no había tiempo para palabras, así que di unos pasos atrás y le clavé a

Susi los cuernos en el —gracias a la buena alimentación de las últimas lunas llenas— enorme culo. Chilló, saltó del vertiginoso tren y cayó mientras gritaba:

—¡No te puedo ver ni en pintura, Lolle!

No esperé a ver el choque, sino que miré deprisa a las petrificadas wagyus y les supliqué:

—Vosotras también debéis saltar.

—Estáis locas —respondió Maggie, la mayor de las wagyus.

Su vacada entera asintió.

—Pero no tanto como vosotras si os quedáis.

—Confío en las *cowgirls* —contestó Maggie con voz temblorosa.

Era difícil saber si de verdad confiaba en ellas, pero sí lo suficiente como para no ordenar a su vacada que saltase al agua.

Miré a Cassie, la pequeña wagyu. Seguro que podía convencerla:

—Y tú, ¿qué dices? Siempre has desconfiado de las personas, ¿no es así?

Cassie titubeaba, y mientras, me volví a asomar a la puerta del vagón: en el río nadaban Hilde, Rabanito, Champion y Susi, que levantaron la cabeza para ver dónde estaba yo. Y el final del puñetero puente se acercaba deprisa. Dentro de ni siquiera treinta segundos habríamos llegado a él, y entonces yo moriría con las wagyus.

—¡No nos queda mucho tiempo! —advertí a Cassie. Al menos quería salvarla a ella como fuese.

—Mi sitio está con las mías —repuso en voz muy baja.

Eso era honorable. Y estúpido. Las dos cosas a la vez. Lo que suscitaba la cuestión de si honorable y estúpido no solían ir estrechamente unidos.

Quizá hubiera podido convencer a la pequeña de haber tenido tiempo, pero quizá no. Y no tenía ningún sentido darle vueltas: no tenía tiempo. Asentí y me acerqué a la puerta: el puente casi tocaba a su fin, cinco segundos más y no podría saltar y acabaría siendo comida de lujo. Cinco...

Guau, aquello estaba muy abajo...

Cuatro...

Y el agua daba la impresión de estar helada...

Tres...

Y si me daba en el vientre, podía causarle daños al ternero...

Dos...

Sólo había una posibilidad...

Uno...

—¡BOOOOMBA!

CAPÍTULO 50

A quienquiera que esté al tanto de mi historia, vaca, cerdo, persona, hámster o piojo errante, le doy un consejo para la vida: si se puede evitar, no hagas nunca, pero nunca, la bomba desde una altura de cincuenta vacas.

Al chocar contra el agua sentí un gran dolor en el pompis, que se vio superado en el acto por un problema mucho más acuciante: la extraordinaria falta de aire. Me seguí sumergiendo en las profundidades infinitas del Misisipi, y el hecho de que el agua fría me refrescara por el momento las doloridas nalgas en realidad no supuso ningún consuelo. Mis burbujas de aire ascendían hacia las nalgas de los demás, que nadaban en la resplandeciente superficie iluminada por el sol. Intenté como una loca alcanzarlos moviendo las patas frenéticamente, pero el impulso de la caída hizo que me hundiera cada vez más, por mucho que mis cuatro patas patalearan tratando de impedirlo. Cuando los pulmones me ardían y de mi boca ya no salía ninguna burbuja de aire, mis esfuerzos dieron resultado: ya no me hundía, incluso estaba subiendo. Con una mezcla de esperanza y pánico moví con más brío si cabe las patas. Ahora parecía que los pulmones me iban a estallar, pero me aproximaba a la superficie. Con cada patada me dolían más los músculos, estaba a punto de perder el conocimiento, pero me hallaba demasiado cerca del aire salvador, ni siquiera a una vaca de distancia de él, para rendirme. Tenía que aguantar como fuera. ¡Tenía que hacerlo! Por mi ternero.

Mis patas se movían débil y descoordinadamente, pero seguí ascendiendo, hasta que mi cabeza se dio contra algo. Al otro lado de la superficie, amortiguado por el agua, oí que Susi soltaba:

—Eh, vaca tonta, ¡que ése es mi culo!

Sería de lo más estúpido, pensé, que precisamente ese pompis fuera lo último que viese en la tierra.

La aterradora idea me confirió la fuerza necesaria para rodear el culo de Susi, algo que sin embargo me costó algún tiempo, ya que en las últimas lunas llenas se había vuelto gigantesco. Asomé la cabeza en la superficie, escupí agua —me satisfizo ver que le daba a Susi—, y, jadeando, llené con avidez de aire mis doloridos pulmones. Cuando tuve algo de aliento, miré primero a las vacas mojadas que nadaban a mi lado y después al puente: arriba ya no se veía nada, el tren —y con él todas las wagyus— había desaparecido. Sólo se seguía escuchando el traqueteo de las ruedas, pero incluso ese ruido se alejaba deprisa, se fue debilitando hasta enmudecer por completo. Era insoportable: nuevamente nos habíamos salvado, y nuevamente otras vacas iban hacia la muerte.

—Y ahora, ¿qué hacemos? —me preguntó Hilde.

Los demás también me miraban: gracias al proceder de Hilde habían comprendido que volvía a ser la líder. De manera que tenía que comportarme como tal, por mucho que me costara en ese momento, así que contesté:

—Nadaremos hacia la orilla.

—Eso también se me habría ocurrido a mí —observó Susi, más cansada que mordaz.

Nos dirigimos todos hacia la pedregosa orilla, salimos como pudimos del agua, nos desplomamos en el suelo y nos secamos al alto sol del mediodía.

—¡Ay, mi culo! —se quejó Champion, arrepintiéndose de haber hecho la bomba.

Ello me recordó en el acto el mío, que asimismo me ardía soberanamente.

—Tenéis el pompis todo rojo —comentó Rabanito—. La abuelita Hamm-Hamm tenía una receta secreta para eso, ¿queréis saber cuál era?

—¡¡¡No!!! —exclamamos a coro Champion y yo.

¿Quién habría pensado que volveríamos a estar de acuerdo en algo?

Hilde me miró y me preguntó:

—¿Qué quieres hacer ahora?

Me habría gustado responder: buscarme un culo nuevo. Por lo demás, sólo se me ocurría mi plan inicial:

—Tenemos que ir a la India.

Susi resopló con desdén:

—¿Y cómo pretendes llegar allí? ¡Ni siquiera sabes dónde estamos!

Cierto, no tenía ni la más remota idea. Pero no quería admitirlo, ya que mi pequeño grupo estaba completamente agotado y desalentado debido a todo lo que había vivido. En ese instante oímos decir al gato:

—Il deporte è la morte.

Vino hacia la orilla saltando de piedra en piedra, a todas luces había abandonado el tren algo después, ya que no tenía ninguna necesidad de tirarse temerariamente del puente, pues con sus flexibles patas podía aterrizar en cualquier parte: sí, era mejor ser gato (aunque en ese caso uno siempre estaría metiendo los puñeteros pelos del bigote en la comida).

—La India está molto, molto lejos... —confesó Giacomo, que era lo que yo me temía, pero no quería oír decir en voz alta—. Pero... Io os juro que os llevaré allí —anunció con una seriedad que no le pegaba nada.

En las últimas lunas llenas que no había estado con nosotros algo lo había cambiado.

—E io sé cómo conseguirlo —continuó mientras con la pata nos invitaba a seguirlo.

Nos levantamos a duras penas y lo seguimos abatidos, siempre a la orilla del río. Para ser más precisa: Champion y yo lo seguimos tambaleándonos. Las nalgas nos dolían con cada movimiento, y constaté que el dolor probablemente fuera lo más tonto que había creado Naia.

Rabanito se ofreció:

—¿Quieres que sople?

—¿Qué? —inquirí perpleja.

—Para que no te duela el trasero —especificó.

—Lo tiene tan gordo que no podrías soplar tanto —se lamentó Susi.

Resoplaba de lo lindo al andar. Al igual que nos sucedía al resto, pues el sobrepeso era un fastidio, y mi vientre de embarazada hacía que caminar me resultara más pesado todavía que a los demás. Para no pensar en el dolor y los ayes, me uní al saltarín Giacomo y le pregunté:

—Dime, ¿cómo nos encontraste?

—Después de pasar unas semanas en Nueva York me enteré por otros gatos que habían atrapado a unas vacas. E io supe que sólo podíais ser vosotras. Averigüé que os habían llevado al rancho de las wagyus. Después fui a reunirme con vosotras y llegué justo cuando las personas os metían en el tren.

—¿Y cómo es que no estás con tu ama? —pregunté con cautela.

El gato no contestó, se miraba las patas al andar.

Mientras sopesaba si seguir insistiendo o dejar que Rabanito me soplara en el trasero, él respondió en voz queda:

—Non la encontré.

—Lo siento mucho —le dije, y se me olvidó del todo el dolor de nalgas. Giacomo había estado buscando a su ama para recuperar la felicidad, y ahora, al parecer, la había perdido para siempre.

—Non lo sientas —replicó el gato—. Ya me sentiré mejor.

—¿Ah, sí? —pregunté, pues no estaba muy segura de a qué se refería.

—Hay cosas en la vita que ya non se pueden arreglar. Pero puedo hacer algo bene en otra parte. Os puedo llevar a la India. Dejé en la estacada a la mía ama, pero a vosotras..., a vosotras non os decepcionaré.

Ahora entendía qué era lo que esperaba Giacomo: si era capaz de ayudarnos, en cierto modo saldaría la deuda que había contraído con su ama. Si lográbamos llegar a la India, podría perdonarse a sí mismo y volver a ser feliz por fin. El gato había unido su felicidad a la nuestra.

Sin embargo, tenía mis dudas de que fuera una decisión inteligente.

Miré a los míos: sus ojos no reflejaban nada, como si en ellos se hubiese apagado el fuego de la pasión. Estábamos gordos y, lo que era mucho peor, abatidos. Habíamos sido expulsados de un paraíso falso, y probablemente ésa fuera la causa de que hubiéramos perdido definitivamente la fe en poder llegar a uno de verdad. Si nuestro humor no cambiaba pronto, estaba más que claro que jamás llegaríamos a la India.

CAPÍTULO 51

Lanzando ayes y sudando avanzamos pesadamente bajo el sol a lo largo del Misisipi. Hacia el cielo se alzaban enormes árboles que nos infundían respeto con su altura. Por lo menos ya no me escocían tanto las nalgas. La única capaz de verle algo positivo a la situación era Rabanito, naturalmente:

—Al menos con tanto sudar perderemos algo de peso.

—Me alegro por aquellos de nosotros que lo necesiten —refunfuñó Susi, si bien dio la impresión de que quejarse le suponía un gran esfuerzo.

Ahora que nos encontrábamos desprotegidos en un lugar desconocido, tenía que lidiar nuevamente con sus inseguridades.

De manera que yo entendía por qué estaba de tan mal humor. Pero hay días en que se pueden entender las debilidades del otro y sin embargo sentir ganas de cerrarle la boca con una boñiga.

Tras una pesada caminata de dos horas los árboles desaparecieron de súbito, subimos un terraplén y nos vimos en una vasta pradera. Propuse pastar un poco, a Champion le sonaban de tal modo las tripas que las ardillas huían despavoridas. Allí la hierba no era tan jugosa como en la dehesa de nuestra última finca, pero no estaba mal y, sobre todo: la comíamos en libertad. Quizá, pensé agotada, debiéramos quedarnos en ese sitio. En un lugar que aunque no era paradisiaco nos proporcionaba agua y una comida aceptable.

—¡Mirad! —chilló Susi, arrancándome así de mis pensamientos.

Señalaba nerviosamente con el morro a un toro que venía hacia nosotros. Era mucho más imponente que Champion o que cualquier otro toro que hubiéramos visto en nuestra vida. Un animal grande, poderoso, bello. Sin embargo, su aspecto deslumbrante, soberbio, no era lo más impresionante en él. No, lo más impresionante era el color de sus manchas.

—¡Marrón! —exclamó Hilde.

Era la primera vez en su vida que veía a alguien que también tenía manchas marrones. ¡Y encima era un toro!

—Marrón... Marrón... Marrón... —balbucía.

Nunca la había visto tan confusa, tan enajenada.

El toro vino hacia nosotros decididamente con pasos elegantes, majestuosos. Manchas marrones nos miró con curiosidad. Un poco por encima del hombro, ésa fue la impresión que me dio. Se dirigió a Hilde sin preámbulos y le dijo:

—*Baby*, no sois de por aquí, ¿verdad?

Ella fue absolutamente incapaz de contestar. Era su sueño más íntimo: un toro con manchas como las suyas. ¡Un toro del que pudiera enamorarse!

—Me llamo Boss,* ¿y tú, *baby*?

—Marrón —balbució Hilde.

—Me alegro de conocerte, Marrón.

—Marrón.

—¿Sabes decir algo más que marrón, Marrón?

—Quiero tener.

—¿Quiero tener? —Boss parecía divertirse—. No te referirás a mí, ¿no?

—¡Marrón!

Madre mía, teníamos que ayudar a Hilde antes de que se fuera de la lengua. Me uní a ella y expliqué:

—En este momento mi amiga está un poco confundida...

—Claro, *baby* —dijo el marrón Boss sonriendo—, es una reacción vacuna de lo más normal al verme.

—Questo non tiene precisamente complejo de inferioridade —apuntó Giacomo.

—¿Y por qué iba a tenerlo? —inquirió Susi, visiblemente impresionada por el imponente cuerpo.

—¿Y por qué iba a tenerlo? —preguntó asimismo el toro.

—Marrón —repitió Hilde en señal de aprobación.

—¿Por qué habla así? —quiso saber Boss—. ¿Sus padres eran hermanos?

—No —dije yo—, pero es la primera vez que ve a un toro con manchas marrones.

—Bueno, pues ya va siendo hora de que conozca de verdad a uno —afirmó Boss, risueño, de forma inequívocamente ambigua y muy seguro de sí mismo.

Ese toro no sabía nada de inseguridades.

Hilde miró al suelo, ni siquiera podía mirarlo a los

* Jefe.

ojos, de cohibida que se sentía. El tipo había conquistado su corazón en un santiamén. ¡Increíble! Jamás habría creído que vería a Hilde tan cambiada.

—Pues tampoco es para tanto —farfulló, celosa, Rabanito.

—Eso mismo me parece a mí —bufó Champion, que ya no estaba acostumbrado a tener a otro toro a su alrededor. Y para colmo a uno que era mucho más grande que él—. Es demasiado vanidoso.

—Mira quién habla. —Se me escapó.

Champion me miró enfadado. Y no fue sólo el comentario lo que lo enfadó. No, su ira hacia mí tenía unas raíces mucho más profundas. Pero me daba lo mismo, al fin y al cabo había terminado definitivamente con él.

—¿Qué hacéis aquí? —preguntó Boss, y añadió, mirando de reojo a Champion—: Además de mirarme el miembro con cara de envidia.

—¡¡¡No miro con cara de envidia!!! —protestó Champion.

—Aunque sería comprensible —opinó Susi, impresionada con tan tremendo espectáculo—. ¡Con eso se pueden derribar árboles!

—Marrón —coincidió Hilde, que hasta entonces no se había interesado nunca por tales cuestiones.

Al menos no volvió a decir «quiero tener».

Champion bufó airado, le habría gustado cruzar los cuernos con el otro toro para reafirmar su masculinidad. Pero antes de que llegaran a eso y posiblemente él resultara herido por el fuerte macho, me interpuse entre ambos y conté:

—Estamos buscando un nuevo hogar.

—Ya —replicó Boss, clavando la vista en nosotros, sobre todo en las hembras—. Aquí no tenemos manchas negras, sólo marrones. Y nuestras vacas no tienen las redondeces que tenéis vosotras, a mis amigos les vais a encantar...

Y esbozó una sonrisa maliciosa. Me sentí reducida a mi aspecto.

—¿Es que hay más toros aquí? —preguntó, esperanzada, Susi, a la que nuevamente no le importaba nada quedar reducida a su aspecto.

—Pues claro, *baby*, somos diez en total.

—¡Guau! —exclamó Susi.

—¡Marrón, marrón, marrón! —celebró Hilde.

—Podéis uniros a nuestra vacada con mucho gusto —propuso el toro al tiempo que señalaba con el morro a lo lejos.

Allí, contra el sol vespertino, se distinguían algunas vacas con manchas marrones, algo que hizo que a Hilde casi se le parara el corazón de alegría.

—En nuestra pradera vivimos en libertad y sin personas —contó Boss.

¿Sin personas? Si eso era así, ciertamente no sería preciso que emprendiéramos el fatigoso camino a la India, algo para lo que de todas formas nos faltaban la fuerza y la voluntad.

—¡Nos quedaremos aquí! —dijo Susi, encantada.

Champion estaba menos entusiasmado, la perspectiva de que en esa pradera vivieran más toros de mayor tamaño y, sobre todo, mejor dotados, no le resultaba nada halagüeña. Y a Rabanito, claro estaba, no le hacía ninguna gracia cómo Hilde miraba al toro. De manera que mi pequeña vacada no estaba de acuerdo en cuanto a quedarse allí, razón por la cual yo, que era la líder, debía tomar la decisión. Aunque seguía soñando con la India, posiblemente fuera mejor vivir en libertad en ese sitio, en una pradera en condiciones, protegidos por toros fuertes. A saber qué peligros nos aguardaban aún y si conseguiríamos llegar a la India.

Boss planteó:

—Sólo debéis ateneros a unas reglas sencillas.

—Sin problema —respondí con resolución y para gran fastidio de Rabanito y Champion: en ese momento tomé la decisión de quedarnos allí por todos nosotros.

—Debéis honrar a los ancianos —dijo Boss.

—Por descontado —asentí.

—Y no podéis pelearos con las otras vacas cuando pastéis.

—Eso también está claro.

—Y las vacas deben obedecer las órdenes de los toros.

—Eh... ¿cómo dices? —inquirí perpleja.

—Debéis hacer todo lo que os digamos los hombres.

—¿¿¿MARROOOÓN??? —espetó Hilde.

—Eh... —repetí—, ¿y por qué tenemos que hacer eso?

—Porque nosotros somos los machos y vosotras las hembras —replicó Boss como si diera a conocer una ley de la naturaleza.

—Un argumento muy curioso —afirmó Rabanito.

—Y ni siquiera bien formulado —añadió Champion.

Acto seguido, Boss preguntó, con aire provocador:

—¿Qué clase de blandengue eres tú?

—En las últimas lunas llenas he aprendido que las vacas son muy capaces —repuso él—. Aunque a veces las mujeres son raras..., bueno, más que a veces..., mucho más que a veces..., llevan a cabo cosas que los toros no conseguiríamos hacer.

Ahora volvía a estar orgullosa de Champion. Qué curioso, pensé, había acabado definitivamente con él y de repente me sorprendía otra vez.

—Si os sometéis a nosotros, esto será un paraíso para vosotras —aseguró Boss—. Aprenderéis a amar a los toros. —Esbozó una sonrisa tremendamente pícara.

Fue la sonrisa más repugnante que había visto a un toro en toda mi vida.

Y Susi soltó:

—¿Le importa a alguien que vomite?

Por lo visto no quería volver a llevar una vida en la que únicamente fuera utilizada por los toros.

—No te cortes —la animó, asqueada, Rabanito.

—Mira a ver si le das en las pezuñas —sugerí.

—En la cara tampoco estaría mal —terció Champion.

Estábamos de acuerdo: ése no podía ser nuestro nuevo hogar. Sería aún peor que nuestra finca o la dehesa de las *cowgirls*, ya que allí no serían las personas quienes convertirían nuestra vida en un infierno, sino los de nuestra propia especie.

La única que no dijo nada fue Hilde.

Tras lanzarnos al resto una mirada asesina, Boss se dirigió a ella:

—¿Tú qué dices, Marrón? ¿Quieres renunciar a la buena vida con unos tipos de verdad como las locas de tus amigas?

Hilde no dijo nada.

Oh, no, no querría quedarse con él sólo porque tuviera sus mismas manchas, ¿no? ¡No podía ser!

Seguía sin decir nada.

¿Qué haría yo si Hilde quería quedarse con esos monstruos de toros? Tendría que dejar a mi amiga u obligarla a venir con nosotros por la fuerza. ¿Estaría bien? ¿Tenía yo derecho a hacer eso? Al fin y al cabo, vivir en una vacada así siempre había sido el sueño de su vida.

—Entonces qué, Marrón, ¿te quedas con nosotros? —Se interesó el toro.

Hilde abrió la boca para contestar, y yo contuve la respiración y confié en que no dijera «marrón».

—Negra —mugió.

—¿Te llamas Negra? —preguntó, desconcertado, el toro, aún seguro de sí mismo pero desconcertado.

—No, no me llamo así, ¡así es como estoy! —bufó enfadada Hilde al tiempo que le daba con la pezuña precisamente en la parte de su cuerpo de la que tan orgulloso estaba.

Champion apretó los ojos:

—Eso duele sólo de verlo.

—Questo laúd ahora tiene mala salud —coincidió Giacomo.

Boss pegó un aullido y salió corriendo hacia los suyos con el rabo entre las patas (y no me refiero a ése con el que normalmente se espantan las moscas). Mientras se iba aún nos dijo:

—Y estiraréis la pata solas.

Y Champion le chilló:

—Y tú nunca serás feliz con una vaca.

Nuevamente me sorprendía.

En cuanto a la advertencia de Boss, ni siquiera la tuve en cuenta por el momento. Estaba más que aliviada al saber que Hilde se quedaría con nosotros. Entonces se me pasó por la cabeza algo que Giacomo me había contado de la lejana India.

—Dime, en la India toros y vacas son iguales, ¿no? —le pregunté.

—Sí —me confirmó.

—En ese caso nos vamos a la India, ¡tardemos lo que tardemos! —le dije al resto.

—¡Tardemos lo que tardemos! —corearon las demás vacas.

¡El fuego había vuelto a nuestros ojos!

—¡Viva la emancipacione! —exclamó Giacomo.

Nos lo quedamos mirando, no sabíamos qué quería decir eso, y él estaba asombrado consigo mismo:

—Non habría pensado nunca que alguna vez diría algo cosí.

A continuación mugimos todos con más fuerza:

—¡NOS VAMOS A LA INDIA!

CAPÍTULO 52

Esa misma noche volaron sobre nosotros pájaros grandes plateados.

Giacomo nos llevó por campos, caminos vecinales y carreteras solitarias hasta un lugar llamado Minneapolis International Airport. Desde un montículo, y a una distancia prudencial, observamos cómo levantaban el vuelo y se posaban pájaros gigantescos. En la que fuera nuestra finca ya habíamos visto volar a esos pájaros inmensos muy alto en el cielo y, como hacían tanto ruido, suponíamos que sus digestiones eran mucho peores que las de Tío Pedo. Sin embargo ahora, vistos de cerca, nos dimos cuenta de que esos bichos tenían algo raro.

—¡Comen personas! —constató, horrorizada, Rabanito cuando vio que mujeres, hombres y niños desaparecían en las fauces de uno de los pájaros.

Lo curioso era lo bien que las personas aceptaban su destino. ¿Utilizaban los pájaros las mismas triquiñuelas con las personas que las personas con las vacas?

—Se lo tienen bien merecido —opinó Hilde.

A esas alturas, en la jerarquía de los seres vivos, para nosotros las personas se encontraban entre las garrapatas y las solitarias.

—Pero también las escupen —observó Champion al tiempo que señalaba con el morro otro pájaro de cuyas fauces salía un montón de personas.

—Seguro que es porque saben fatal. —Rabanito se estremeció.

Giacomo se rió de nosotros y aclaró que esos pájaros gigantescos no eran seres vivos, sino máquinas, similares a los cochies. Con ellas las personas volaban por todo el mundo. Y nosotros también volaríamos. Le explicamos que en una cosa así no nos meterían ni diez caballos, menos todavía un gato, tras lo cual él preguntó si queríamos ir a la India o no, a lo que nosotros no pudimos manifestar mucha oposición, y él dijo risueño que esa misma noche nos llevaría a bordo de uno de esos pájaros, y ello hizo que Hilde constatara que la vida se caracterizaba por ser más absurda cuando uno pensaba que ya no podía serlo más.

Giacomo nos indicó que nos quedáramos en el montículo mientras él exploraba el aeropuerto en las próximas horas. Después, por la noche, nos deslizamos hasta un matorral que se encontraba a unas treinta vacas de distancia de una barrera que vigilaban dos hombres provistos de escopetas que pugnaban por no quedarse dormidos.

El gato señaló un pájaro tremendamente grande que estaba detrás de la barrera y que llamó avión de transporte. Las fauces de ese monstruo se hallaban abiertas de par en par, y Giacomo nos susurró:

—Bene, tenemos que entrar ahí, pero antes hay que pasar por delante de los dos guardas.

—¿Y cómo vamos a hacer eso? —pregunté en voz baja.

—Tenéis que atropellar a los guardas.

—Un plan muy refinado —comentó Susi con ironía.

La frase podía haber sido de Hilde, pero desde el encontronazo con el toro con manchas marrones mi amiga no había vuelto a decir palabra. Empezaba a preocuparme.

Champion gruñó:

—Pues a mí el plan me gusta. —Y se dirigió a nosotras—: Vosotras quedaos aquí, a salvo.

Y antes de que alguna pudiera reaccionar, salió corriendo de las matas: Champion se precipitaba él solo al peligro por su vacada. Supuse que quería demostrarse —y probablemente también demostrarnos a nosotras— su virilidad.

Los guardas soltaron un grito y sacaron las escopetas, intentaron apuntar a Champion, pero él fue más rápido y los embistió. Los hombres cayeron al suelo y perdieron el conocimiento con el golpe. Nosotras echamos abajo la barrera y corrimos todo lo que pudimos —lo cual, gracias a las barrigonas fofas que habíamos echado, no fue mucho— para cruzar el recinto y llegar hasta una rampa que conducía al vientre del enorme pájaro. Una vez allí nos detuvimos, jadeantes, entre cajas. Cuando volvimos a respirar con cierta normalidad, a Rabanito le llamó la atención un detalle:

—¿Por qué están tan sujetas las cajas?

—Ya lo veréis —respondió el gato, y sonó a que la experiencia no sería muy divertida.

Poco después oímos un fuerte chasquido. Las fauces del pájaro se cerraron. Sin embargo, el interior no estaba completamente oscuro, ya que por las ventanas entraba la luz de las farolas del aeropuerto. De pronto, el gran pájaro comenzó a gruñir y a mí me vibró la panza. Teníamos demasiado miedo para acercarnos a las ventanas y ver qué pasaba. El hecho de que Giacomo cantara feliz y contento «¡Allá vamos!», más que infundirnos valor nos dejó consternadas. El pájaro de transporte se puso en marcha despacio, fue ganando velocidad y finalmente salió disparado por el terreno.

—¡Agarraos forte! —aconsejó el gato, y cogió con las patas uno de los cinturones que afianzaban las cajas.

—¿Por qué? —pregunté.

El pájaro se inclinó y salimos despedidos contra las cajas.

—Por questo —repuso Giacomo mientras el pájaro se despegaba del suelo.

Rodamos por el vientre del pájaro hasta acabar todos amontonados en un rincón, contra la pared. Paralizados por el miedo, miramos por las ventanitas y vimos que el pájaro se alejaba cada vez más de la tierra. Bajo nosotros, en la noche, se veía un sinfín de luces, y yo hasta creí distinguir el Misisipi, por cuya orilla avanzáramos esa misma tarde.

El pájaro de transporte subía cada vez más, hasta llegar a una niebla blanca que se volvía más densa por segundos. Rabanito fue la primera en darse cuenta de qué era esa niebla:

—Son... Son las nubes...

Los pájaros normales no volaban tan alto. El nuestro, sin embargo, volaba incluso atravesando las nubes. Y daba tremendas sacudidas. Poco después se niveló y avanzó apaciblemente por el aire. Las vistas que se nos ofrecían ahora eran impresionantes. El sol salía sobre las nubes, que quedaban por debajo, bañadas de rojo. Naia mía, ¡estaban bajo nosotros!

—Éste no es lugar para una vaca... —se lamentó Susi.

—Ni tampoco para las personas... —añadió Champion.

—Y sin embargo aquí estamos... —constaté yo, maravillada.

—Y es increíble —aprobó, respetuosa, Rabanito.

Lo era.

Éramos vacas voladoras.

Muy cerca del cielo.

CAPÍTULO 53

El sol ya había salido por completo e iluminaba a través de las nubes un mar azul infinito sobre el que volaba el pájaro. Sólo entonces fui capaz de apartarme despacio de la ventana. Y sólo porque Susi se retiró y afirmó:

—Al cabo de un rato hasta unas vistas así se vuelven aburridas.

Fue a tumbarse, y Rabanito, que también estaba cansada, se acomodó en el mismo rincón. Champion, en cambio, seguía mirando con cara inexpresiva por una de las ventanas, parecía absolutamente sumido en sus pensamientos. Lo dejé solo y me acerqué a la silenciosa Hilde, que contemplaba el mar con aire meditabundo.

—¿Te encuentras bien? —le pregunté, pues temía que el asunto del terrible toro con manchas marrones le hubiera infligido profundas heridas.

—Nunca he estado mejor —afirmó con una sonrisa ancha y radiante.

—¿De verdad? —pregunté sorprendida.

—Me he pasado la vida entera pensando que no estaba donde debía por ser diferente de todos vosotros. Por eso levanté una cerca alrededor de mi corazón y no me abrí del todo a nadie. Me construí mi propia prisión.

—¿Y ahora? —inquirí, confusa. Tenía miedo de que pudiera sentirse mucho más perdida que antes.

—Ahora sé que estaba equivocada con mi sueño. Ya no me hace falta esa cerca alrededor del corazón. ¡Vosotros sois mi vacada! ¡Mi sitio está con vosotros!

Y me hizo unos mimos tan cariñosos, tan tiernos, como no le había visto nunca y que no la habría creído capaz de hacer. Unos mimos que sólo podían salir de una vaca que fuera feliz de verdad.

De manera que también se podía encontrar la felicidad cuando se hacía añicos el sueño de toda una vida. Y de ese modo se valoraba lo que se tenía.

Con tan sorprendente pensamiento me tumbé asimismo en un rincón, y Hilde se unió a mí. Después de todas las fatigas del último día, los ojos se me cerraron deprisa y me quedé dormida. Para mi pesar, en sueños fui consciente de que aunque sobre las nubes la libertad no tenía límites, no todos los miedos ni todas las preocupaciones quedaban ocultos debajo y de que aquello que nos parece grande e importante no perdía importancia y empequeñecía, no, por desgracia lo perseguía a uno incluso por encima de las nubes. E incluso se acercaba. Cada vez más:

Old Dog tenía el morro ensangrentado, el rojo de la sangre mezclándose con el blanco de la nieve en su pelaje. Miré a mi alrededor, presa del pánico, no veía por ninguna parte a mi pequeño ternero blanco.

Sin embargo, no seguí buscándolo, estaba firmemente decidida a hacerme con el control de ese sueño, por espeluznante que fuera. De manera que le solté a Old Dog:

—No puedes seguirnos. Te quedaste en Nueva York, y nosotros estamos en un pájaro de transporte que es imposible que conozcas, ya que hasta hace nada ni siquiera nosotros sospechábamos que nos subiríamos a él...

—Pude seguirte hasta Nueva York. Y te perseguí en tus sueños. ¿Acaso crees que no podré encontrarte en cualquier lugar del mundo?

Por desgracia era un buen argumento.

—Os mataré a ti y a tu pequeño aquí, en el Himalaya...

En otras circunstancias posiblemente hubiese preguntado qué era y dónde se hallaba exactamente el Himalaya ese, pero estaba demasiado ocupada en orinarme la pata de miedo, lo que a su vez indicaba que no había podido hacerme con el control del sueño.

Old Dog se rió.

—Lo haré cuando más feliz seas.

Y me empujó con el morro en el morro.

Una y otra vez.

Me pregunté qué significaría eso. Pero él no paraba de darme empujones...

Hasta que desperté y comprobé que era Champion, que me daba en el morro con el suyo en la vida real. Me pidió en voz queda:

—¿Podemos hablar?

Lo preguntó en un tono que no admitía un no por respuesta. Además, aún estaba demasiado aturdida debido al terrible sueño para contradecirle. Champion me propuso que fuera con él para no despertar al resto. Nos dirigimos al otro extremo del vientre del pájaro, y al hacerlo vi por las ventanitas que para entonces el mar ya había dado paso a la tierra y nos aproximábamos a unas enormes colinas rocosas.

—Estaría bien que pudieses ver la vida con otros ojos —dijo él cuando nos detuvimos en la otra pared.

—¿Con qué ojos?

—Con los míos, por ejemplo.

—Entonces me vería mirándole el trasero a Susi.

El miedo que seguía teniendo metido en los huesos debido al sueño se vio acallado por la rabia por todo lo que me había hecho.

—No sería así —aseguró Champion.

—¿Las ubres?

—No verías nada de Susi —respondió—. Ni siquiera la miro.

—¿Cierras los ojos cuando fblmfeas con ella?

—¿Cuando hago qué con ella? —inquirió él perplejo.

—Nada, olvídalo.

—Lo haré con gusto —contestó Champion serio—. No hago nada con Susi. Y no he hecho nada ni con ella ni con nadie desde que perdí la memoria. ¿Y quieres saber por qué?

—Sí —repliqué, insegura de pronto al ver a Champion tan decidido.

—Porque en el fondo creo que podemos ser felices juntos. Y con «podemos» me refiero también a ti. Pero siempre te interpones, porque buscas la perfección: el paraíso perfecto, el toro perfecto, que evidentemente no soy yo...

—Evidentemente... —repetí con cierta obstinación aún.

—Lo bueno no es el enemigo de lo mejor, sino lo mejor de lo bueno.

De algún modo no me hacía gracia cuando hablaba con tanta sensatez. Y seguía:

—Cuando uno sólo busca lo mejor, no disfruta de lo bueno que tiene.

Tenía sentido.

—Danos una oportunidad —me pidió. Ferviente, encarecidamente.

Aparté la mirada, completamente confusa, ahora el pájaro de transporte sobrevolaba las enormes colinas, que estaban nevadas. Sin duda habría visto la horripilante relación de esas gigantescas colinas blancas con mi sueño de no haber estado tan conmocionada. Miré al resto: Hilde había encontrado la felicidad, en el caso de Rabanito anidaba en su corazón, Giacomo al menos tenía una idea de cómo volver a ser feliz, Susi probablemente lo fuese cuando recuperara de una vez la autoestima. ¿Por qué resultaba más fácil ver lo que necesitaban los demás para ser felices? Y Champion... Champion luchaba conmigo para ser feliz. Seria y sinceramente. Había crecido en el viaje.

Hurlo mío, ¿cuándo había sucedido exactamente?

La respuesta era: en todos aquellos momentos en los que dijo algo conmovedor o cierto. O hizo algo valeroso. Como por ejemplo cuando pensó en los nuestros muertos, cuando se enfrentó a Boss, cuando se abalanzó sobre Old Dog en Nueva York o cuando asumió la responsabilidad de la vacada y atropelló él solo a los guardas para que no tuviésemos que exponernos nosotras a las escopetas.

Momentos que yo no había sabido apreciar debidamente.

Quizá hubiese llegado el momento de que también yo empezara a crecer.

Pero no tuve ocasión...

Porque el enorme pájaro bobo comenzó a caer en picado.

CAPÍTULO 54

Primero tan sólo unos segundos.

Champion y yo nos dimos contra el suelo con el morro.

Las demás salieron rodando y se despertaron.

Luego el pájaro recuperó el equilibrio.

Susi gritó:

—¿Es que no hay manera de descansar?

Pues no: acto seguido entraron corriendo dos hombres.

—Comandante, ¡pero si son vacas! —exclamó uno.

—Anda, y yo que pensaba que eran hámsters.

—¿En serio?

—¡NO!

—Ah.

—No me extraña que nos hayamos quedado sin combustible, con tanto sobrepeso.

—¿Cómo han llegado aquí estos bichos?

—¿Acaso importa?

—Teniendo en cuenta que sólo tenemos unos minutos, no.

Ambos hombres salieron despavoridos.

—¿Qué pasa? —le pregunté a Giacomo.

A modo de respuesta, el gato juntó las patas y musitó:

—Dio mio, perdona los míos pecatos...

—¿Por qué no me gusta su reacción? —le pregunté a Hilde.

El pájaro volvió a caer, esta vez más rápido aún.

Durante unos minutos quedamos suspendidos entre el suelo y el techo, ingrávidos.

Ahora sí que éramos vacas voladoras.

Y era...

Una sensación de auténtica mierda.

Algunos de nosotros nos deslizamos descontroladamente boca arriba.

Otros se hicieron pis del susto.

Lo cual fue especialmente desagradable para los que flotaban justo debajo.

Mirando hacia arriba.

Así que no fue de extrañar que mugiéramos aterrorizados.

Y algunos de nosotros además asqueados.

Después, el inmenso pájaro volvió a enderezarse.

Pero ello no nos tranquilizó.

Ni siquiera un poco.

Probablemente influyera el hecho de que un ala del enorme pájaro estaba en llamas.

—No creo que eso sea una buena señal —aventuró Champion, asustado.

—Muy perspicaz —apuntó Hilde.

—Yo ya dije que éste no era sitio para una vaca —repitió, llorosa, Rabanito.

—¡Y las personas ya no están aquí! —afirmó Susi mientras señalaba con el morro por la ventana.

Allí, junto al avión, las dos personas planeaban con algo parecido a un paraguas.

—Me temo que eso tampoco es una buena señal —vaticinó Champion.

—Pero ¿cómo han salido de aquí? —quiso saber Susi.

—¿Y de qué cuelgan? —añadió Rabanito.

—Ni idea —respondió Hilde—. Pero, sea lo que sea, yo también quiero una cosa de ésas.

Ahora el pájaro descendía despacio con el morro hacia abajo.

—Esto desde luego no es una buena señal —insistió Champion.

—¿Quieres parar de decir lo que de todas formas pensamos? —espetó Hilde, muy irritada.

El pájaro seguía bajando, cada vez más deprisa.

Las llamas del ala golpeaban una ventana.

—Dio mio, perdona que haya llevado a questas vacas a la morte...

A continuación el pájaro se precipitó en picado a la tierra.

Caímos por el vientre del pájaro.

Y gritamos.

Y gritamos.

Hasta que dejamos de gritar.

Me di con el morro contra una de las cajas.

Me desmayé.

—No sé quién será ese «Dio mio» —oí decir aún a Susi—, pero yo, desde luego, no te perdono.

CAPÍTULO 55

Algo me mordió el rabo. Me dolió de lo lindo, casi tanto como la bofetada de calor que me dio en la cara. Abrí despacio los ojos: delante de mí, ni a diez vacas de distancia, el enorme pájaro derribado ardía como una tea. Qué bien que en realidad no fuera un ser vivo, pues de lo contrario el sufrimiento habría sido atroz. Y qué mal que yo sí lo fuera, ya que las llamaradas avanzaban peligrosamente hacia mí, y yo estaba demasiado débil para moverme, más aún para salir corriendo. Las chispas que saltaban del pájaro me quemaban la piel, pero eso no era nada en comparación con el dolor que sentía en el rabo. ¿Qué demonios podía pegar esos mordiscos?

Sea lo que fuere, ahora me tiraba de la cola, con la

fuerza de un toro. Tendida en el suelo, de lado, algo me alejaba de las llamas, pasando por grandes piedras, algunas puntiagudas, otras puñeteramente puntiagudas. Sin embargo, casi aguanté con gusto el dolor, pues poco a poco fui comprendiendo que alguien intentaba salvarme la vida y, de ese modo, también la del ternero que crecía en mí. ¡Seguro que era Champion!

Sólo cuando me hallaba lo bastante lejos del pájaro me soltaron y me vi entre otras vacas inconscientes: Hilde, Rabanito; incluso Giacomo, el gato, estaba allí con los ojos cerrados. Al igual que... ¿Champion? Lo que significaba..., lo que significaba que ¿Susi me había salvado?

—Por favor... —La oí quejarse—. Estás tan gorda que casi se me desencaja la mandíbula.

Alcé la vista: en efecto, era Susi, y hacía toda clase de muecas con el morro, como si quisiera enderezar la quijada.

Traté de levantarme, pero nada más estirar las patas traseras oímos un ruido atronador: el enorme pájaro estalló en una bola de fuego inmensa que salió despedida hacia el cielo, y una poderosa oleada de aire caliente me lanzó al suelo. Se produjo un ruido ensordecedor, fue como si me reventaran los oídos, eso si no me reventaron. En cualquier caso, apenas oía nada salvo un pitido. A nuestro lado cayeron estrepitosamente partes del pájaro en llamas.

Cuando la lluvia hubo apagado las partes incendiadas y ya sólo salía humo de los restos, fui consciente de que sin Susi también yo sería un resto humeante.

Me levanté, y los demás me imitaron. Tenían arañazos, raspaduras que sangraban y la piel chamuscada, pero no había nadie herido de gravedad. El pitido que tenía en los oídos fue desapareciendo poco a poco, y entonces oí decir a Susi como si estuviera muy lejos:

—Creí que no os podría sacar a todos.

Por un momento se me pasó por la cabeza que si contaba con que no podría salvarnos a todos y decidió dejarme para el final, eso quería decir que..., que era ingrato pensar algo así. Susi había arriesgado la vida por nosotros, también por mí, cuando podría haber puesto pies en polvorosa.

Susi estaba radiante, sumamente orgullosa de sí misma. Era la primera vez que se sentía orgullosa, realmente orgullosa. Y no tenía nada que ver con que fuese o no el objeto de deseo de un toro. Se había superado a sí misma en el momento más crítico, y al hacerlo había descubierto algo en su interior que ni ella ni nosotros suponíamos que tenía: valor para actuar cuando no podía recurrir más que a ella misma. Un valor que sólo se puede encontrar cuando llega la hora de la verdad, cuando los cobardes se convierten en héroes y los héroes en cobardes. Ese descubrimiento confirió auténtica autoestima a Susi, y por ello estaba tan radiante y era tan feliz.

De modo que la felicidad también es averiguar lo que hay en uno.

—Y ahora, ¿cómo salimos de aquí? —le preguntó Hilde al gato—. No se ve ningún otro pájaro.

—Y aunque lo hubiera, yo no me volvería a subir a una cosa así —constató Champion.

Giacomo se retorció con la pata el pelo del chamuscado bigote y repuso:

—Io non tengo ni la más remota idea de dónde estamos.

Miré a mi alrededor y vi que nos rodeaban gigantescas colinas rocosas cubiertas de nieve. Hasta el momento no me había dado cuenta del frío que hacía gracias al pájaro incendiado, pero poco a poco me iba quedando helada. Ante nosotros se hallaba el sendero angosto y pedregoso con el que había soñado. En ese instante también a mí me habría gustado no tener ni la más remota idea de dónde estábamos. Pero, naturalmente, sabía que nos encontrábamos en el lugar que en mi última pesadilla Old Dog había llamado Himalaya. Por desgracia también sabía por dónde teníamos que ir. Señalé con la pezuña el camino nevado que parecía llevar al cielo y dije:

—Tenemos que ir por ahí.

Lo cierto es que esperaba que los demás me dijeran que ya no era la que llevaba la voz cantante, pero Susi estaba tan rebosante de energía que manifestó:

—También podremos con eso.

Y Hilde añadió:

—Nuestra vacada puede con todo.

Rabanito se rió y dijo:

—Disfruto cada momento que paso con vosotros.

Y Giacomo, que estaba decidido a llevarnos a la India, gritó:

—¡Uno para todos, todos para uno!

Y las otras tres mugieron:

—¡TODOS PARA UNO, UNO PARA TODOS!

El único que no decía nada era Champion. Me lanzó una mirada penetrante y lo supe: allí, en el Himalaya, también se decidiría nuestra dicha o desdicha en el amor.

CAPÍTULO 56

Avanzábamos a duras penas por la nieve, más profunda cuanto más subíamos. Al principio sólo era una capa fina y mojada que cubría los guijarros; ahora nuestras pezuñas se hundían en ella. Y el sendero era cada vez más estrecho, si en un primer momento aún podíamos caminar varios a la par, ahora sólo podíamos hacerlo de dos en dos. Sobre nosotros se cernían nubes, ¿caería después la nieve que yo había visto en el sueño? Por otra parte, mi ternero aún no había nacido —faltaban dos o tres semanas para el parto—, y en el sueño ya había venido al mundo. Debido a ello cabía esperar que el sueño no fuese un mal presentimiento, de modo que no nos toparíamos con Old Dog y yo tendría a mi pequeño en la India, bajo el cálido sol.

Avanzábamos con valentía por la nieve. Susi parecía cambiada, del frío comentó como si tal cosa:

—Qué bien que ahora estemos tan gordas, así tenemos menos frío.

Hilde se rió y dijo:

—Ten cuidado, si sigues así vas a empezar a caerme bien.

Ambas eran felices y ya no se peleaban. De manera que las discusiones pasadas no tenían su origen en el hecho de que fuesen tan distintas, sino en que las dos eran infelices y lo pagaban con los demás.

Rabanito observó a Hilde y me susurró:

—Me gusta ver reír así a Hilde.

En efecto, nos hallábamos en una región inhóspita, en la que probablemente no hubiera estado nunca una vaca, pero Hilde se reía. La cerca que había ido levantando alrededor de su corazón durante todos estos años había caído de una vez por todas.

Rabanito la quería, y se alegraba desinteresadamente de que fuera feliz, tanto si Hilde le correspondía como si no. Rabanito no buscaba la perfección, sino que era feliz con lo bueno.

Susi se situó a mi lado y dijo, satisfecha consigo misma:

—Os salvé.

—Gracias —repliqué con sinceridad.

—De no ser por mí habríais muerto.

—Gracias —repetí.

—Tú también.

—Lo sé —repuse, e intenté no pensar que empezaba a resultarme un poco pesada, pues era de desagradecida.

—Sin mí te habrías achicharrado enterita. —Se rió.

—Es posible —mascullé, y también intenté no pensar que me parecía más maja sin autoestima.

—¡Soy mucho mejor que tú! —dijo ella entre carcajadas.

—Mmm... —Me mordí la lengua.

—Venga, va, admítelo.

Seguí callada e intenté no pensar que quizá hubiera sido mejor que no me hubiese salvado. O que se le inflamaran de pronto las cuerdas vocales.

En ese momento se oyó un plaf.

—¿Plaf? —inquirió Susi.

—¿Plaf? —Me pregunté, al tiempo que me detenía.

¿Qué ruido era ése?

¿Y qué líquido era el que me corría por la pata hasta la nieve?

Rabanito sonrió y el resto se detuvo.

—Yo sé lo que es.

—¿Y? —pregunté, de pronto sin saber muy bien si de verdad quería saberlo.

—Sobre lo que te acaba de pasar la abuelita Hamm-Hamm se sabía una canción. ¿Quieres oírla?

—¡No! —aseguré.

—Dice así —contestó ella sin inmutarse. Y se puso a cantar:

> El amnios has broken
> like the first amnios...
> el ternero has spoken,
> like the first ternero...

No, mierda, ¿había llegado el momento?

> Celebra tu cérvix,
> celebra el dolor...

¿¿¿El dolor???

> Celebra a tu hijito, con todo tu amor.

Noté los primeros dolores. ¡Naia mía! Así que ¡había llegado el momento!

> Dulce es la vida
> que llega al mundo,
> desde el momento
> del coscorrón.

Mi ternero llegaba antes de tiempo.

> Celebra al ternero,
> y al papaíto,
> será una niña
> o saldrá con...

Al menos Rabanito no terminó esa frase.

El dolor será tuyo,
y el sufrimiento,
divertimento,
eso, no tendrás.

De eso estaba bastante segura.

Celebra el dolor,
pon a prueba el corazón.
Vívelo con alegría,
éste será un gran día.

Por lo menos sería un día muy, muy interesante.

CAPÍTULO 57

¡Dolía mucho!

¿Por qué, por qué dolía tantísimo?

Las vacas teníamos a nuestros terneros de pie, sí, pero de puro dolor me habría gustado hundirme en la nieve y quedarme ahí para siempre.

Los demás estaban a mi alrededor, querían aguantar a pie firme conmigo, literalmente.

—¡Lo conseguirás! —me animó Hilde.

El dolor era tal que no daba crédito.

—Estamos contigo —afirmó cariñosamente Rabanito.

No estaba muy segura de que fuese buena idea parir delante de tanta gente. Resultaba más bien desagradable que todos presenciaran cómo iba perdiendo el control de mí misma sin prisa pero sin pausa.

—Al ver esto, se le quitan a una las ganas de tener un ternero —confesó Susi.

En el caso de Susi estaba bastante segura de que no quería que estuviese presente.

—E io me alegro de ser un huomo —aseguró Giacomo.

Sentí un dolor especialmente intenso y mugí a pleno pulmón.

—¿Quieres que te cante algo para tranquilizarte? —se ofreció la pobre Rabanito.

—¡Ni se te ocurra!

—Porque me sé una canción de lo más animado.

—¡¡¡NO!!!

—Dice así...

*Here comes my baby...**

Entre dolor y dolor le chillé:

—¡SI CANTAS UNA SÍLABA MÁS, TE MATO!

Durante un segundo no dijo nada.

Y después:

—También me sé una poesía muy bonita...

La fulminé con la mirada.

—... Que creo que no quieres oír —añadió.

—Eres molto perspicaz —observó con ironía Giacomo.

—Gracias —le contestó Rabanito, que tampoco esa vez captó la ironía.

El único que no dijo ni mu en todo el tiempo, algo muy de agradecer, fue Champion.

El dolor era cada vez mayor, tenía la sensación de que se me iba a desgarrar el bajo vientre entero. Y me vino a la cabeza la razón por la cual las vacas teníamos que pasar por semejante tormento al parir.

* Aquí viene mi pequeño.

Por qué Naia creó los dolores

La lombriz de tierra fue a ver a Naia, que en ese momento pastaba al sol. A la diosa vaca le sorprendió que la lombriz tuviera la cara tan verde. Quiso saber qué le había sucedido, y ella respondió:

—Tus vacas, me han sucedido.

Naia no entendió la respuesta, y la lombriz de tierra empezó con sus lamentos:

—Naia, las vacas te veneran y siguen tu ejemplo. Se pasan todo el tiempo haciendo el amor, como hacéis Hurlo y tú.

Naia no pudo evitar reír.

—¡Excelente! Así están satisfechas.

—No, si desde luego ellas sí que lo están, pero ¡nosotras no! —replicó con amargura la lombriz—. Las vacas se reproducen más que los conejos, y ahora hay más vacas que todas las demás criaturas juntas, y les quitan la comida; pero eso no es lo peor.

—Entonces, ¿qué es? —preguntó, preocupada, Naia.

—Los gases.

—¿Los gases? —Naia estaba confusa.

—Son tantas tus vacas que con sus digestiones nos quitan el aire a los demás.

Ahora entendía por qué la lombriz tenía la cara tan verde. De pronto. Naia oyó a cierta distancia un fuerte chasquido y vio una bola de fuego. Quiso que la lombriz le contara qué había sucedido, y ésta le respondió:

—Es otra luciérnaga que ha saltado por los aires en una nube de gas.

Naia se quedó muda de espanto, y la lombriz contó:

—De todos los animales, las luciérnagas son las que más odian a todas esas vacas.

Naia, que lo entendía perfectamente, le pidió consejo a la lombriz. Sin embargo, lo que ésta le recomendó le quitó el habla:

—Lo mejor será que Hurlo y tú no hagáis más el amor.

Eso a Naia le resultaba impensable, de forma que prefirió crear un movimiento interno que se ocupara de que las vacas no quisieran tener terneros con demasiada frecuencia: los dolores. Y aunque los dolores fueron muy importantes para el bienestar del mundo, la propia Naia no quiso sufrirlos.

Sufrir era una buena palabra. Los dolores empezaban a resultarme insoportables. Y ahora odiaba a Naia más aún de lo que se odiaba ella misma. ¿Acaso no pudo crear la muy tonta alguna planta que impidiera a una vaca concebir si se la comía?

El sufrimiento era indecible, y yo mugí y mugí y mugí como nunca en mi vida. Mientras, Giacomo, que miraba las montañas nevadas, comentó:

—Esperemos que con tanto mugido non se desencadene una avalanchia.

—¿Qué es una avalanchia? —preguntó Hilde.

—Un gelato que nos deja hechos un plato.

Los dolores se sucedían a intervalos cada vez más cortos, y yo chillaba aún más fuerte.

—Me temo que en los próximos minutos no creo que Lolle vaya a bajar la voz —le susurró Hilde al gato.

Ahora gritaba a pleno pulmón, a punto de enloquecer. Entonces Champion me dijo en voz baja y sin embargo firme:

—Estoy contigo, siempre lo estaré.

Dos frases.

Dos simples frases.

Que de pronto hicieron que soportara todos los dolores.

CAPÍTULO 58

El ternero cayó en la nieve debajo de mí y nada más hacerlo empezó a mugir para que sus pequeños pulmones pudieran llenarse de aire por vez primera. De forma que oí a mi hijo antes de verlo. Apenas percibí sus dulces, torpes mugidos, todos mis dolores infernales se esfumaron.

Me hice a un lado para ver al pequeño, que se levantó sobre las delgadas y vacilantes patas y mugió con su débil vocecita. Aunque estaba todo pegajoso y, por tanto, ni siquiera podía abrir los ojos del todo, era hermosísimo. Me acerqué a él de inmediato para darle lametones, y se calmó en el acto y dejó de mugir. Disfrutaba de mi cercanía, y me regaló su amor incondicional desde el primer segundo. Y yo a él el mío.

Mientras le limpiaba los ojos, Giacomo dijo en voz baja:

—Chupar questo è un poco asqueroso...

Y Susi añadió con repugnancia y sin molestarse lo más mínimo en hablar bajo:

—Ahora sí que estoy segura de que no quiero tener hijos.

Pero ni siquiera ella fue capaz de fastidiarme ese momento maravilloso.

Hilde rió y dijo:

—Es una niña...

Cierto, era una niña. Una niñita preciosa con la piel completamente blanca, sin una sola mancha negra, como si fuese de nieve. Ese ternero era muy especial. No sólo porque fuese mío.

También Champion susurró:

—Una niña.

Y en su voz había amor y respeto por la recién nacida.

Orgulloso y feliz, pero también cauto, se acercó a nosotras. Cuando terminé de limpiar a la pequeña, él me dio un lametón en el morro. Con cariño y delicadeza. Jamás habría pensado que pudiera ser tan tierno.

—Questo se pone cada vez más asqueroso —aseguró Giacomo.

Caían los primeros copos de nieve, y la pequeña temblaba debido al viento. Instintivamente, con torpeza se metió debajo de mí para protegerse del frío.

—¡Es tan mona! —exclamó con alegría Rabanito—. Por favor, ¿puedo ser su tía, aunque no sea su verdadera tía? —Y comenzó a dar saltitos nerviosos alrededor de mí y de la ternera mientras me miraba con unos ojos como platos—. ¡Por favor, por favor, por favor!

No pude evitar reírme.

—Serás la mejor tía del mundo.

—Vaya sí lo seré —aseguró, jubilosa, Rabanito.

—¿Y cómo se va a llamar la piccola? —preguntó Giacomo.

Hasta ese momento no me había parado a pensar en ello, todo había sido muy movido, y además la pequeña había venido al mundo antes de tiempo. Miré sin querer a Champion, que se limitó a esbozar una sonrisa tímida, a todas luces él tampoco había pensado en eso.

Caían más copos de nieve, y Hilde apuntó:

—Siento interrumpir la búsqueda de nombre antes incluso de que haya empezado, pero necesitamos un lugar a cubierto para dormir.

Y Susi precisó:

—De lo contrario a la pequeña no le hará falta el nombre.

Sonó brutal, pero lo había dicho con absoluta preocupación. Nosotras, vacas gordas, podíamos aguantar bien el frío, pero mi ternerita flaca no. En ese momento supe cuál era la primera ley de una madre: cuanto más ama una a su ternero, tanto más se preocupa por él.

—No es muy probable que por aquí haya algún lugar adecuado para dormir —razonó Susi.

—De todas formas tenemos que buscarlo —zanjó, resuelto, Champion, y nadie le contradijo.

El grupo se puso en movimiento. Champion y yo situamos a la pequeña entre ambos para que el viento le diera lo menos posible y avanzamos muy despacio para no cansarla. Tenía frío y tiritaba, pero así y todo se sentía protegida entre su madre y su padre.

Su madre y su padre...

... Qué bien sonaba.

Mientras subíamos lentamente el sendero hacia la cima, bajo una nieve cada vez más copiosa, recé: querida Naia, a lo largo de las últimas lunas llenas me has ido dando menos motivos para creer en tu bondad, por no mencionar en tu inteligencia. O incluso en tu mera existencia. Mi enfado contigo ha ido en aumento y, para ser sincera, puedes estar contenta de que entretanto no te hayas topado conmigo en la oscuridad. Pero ahora me dirijo a ti: por favor, por favor, por favor, no permitas que mi pequeña muera de frío. Haz que encontremos refugio. Si no escuchas esta plegaria, te prometo que no volveré a creer en ti. Ni volveré a dirigirte uno solo de mis pensamientos.

En ese momento, Hilde anunció:

—¡Ahí hay una cueva!

Alcé la vista al nevado cielo donde suponía a Naia y sonreí agradecida. Tal vez debiera haberla amenazado antes.

Champion y yo condujimos despacio a la ternera hasta la entrada de la cueva, que se adentraba en las profundidades de la roca. Entramos, contentos de librarnos de la nieve y el cortante viento, y empezamos a calentarnos. Aunque la pequeña seguía helada, sobreviviría a la noche. Se me acercó a las ubres y supe exactamente lo que quería. Le di leche... Un procedimiento que fue tan insólito como increíble. Insólito porque era un ser vivo el que extraía la leche de mi cuerpo, y no una fría ordeñadora, e increíble porque estaba alimentando a mi pequeña, le daba vida y fuerza, y al hacerlo establecía con ella una proximidad y un cariño que no había sentido antes.

Cuando se hubo saciado, las dos nos tumbamos en el pedregoso suelo de la cueva y ella se pegó a mí, aunque seguía temblando y, por tanto, no conseguía dormirse. Yo le podía dar algo de calor, pero no era suficiente para que se sintiera bien del todo. Miré a Champion: en ese momento, para sentirse segura, la ternera necesitaba no sólo a su madre sino también a su padre. Champion lo entendió en el acto y se unió a nosotras, de manera que ambos le dimos calor a la pequeña, que dejó de tiritar y se quedó dormida entre los dos.

Los demás ya roncaban, mientras fuera, ante la cueva, dejaba de nevar. La noche cayó, la luz de las estrellas nos iluminaba débilmente, y nosotros dos seguíamos mirando a nuestra pequeña ternera blanca, que dormía. No nos cansábamos de hacerlo.

—La quiero —le dije a Champion en voz baja, para no despertar a la pequeña.

—Y yo —aseguró él—, tanto que duele.

—Un dolor de una belleza inmensa —convine.

—Y a ti también te quiero —musitó Champion.

Me dejó sin habla un instante. Nunca me lo había dicho. Ni siquiera cuando todavía no había perdido la memoria y vivíamos en la finca.

Claro que ahora éramos dos vacas muy distintas.

Él ya no era el toro impetuoso que sólo pensaba en sí mismo, ni yo la vaca tonta romántica que a su manera, con el sueño de fundar una familia, también pensaba sólo en ella misma.

Y le contesté:

—Yo también te quiero.

Nos miramos a los ojos, una mirada profunda, rebosante de amor. Con nuestra ternerita en medio. Nunca en mi vida había sido tan feliz.

CAPÍTULO 59

—*Seguro que te acuerdas de lo que te dije, ¿no?* —*dijo risueño Old Dog, el morro ensangrentado.*

Se hallaba frente a mí, en esa senda del Himalaya, justo al lado de la flor helada.

—*¿Que debería hacer un muusical?* —*respondí débilmente mientras la nieve me daba en la cara.*

Rió con mi evasiva respuesta y constató:

—*Así que te acuerdas.*

—*Vienes cuando más feliz soy...* —*confirmé con un hilo de voz.*

Esta vez no me desperté chillando, sino temblando. Y no porque fuera nevase otra vez: si tiritaba era de miedo. Estaba segura de que ese día vería a Old Dog. Sabía dónde me encontraba, ya que podía deambular en mis sueños, de eso estaba más que convencida. Y había tenido tiempo de sobra para venir desde Nueva York mientras nosotros estábamos con las wagyus. Ese día se decidiría mi destino. Y el de mi hija. Y el de mi toro.

Mi toro...

Eso también sonaba bien.

La pequeña abrió los ojillos antes que nadie y quiso mamar acto seguido. Champion despertó al oír los ruiditos que hacía. Nos miró a las dos con ternura y sonrió:

—Ahora veo las ubres con otros ojos.

A pesar del miedo que sentía, no pude por menos de sonreír. Era tan bonito: estaba allí con mi familia.

Mi familia...

Eso era lo que mejor sonaba.

Tenía la familia que había querido tener siempre, desde que viera a las efímeras Zumbi y Pumbi. Sólo que era distinto de lo que pensaba. Mejor. ¡Mucho mejor! Con un dulce ternerito. Con hermanas como Hilde, Rabanito y, sí, incluso Susi (también tiene que haber hermanas un poco pesadas), un gato por tío y un toro de lo más cariñoso y tierno. Eso me hacía feliz, aun cuando significara que Old Dog aparecería.

Los demás fueron despertando despacio, pero nosotros dos, los padres, apenas les prestamos atención, embelesados como estábamos con nuestra pequeña.

—Eh... ¿Alguien ha visto eso? —preguntó Susi conmocionada.

Champion y yo no le hicimos el menor caso.

—¡¡¡Ahhh!!! —Rabanito se asustó.

Entonces sí mostramos interés.

Aparté a la pequeña de las ubres —ya se había saciado, ahora sólo chupeteaba— y miré al resto, que a su vez tenía la vista clavada en un montón de huesos que había en un rincón, en los que la noche anterior, agotados como estábamos, no reparamos.

—Alguien hizo en questo sitio ñam ñam —constató, asustado, Giacomo.

—Hizo ñam ñam de lo lindo —añadió Hilde, intimidada—. Los huesos son de un animal enorme.

—Eran —corrigió Champion.

—Se lo debió de comer otro aún más grande —concluyó Susi, la voz vibrándole de miedo.

—O más feroz —argüí yo en voz baja, pues ya me hacía una idea de quién era el autor de la escabechina.

—En cualquier caso, tiene muy mala pinta —aseveró Hilde.

—La que tiene muy mala pinta es Lolle —rectificó Susi—, después del parto está toda fofa. Es espantoso.

Pasé por alto su descaro, ya que en ese momento oímos un aullido estremecedor.

Rabanito comentó atemorizada:

—Y eso no suena nada bien.

Mi ternerita blanca, del miedo que tenía, quiso volver a refugiarse en mi vientre. Por una parte, esto no era posible (muchos terneros querrían hacerlo al conocer un poco el mundo) y, por otra, mi cuerpo no habría sido un lugar seguro para refugiarse de las feroces fauces del perro del infierno.

—No pasa nada —le musité a la pequeña, que se creyó la mentira porque yo era su madre, claro, y se me pegó a la pata.

Oímos de nuevo el aterrador aullido, escalofriante a más no poder:

—Cada vez está más cerca —confirmó Hilde.

¿Debía advertirles que probablemente se tratara de

Old Dog? ¿Serviría de algo o más bien su miedo aumentaría y les infundiría un pánico que nos delataría sin lugar a dudas? Quizá Old Dog no nos encontrara y pasara de largo de la cueva sin más si no hacíamos ningún ruido. Según lo pensaba reparé en los huesos y me dije: o puede que nos crezcan alas y salgamos de aquí volando como si fuésemos bonitas mariposillas..., que probablemente venga a ser lo mismo.

Los aullidos estaban muy cerca.

—Eso suena muy mal —musitó Hilde.

Acto seguido apareció en la entrada de la cueva... No Old Dog sino una criatura gigantesca blanca y peluda. Parecía una mezcla de una persona enorme, un oso y algo con quien era mejor no partir peras. Pero al que, en cambio, probablemente le gustara partir vacas.

—Y también tiene muy mala pinta —añadió Hilde.

—Sobre todo huele mal —afirmó Susi poniendo cara de asco al oler al apestoso monstruo.

—Allora, ¡pero si è un yeti! —informó Giacomo aterrorizado, y de puro miedo se le subió al cuello a Hilde.

—¿Qué es un yeti? —preguntó ésta acertadamente.

—È una criatura que en realidad non existe —le respondió el gato.

—Quizá habría que decírselo a él —propuso Hilde.

El yeti entró en la cueva y nos bufó, furioso.

Susi temblaba de miedo.

—Me temo que vive aquí.

—Y non le piacen los inquilinos —masculló el gato.

El yeti bufó de nuevo, con más fuerza aún.

—Si no acaba con nosotros con esos colmillos lo hará con el mal aliento —constató Hilde, asqueada.

Todos tenían miedo. Incluso Champion, aunque intentaba disimularlo y bajó la cabeza para poner los cuernos en posición de ataque. Sin embargo, mi pequeña no temía nada, ya que yo estaba muy tranquila, y por lo tanto se sentía segura conmigo. Estaba profundamente aliviada de ver a ese yeti y no a Old Dog. Nuestro destino se decidiría sólo cuando nos tropezáramos con el perro, lo que a su vez quería decir que sobreviviríamos al encuentro con el yeti.

A no ser, naturalmente, que mis sueños con Old Dog fueran equivocados.

El yeti avanzó con pesadez hacia nosotros, y Champion me dijo al oído:

—No permitiré que le haga nada a mi familia.

Y salió corriendo, con los cuernos por delante, hacia el monstruo peludo. Valerosa, resuelta, enérgicamente...

Y el yeti lo lanzó por la cueva de un zarpazo.

Champion se dio contra la pared y cayó aturdido al suelo. Mi pequeña rompió a llorar, pues ahora yo también tenía miedo. Así y todo le susurré:

—No pasa nada.

—No, sólo he de levantarme —farfulló Champion, y se desmayó.

El yeti se iba acercando más, el fétido aliento a punto de acabar con nosotros.

—¿Sabéis lo que no estaría nada mal ahora mismo? —preguntó Hilde.

—Un milagro —contestó Rabanito.

Y, en efecto, el milagro se hizo. Sobre todo para el yeti. Y no fue precisamente bueno, sino más bien obra del diablo: algo que salió de la nada se abalanzó sobre la peluda criatura y le desgarró la garganta. Salió muchísima sangre y el yeti se desplomó en el suelo de la cueva. Y allí le dio muerte a dentelladas Old Dog.

CAPÍTULO 60

—Creo que me voy a desmayar —dijo, aterrorizada, Rabanito.

—Y yo contigo —apuntó Susi.

A lo que el gato añadió:

—Io hago catapum tambene con gusto.

Sin embargo, Hilde se dirigió a Old Dog y le preguntó:

—¿Por qué nos has salvado?

También ella estaba visiblemente afectada por el brutal ataque del perro del infierno.

—Sólo yo tengo derecho a mataros —contestó él sonriendo.

—O sea, que salimos de Guatemala y entramos en Guatepeor —razonó ella.

—¿Qué es Guatepeor? —preguntó Rabanito.

—¿Perdona? —contestaron a un tiempo Hilde y Old Dog.

—Que qué es Guatepeor —repitió Rabanito, cuyo cerebro parecía querer distraerse del terrible espectáculo que ofrecía el yeti muerto y de la amenaza que suponía el perro.

Old Dog no supo qué decir. Era la primera vez que lo veía desconcertado.

—Siempre me lo he preguntado —parloteó Rabanito—, y cuando una palabra tan curiosa como ésa se me mete en la cabeza, empieza a dar vueltas y más vueltas y más vueltas y me pone muy nerviosa, y eso no me pasa sólo con Guatepeor, sino también con rábano y con quina...

—¿Quina? —preguntó Old Dog, más perplejo aún.

—De tragar quina. Porque, ¿qué es esa quina? ¿Y para qué tragarla?

—¡Ya basta! —le chilló el perro.

—Y, digo yo, ¿se puede saber qué es un papanatas?

—¡¡¡YA BASTA!!!

Old Dog no podía controlar la situación, algo a lo que no estaba nada acostumbrado. Rabanito probablemente fuera la única criatura en el vasto mundo capaz de desconcertarlo así.

—¿Y qué es una gomita?

—Questo te lo puedo explicar io. —Se ofreció el gato.

—¡¡¡CALLAOS TODOS!!! —gritó Old Dog.

A lo que Rabanito, que ahora estaba muerta de miedo, contestó:

—Vale, ya me callo, cierro el pico, no digo ni pío, lo cual de todas formas sería absurdo, al fin y al cabo soy una vaca, y las vacas no dicen pío, como tampoco dicen oxte ni moxte, y eso que ni siquiera sé exactamente qué significa oxte ni qué moxte. Pero da lo mismo, tampoco diré ni mu, no diré nada de nada, me callaré como una muerta...

El perro estaba a punto de perder los nervios, la mataría de un momento a otro para que cerrara de una vez la boca.

—Pero si me quedo callada como una muerta —continuó cotorreando ella—, ¿qué hago en realidad? ¿Me mato...?

Había llegado el momento.

Old Dog tensó los músculos de las patas y...

Yo me interpuse entre ellos y grité:

—¡No!

El perro me miró con el ojo inyectado en sangre y me apresuré a explicar:

—Sólo me quieres a mí. Deja en paz a los demás. Perdónale la vida y no me defenderé.

—De acuerdo —asintió él.

Sin más, sin necesidad de más palabras; ciertamente la única que le importaba era yo.

—¡De eso nada! —soltó Hilde, y le preguntó al resto—: ¿Qué dijimos ayer?

—¿Que los partos son asquerosos? —repuso, vacilante, Susi.

—No, cuerno hueco. Dijimos: «Uno para todos...»

Todos recordaron la gran promesa que habíamos hecho, y Rabanito, Giacomo y hasta Susi exclamaron al unísono:

—¡TODOS PARA UNO!

No querían dejar que me enfrentara a la muerte sola, lo cual era increíble por su parte. Pero, por desgracia, también estúpido, ya que ello significaría que también ellos morirían. Nadie tenía absolutamente nada que hacer frente al perro del infierno.

—Vosotros os quedáis aquí —les ordené, por tanto, con determinación. Y fue la primera y única vez que di una verdadera orden a los míos. Para protegerlos.

—Pero... —objetó Hilde.

—Ocupaos de la pequeña —les pedí. Y se me saltaron las lágrimas y el labio inferior me empezó a temblar. Todos miraron a mi hija, que estaba pegada a mi pata, atemorizada, y lo entendieron: sola moriría en las montañas, sólo podría sobrevivir con su ayuda.

—Eh... ¿Significa eso que también tenemos que amamantarla? —preguntó Susi con desagrado.

Hilde le lanzó una mirada asesina.

—Sólo era una pregunta —se defendió la aludida—. Y aunque así sea, lo haré con mucho gusto, claro está. Sin duda.

Acaricié con el morro a mi pequeña. ¿Notó quizá que ésa era la última vez? Sea como fuere, le temblaba el cuerpo entero. Le di un empujoncito primero, y como no quería despegarse de mí, algo más fuerte después con la pata para que se fuera con Rabanito, su tía. Mientras, pugnaba con todas mis fuerzas por no llorar. La muerte no me daba miedo, pero saber que no vería crecer a mi hija me rompía el corazón.

—Decidle a Champion que lo quiero —les pedí a mis amigas, y también me empezó a temblar el labio superior. De un momento a otro me echaría a llorar.

—Yo también te quiero —balbució él.

Al parecer, mis palabras lo habían despertado. Se levantó a duras penas. Estaba demasiado débil para tenerse en pie, menos aún para enfrentarse al perro. Pero aun así quería defenderme de él. ¡Era mi héroe!

—Te voy a dar tu merecido... —amenazó a Old Dog, y dio unos pasos y volvió a perder el sentido.

El perro, risueño, hizo una mueca de burla. Mi héroe no podía salvarme. Nadie podía.

Rabanito rompió a llorar, y para no hacer yo lo mismo aparté la mirada y le dije en voz baja a Old Dog:

—Por favor, vayamos fuera.

No quería que la pequeña fuese testigo de cómo mataban a su madre.

Old Dog hizo un breve gesto de asentimiento, y salí de la cueva a la torva de nieve detrás de él, sin volver la cabeza, porque no quería que mi ternera me viese llorar. A mi espalda oí los mugidos desesperados y lastimeros de la pequeña. Naia mía, ni siquiera me había dado tiempo de ponerle nombre. Cuando estuve fuera por fin me eché a llorar. La última vez en mi vida.

CAPÍTULO 61

El viento hacía que la nieve me diera en la cara. Era como en mis sueños. Old Dog tenía el morro manchado de la sangre del yeti. Igual que en mis sueños. Sólo el sendero por el que avanzábamos era algo distinto. Oí mugir más lastimeramente aún a mi pequeña en la cueva y pedí a Old Dog, las lágrimas corriéndome por el morro, que nos alejáramos un poco más. No quería que la pequeña viese cómo me despedazaban, pero tampoco quería que lo oyera. Sin responder directamente a mi petición, Old Dog echó a andar y yo lo seguí por la densa nieve, unas doscientas vacas más arriba por una senda que cada vez era más estrecha. Con cada paso que daba me sentía más tranquila, resignada. Dejé de llorar y me sequé las lágrimas del morro con la lengua, al hacerlo probé el sabor de la límpida nieve que le caía encima. Tras doblar un recodo, finalmente nos detuvimos, a unas veinte vacas más. El lugar exacto de mis sueños. A nuestra derecha, la roca se alzaba hacia las oscuras nubes; a la izquierda se abría el hondo abismo. Al igual que en los sueños, tampoco ahora podía determinar su profundidad, pues la tormenta de nieve me lo impedía. Sólo la flor helada del borde del camino era distinta, en la realidad tenía un aspecto mucho, mucho más triste aún.

—¿Por qué quieres matarme? —le pregunté a Old Dog mientras la nieve azotaba mi rostro. Creía que por fin tenía derecho a saberlo.

El perro vaciló antes de contestar, pugnaba consigo mismo, algo en él quería que su corazón o, mejor dicho, lo poco que quedaba de él, se abriese. De manera que finalmente dijo:

—Por Tinka...

—Tu perra de aguas.

Recordé a su gran amor, que comió el veneno para ratas que puso el ganadero y murió.

—Estaba preñada cuando murió —confesó Old Dog. ¡Eso yo no lo sabía!

Su voz se tornó incluso un tanto quebradiza.

—Ese día no murió sólo ella, sino también mi hijo.

El perro estaba absolutamente ensimismado, como si reviviera ese momento terrible, como probablemente hiciese una y otra vez cada hora que pasaba despierto, y desde luego en las pesadillas que lo atormentaban de noche.

—Y con ellos murió mi sueño de ser feliz.

—Por eso quisiste quitarte la vida —razoné. Old Dog había ingerido después el veneno que había acabado con Tinka y su futuro hijo.

—Quería reunirme con ellos.

Su voz casi estaba ahogada debido al dolor contenido. Jamás creí que pudiera sentir compasión por Old Dog. Y aunque moriría a manos de él, sabía que Champion y mi ternero sobrevivirían. Sin embargo, seguir vivo cuando la familia de uno había muerto era un destino peor aún que la muerte.

—Los sombríos dioses perro se me aparecieron —contó—. No me dejaron morir, les produce un gran placer ver mi eterno sufrimiento.

Si de verdad existían esos dioses perro y no eran imaginaciones del demente Old Dog, nosotras, las vacas, podíamos estar más que satisfechas de tener sólo a Naia y Hurlo, ya que aunque no eran los dioses más capaces al menos no se regodeaban en el dolor de sus criaturas.

—Tinka siempre quiso tener una familia. —Siguió contando Old Dog, sin tan siquiera mirarme—. Desde que vio a las dos efímeras...

—Zumbi y Pumbi. —Recordé.

—¿A qué vienen esos nombres tan absurdos? —me espetó el perro con agresividad—. Tinka las llamó Meri y Efi.

¿Y se supone que esos nombres son mejores?, me entraron ganas de responder, pero no me pareció muy aconsejable irritarlo más. Por otra parte, ¿qué podía perder si de todas formas quería hacerme pedazos?

—Entonces, ¿entiendes por qué debo matarte? —me preguntó el perro.

Resolví dejarme de miramientos y contesté con insolencia:

—¿Porque no tengo ningún gusto poniendo nombre a unas moscas?

—¡No seas impertinente!

—Te recuerdo que quieres matarme. ¿Qué más me podría pasar?

—Puedo ser especialmente cruel. —Y se rió malicioso.

Me quedé helada.

—Mira por dónde ése es un buen argumento para que no sea impertinente.

—Debes morir porque no es lícito que una vaca tonta como tú viva la felicidad que nos fue negada a Tinka y a mí.

—¿No permites que los demás sean felices? —Apenas podía entenderlo. Abrí tanto la boca del asombro que me entró nieve.

—No. —Fue la escueta respuesta.

—¿Así de simple?

—Así de simple —corroboró él.

Ahora lo entendía: la felicidad tenía enemigos. Su mayor amenaza siempre venía de fuera, no de su ausencia en sí, algo que se olvida con demasiada facilidad cuando se está demasiado ocupado con uno mismo.

Agitada, pregunté:

—¿Le habría gustado eso a Tinka?

Old Dog se detuvo. Había conseguido lo que antes sólo lograra Rabanito: confundirlo.

—No —repuso con aire vacilante —, probablemente no.

Concebí esperanzas: Old Dog amaba tanto a Tinka que si quería conservar su memoria era probable que me perdonara la vida.

—Posiblemente incluso le pareciera espantoso —opiné con suavidad.

—Posiblemente —admitió.

Mis esperanzas aumentaron. Eran unas esperanzas que sólo sienten los que están condenados a morir cuando creen poder escapar una vez más de las garras de la muerte.

Y añadí, con más suavidad aún:

—Si Tinka viviera y se pareciera un poco a mí, le resultaría incluso atroz.

—¡Pero no se parece en nada a ti! —soltó el perro.

En ese momento presentí que había metido la pata.

—Y tampoco vive —aulló con todo el dolor y toda la rabia, maldiciendo al destino que le había jugado una mala pasada.

Aulló, aulló y aulló, cada vez con más furia, cada vez más enloquecido, los gritos resonando distorsionados en las inmensas rocas. Eso hizo que aquí y allá se desprendiera nieve de las pendientes, que fue a parar al abismo. Mi última esperanza de que me perdonara la vida se esfumó.

Old Dog tardó un tanto en calmarse, y después permanecimos un rato frente a frente en medio de la tormenta. En silencio. Y mientras estábamos así, él loco de dolor, yo esperando sus dentelladas, comprendí algo:

—Has perdido.

—¿Por qué? —El perro estaba pasmado.

—Porque yo he conocido la felicidad —repliqué, de pronto completamente serena—. Y eso ya no me lo podrás arrebatar.

El comentario le afectó, y no supo qué decir.

Había ganado de verdad.

A mi manera.

Pensé.

Pero de pronto Old Dog se rió.

—Anda, pero ¿a quién tenemos aquí?

Señaló con su pataza algo que estaba detrás de mí. Me volví en el estrecho sendero y hube de tener cuidado de no resbalar en el helado suelo pedregoso y caer al abismo. Allí estaban mis sueños de nuevo: la figura que subía por la sinuosa senda era mi dulce ternerita.

CAPÍTULO 62

—Te perdonaré la vida —dijo Old Dog sonriendo.

No me lo podía creer. ¿Acaso ver a mi pequeña le había recordado al que pudo ser su hijo y lo había dulcificado?

—Mataré a tu ternera y a tu marido, pero a ti... A ti te perdonaré. Llevarás la misma vida que yo. —Sonrió de nuevo, y al ojo enrojecido asomó un brillo aún más inquietante que el de antes—. Así habremos perdido los dos.

¡Si hubiera mantenido la boca cerrada!

Me interponía entre él y mi hija en el estrecho sendero, de manera que tendría que pasar por encima de mi cuerpo. Se dispuso a dar un salto.

—¡Vete! —le grité desesperada a la pequeña, que temblaba aturdida en medio de la tormenta de nieve—. ¡¡¡VETE!!! —chillé a pleno pulmón, tanto que en el camino cayó una lluvia de nieve de las rocas que se alzaban sobre mí.

El instinto de la pequeña se impuso: gracias a Naia no salió corriendo en busca de mi protección sino que bajó por el angosto camino y dio la vuelta al recodo. Claro estaba que con ello tampoco evitaría su perdición, pues una criatura tan pequeña nunca podría escapar de un perro del infierno, que le daría alcance en cuestión de segundos.

Old Dog me salvó de un salto e inició la persecución, pero al otro lado apareció Rabanito, jadeante:

—Lo siento, Lolle, no pude retener a la pequeña...

Vio al perro, que frenó delante de ella. De pronto se quedó callada como una muerta, aunque fuera algo impropio en ella.

Tras ella asomaron Hilde y Susi, y también el gato, que se había acomodado entre los cuernos de Hilde. Nadie se atrevía a decir ni una palabra. Sin embargo, Champion no estaba con mis amigos, posiblemente siguiera inconsciente del golpe que le propinó el yeti.

Old Dog se rió al ver a los míos:

—Y a tus amigos les voy a dar para el pelo también. Así habrás perdido incluso mucho más que yo.

Sus carcajadas hicieron que en el camino cayera más nieve de las montañas.

El perro fue despacio hacia Rabanito, que era la que estaba más cerca, y ella empezó de nuevo a desvariar de puro miedo.

—Tengo una preguntita de nada...

—¿Qué? —inquirió Old Dog, profundamente irritado.

—¿Qué nos vas a dar para el pelo?

El perro no daba crédito.

—¿Tiene algo que ver con tragar quina?

Old Dog echaba espuma por la boca.

—¿Para que nos crezca el pelo?

Sus ojos tenían el fulgor de la locura.

—¿Por eso se habla del peluquín?

El perro se abalanzó hacia Rabanito, furibundo, mientras le gritaba:

—¡TÚ VAS A SER LA PRIMERA EN MORIR!

Aunque no gritó tanto como antes hiciera yo cuando, desesperada, le pedí a mi hija que se fuera, bastó para hacer caer del todo la nieve ya desprendida de las rocas.

—¡Attenzione, avalancha! —exclamó horrorizado el gato.

Una masa de nieve se precipitó estruendosamente sobre Old Dog.

Y sobre Rabanito.

Y la avalancha los arrastró a los dos al abismo.

CAPÍTULO 63

—¡RABANITO! —exclamé cuando la avalancha cesó.

La nieve me había separado del resto, que se hallaba en el recodo, levantando una barrera de más de un metro, de forma que ya no veía a mis amigos.

—Io penso que non è una idea muy buona seguir chillando cuando existe riesgo de avalancha —apuntó tímidamente Giacomo desde el otro lado.

—Pero Rabanito... —insistí desesperada mientras me asomaba a las profundidades del abismo. Sin embargo, no vi nada, ya que la tormenta de nieve seguía azotando. Aunque tal vez fuera mejor así: ver su cadáver habría sido espantoso.

—Sigo viva. —Oímos decir a nuestra amiga.

El corazón se me aceleró de la emoción.

Se había salvado.

¡Mi Rabanito se había salvado!

¡Gracias a Naia!

Era tanto mi agradecimiento a la diosa vaca que estaba dispuesta a llamar a mi ternera como ella.

Pero entonces Rabanito gimió:

—La clave está en «sigo».

Me acerqué al borde y vi que se encontraba suspendida de una roca, a unas cuatro vacas de mí, o para ser más exactos: apoyaba las patas delanteras, la cabeza y el cuello en un saledizo, el resto del cuerpo balanceándose en el aire, sobre el abismo. Era evidente que Rabanito no tenía fuerzas para subir a pulso.

El corazón se me encogió, así no aguantaría mucho, eso estaba más que claro.

—Old Dog cayó al abismo. —Me sonrió—. Ya no volverá a hacerte nada.

Unos segundos antes no había deseado otra cosa, pero ahora la muerte del perro me daba exactamente lo mismo. Mi Rabanito corría un peligro mortal, y yo tenía que salvarla. Pero ¿cómo? Aunque lograra llegar hasta ella sin resbalar y caer al abismo, ¿cómo iba a subirla? Por desgracia, las vacas sólo teníamos pezuñas, no unas manos que pudiéramos entrelazar. Y aunque hubiera tenido manos, probablemente no hubiese podido con su peso, tampoco era yo tan fuerte, ninguna vaca del mundo entero era tan fuerte. Aun así debía intentarlo. De modo que apoyé las patas delanteras en el montón de nieve y le grité:

—Ahora mismo estoy contigo.

—No, Lolle —pidió Rabanito—, es demasiado peligroso.

—Te salvaré —le aseguré al tiempo que subía también las patas traseras en la nieve. Di un peligroso resbalón y conseguí recuperar el equilibrio a duras penas, pero era imposible avanzar un paso más sin precipitarme al abismo.

—Lolle, no seas ingenua —dijo precisamente mi amiga la ingenua—. No mueras innecesariamente. Tu familia te necesita.

Me detuve. Hecha un lío. Sabía que tenía razón, pero no podía dejarla morir sin hacer nada.

El tiempo apremiaba, Rabanito cada vez lanzaba más ayes. Los músculos le dolían, el esfuerzo que le suponía sostenerse en el saledizo era titánico.

Del otro lado del montículo oí decir a Hilde:

—Te quiero, Rabanito.

Estando con las wagyus, Hilde había comprendido lo que significaba para Rabanito, aunque no lo había dado a entender. Ahora, cara a cara con la muerte, quería decir a Rabanito las palabras que ésta tanto deseaba escuchar. Aunque no fuesen verdad, intentaba regalarle a su amiga un último momento de felicidad en la tierra.

—Hilde, mientes fatal. —Rabanito rió jovialmente. Se despeñaría de un momento a otro—. Pero no hace falta que digas embustes por mí... —continuó. Las fuerzas la abandonaban—. He tenido una vida feliz. Ha sido perfecta aun cuando no siempre ha sido perfecta... —No podía seguir sujetándose—. Porque he vivido cada instante... —Dejó de luchar—. Hacedlo vosotros también.

Dejó de intentar evitar lo inevitable.

Mi Rabanito me sonrió por última vez.

Y se precipitó hacia la muerte.

CAPÍTULO 64

Ese momento quedó como congelado en el tiempo.

Nunca antes había sentido un dolor así.

Ni siquiera podía llorar, de tanto que dolía.

Mi Rabanito había muerto.

Ya no volvería a cantar.

Ni a decir tonterías.

Ni a hacerme mimos.

Se había ido.

Para siempre.

En ese momento congelado en el tiempo decidí llamar a mi hija Rabanito.

Luego el momento pasó.

Porque oí la voz de Old Dog.

El tiempo volvió a cobrar la velocidad normal. Old Dog gritaba a lo lejos, la voz rebosante de odio:

—¡Os voy a matar a todos!

Miré al abismo: la tormenta había amainado un tanto, y vi que el perro —que se encontraría unas diez vacas más abajo— estaba en un saledizo rocoso. Sangraba por numerosas heridas, pero vivía.

¡Oh, no!

¡Así que vivía!

Hasta que Rabanito aterrizó encima de él.

Y eso le partió definitivamente la crisma al perro del infierno.

Y a ella le salvó la vida.

El monstruo que quería destruir la felicidad había sido vencido de una vez por todas.

Por una vaca feliz.

Que exclamaba jubilosa desde el saledizo:

—Menos mal que estoy jamona.

CAPÍTULO 65

Los días que siguieron fueron duros: el escaso aire de las montañas nos daba tantos problemas en la subida a la cima como el frío, la nieve y el hambre. Nos alimentábamos de las pocas flores heladas que crecían en el borde del camino. Por suerte, durante nuestra estancia con las wagyus habíamos acumulado una importante capa de grasa de la que podíamos vivir y que a mí además me permitía poder amamantar a mi pequeña. Y cada vez que el agotamiento hacía mella en uno de nosotros y quería tirar la toalla, el resto lo animaba de inmediato, pues ahora éramos una auténtica piña. Pero, qué digo, ahora teníamos la sensación de ser una gran familia. ¡Todos para uno, uno para todos!

Por las noches, cuando buscábamos resguardarnos de la nieve y el viento en cuevas o tras las rocas, nos contábamos historias para no pensar en el frío y el miedo cerval que sentíamos. Sin embargo, estas historias ya no giraban en torno a Naia y Hurlo, sino a unos héroes muy distintos. Nuestras nuevas leyendas tenían títulos como éste:

La ternera blanca

La asombrosa ternera blanca subía por el Himalaya. Con cada metro, el viento era más cortante, el sendero, más resbaladizo y el aire, más escaso. Cualquier otro ternero habría llorado amargamente de miedo, no así la ternera blanca, pues la rodeaban valientes compañeros que le conferían valor. Ahí estaba la vaca de manchas marrones, a la que para entonces le daba lo mismo el color y le había hecho tortilla el miembro a un toro formidable. O la que antes era una vanidosa, que había salvado valerosamente al grupo del pájaro de fuego y ahora era tan altruista que incluso le habría dado leche a la ternera de la que fuese su mayor enemiga. Y estaba la que siempre era encantadora, que había aplastado al perro del infierno y hallado el valor para confesar que era paah-didel-dideli-dideli-dam.

Naturalmente, con la ternera blanca también estaban sus amorosos padres: el toro que perdió la memoria pero descubrió su verdadera naturaleza, y la vaca que buscaba la felicidad y prácticamente la había encontrado, aunque para ello faltaba hallar un nuevo hogar. Sin embargo, hacia allí los conducía el gato extranjero, que antes siempre huía del peligro, pero después decidió cogerlo por los cuernos para proteger a la vacada de las espeluznantes criaturas llamadas gourmets.

Estos amigos que acompañaban a la ternera blanca eran capaces de todo: cruzar el ancho mar, volar por encima de las nubes y, si era preciso, orinar sobre ranas. Eran imbatibles, y conseguirían que la ternera blanca cruzara las montañas, de eso no cabía la menor duda.

Un buen día, la lombriz de tierra se topó con tan valeroso grupito y preguntó:

—¿Y dónde aparece Naia, la diosa vaca, en esta historia?

La madre de la ternera blanca le respondió:

—En ésta no es necesaria.

—Es que me quiero quejar —soltó la lombriz— de que el tiempo cada vez es más variable. Hoy hace calor, mañana frío, hoy llueve, mañana el sol pega otra vez con fuerza... Y digo yo, ¿se puede saber a qué viene esto?

—¿Quién más está harto de oír las quejas de esta lombriz? —La cortó la de manchas marrones.

—Por desgracia es incapaz de disfrutar de nada —apuntó la encantadora.

—Sólo sabe quejarse —confirmó la que antes era vanidosa.

—Probablemente tenga que ver con su extraña vida amorosa —afirmó el toro.

La madre de la ternera bajó el morro hacia la lombriz:

—No puedes acudir siempre a Naia para protestar por todo.

—¿Por qué no?

—Porque cada cual es responsable de su propia felicidad.

La lombriz de tierra se quedó pasmada:

—¡Pues ya podía habérmelo dicho Naia!

Y se alejó echando pestes. Sin embargo, la ternera blanca escuchaba a su madre con gran atención, y de ese modo ya de pequeña aprendió algo que a sus valientes protectores les costó media vida comprender: la felicidad les llega a quienes cogen la vida por los cuernos.

Estas nuevas leyendas tenían gran importancia para nosotros, pues sus protagonistas no eran criaturas sobrenaturales, sino que trataban de lo que nosotras, vacas de carne y hueso, éramos capaces de hacer. Y nos dieron el valor necesario para soportar las oscuras noches.

Gracias a esas historias incluso cobramos fuerza para subir a la cumbre del Himalaya. Sí, ¡las vacas pisamos la cima del mundo!

Temblando debido al frío glacial, cuando el aire era escaso y rozábamos la muerte, pero llenos de orgullo, pues ninguna vacada había conseguido algo igual. Y allí arriba, desnudas, las personas sin duda habrían muerto.

—Madre mía, ¡somos lo más! —exclamó Rabanito, el aliento formando en el helado aire cristales que caían suavemente al suelo.

—De puro buenos que somos, hasta duele —confirmó Hilde.

—¡Guau, guau, guau! —añadió Champion.

—¡Miau! —El gato rió.

—Se me está quedando el culo tieso —apuntó Susi, que era incapaz de dejar de quejarse, puesto que nadie cambia del todo.

De la cima bajamos al valle. Con cada paso hacía más calor, más y más calor.

Y... Llegamos a la India.

Por fin.

Dejamos atrás a los antiguos dioses.

Las montañas, la nieve, el frío.

El dolor, la pena y el peligro.

Y habíamos recuperado nuestro peso de siempre.

CAPÍTULO 66

Sólo entonces fui consciente de que no me había parado a imaginar cómo sería la India. Ninguno de nosotros tenía ni la menor idea de cómo sería nuestro paraíso, aparte del detalle nada desdeñable de que allí nadie nos asaría a la parrilla ni intentaría meternos entre dos panes con un triste pepinillo.

Precisamente al no tener una idea formada, la India nos resultó abrumadora: hacía mucho calor, y supimos instintivamente que allí no volveríamos a pasar frío jamás. Por todas partes crecían flores desconocidas, fascinantes, y en lugar de moscas había mariposas de los colores más vivos, tan bellas y delicadas que contra ellas nunca utilizaríamos el rabo para espantarlas.

En un pueblecito conocimos a personas encantadoras, que nos dieron agua y nos dispensaron los mejores cuidados sin la intención de encerrarnos en un tren o querer comernos. Incluso renunciaron a nuestra leche y la destinaron a la finalidad para la que la dispuso la naturaleza: alimentar a los pequeños.

En esa aldea llamada Amoda también conocimos a vacas indias, que estaban tan satisfechas y eran tan equilibradas como sólo podían estarlo y serlo unas criaturas que nunca habían pasado hambre, penalidades o miedo ni habían temido por su vida. Tenían nombres como Vishniruth, Vishniweg y Vishnipopoab, y nos acogieron con amabilidad y cariño. Desde el primer segundo ese pueblo fue para nosotros un mundo maravilloso. Allí podíamos quedarnos. Allí podía crecer mi ternera. Y ninguno de nosotros volvería a llorar.

La India era tan increíble, tan sobrecogedora, que nos dejó a todos sin palabras. Pero cuando no encontrábamos las palabras adecuadas, las vacas recurríamos a los cantos.

Nuestra primera noche la pasamos tumbados con nuestras nuevas amigas, las vacas indias, en la caliente arena de la plaza del pueblo: sí, las personas nos dejaban estar en cualquier parte, donde quisiéramos. Vimos cómo se ponía el sol, tras las montañas del Himalaya, y acto seguido Rabanito se puso a cantar una canción en voz baja:

Oh happy tú

Y Hilde y Susi le hicieron los coros:

Oh happy tú

Las tres empezaron a mover la cabeza a un lado y a otro mientras cantaban con más brío:

> *Oh happy tú (oh happy tú).*
> *Pues Lolle nos guió,*
> *hasta la India nos guió,*
> *y decimos felices mu.*
> *Oh happy tú (oh happy tú).*

Y mi hijita empezó a canturrear.

> *La, la, la, la, la, la, la, la, la.*

El gato se rió y dijo:
—Un texto variado è altra cosa.
A continuación todos cambiaron la letra, y hasta Champion se unió con voz vigorosa:

> *Mu, mu, mu, mu, mu, mu.*

El gato sonrió:
—Questo è mucho más variado, desde luego.
Y se sumó alegremente:

> *Mu, mu, mu, mu, mu, mu.*

Todos cantaban cada vez más alto. Me estaban tan agradecidos que de la emoción se me hizo un nudo en la garganta del tamaño de una sandía.

Mi gran familia se levantó y empezó a bailar con desenfreno. Las vacas indias se dejaron llevar por el entusiasmo y nos imitaron. Todos bailaban y daban saltitos en círculo, y las amables personas que nos rodeaban aplaudían de alegría.

Oh happy tú (oh happy tú)

En ese momento comprendí de una vez por todas que la felicidad representaba algo distinto para cada uno de nosotros:

Para Hilde la felicidad era no volver a aferrarse a sueños falsos.

Para Susi la felicidad era creer en sí misma.

Para Giacomo, haber saldado una deuda.

Para Rabanito, disfrutar cada momento.

Oh happy tú (oh happy tú)

Para Champion la felicidad era haber madurado por fin y tener su propia familia.

Para las vacas indias era la vida apacible en la que habían nacido.

Y para mí...

Para mí era mi toro y mi ternera.

Oh happy tú (oh happy tú)

Sí, gracias a mi decisión de abandonar la finca, toda mi vacada había encontrado la felicidad. Era fantástico verlos a todos así: Rabanito flirteaba con una encantadora vaca india llamada Himm-Himm, que tenía una caída de pestañas de lo más seductor; Hilde bailaba con Vishniweg, que era de color claro y no tenía una sola mancha; Susi flirteaba con Vishnipopoab, el toro más elegante del lugar, y rebosaba seguridad en sí misma. Y el gato engatusaba con un baile que llamaba bugui-bugui a varias bellas gatas indias a la vez.

Estaba claro que en ese paraíso, además de la felicidad, también encontrarían el amor.

Entonces Champion vino hacia mí y me invitó a que uniera mi voz a la suya, canturreando entusiasmado:

Vamos, canta, canta, canta, va, va...

De manera que también yo me levanté y me puse a bailar con mis amigos, mi ternera, mi toro, las vacas indias y las personas que disfrutaban con nosotros, y mugí a pleno pulmón:

**¡OH, OH, OH
OH HAPPY TÚ!**

Y al hacerlo sentí la mayor felicidad que existe.
Hacer felices a los que uno quiere.
Y eso es exactamente lo que significa ¡muuu!

Gracias a mi lectora, Ulrike Beck, que creyó en las vacas; a mi mujer, Marion, que siempre cree en mí; a mi agente, Michael Töteberg, que con frecuencia no sólo cree, sino que también sabe; a Marcus Gärtner y a Christian Zeyfang, que me prestaron ayuda en la parte musical.